2025年度版

春4月/秋10月試験対応　令和6年度10月の秋期試験にも対応　全9種

情報処理技術者試験

共通午前 I

JN023386

AC情報処理講座

ALL IN ONE オールインワン
パーフェクトマスター

TAC出版
TAC PUBLISHING Group

はじめに

　本書は，高度情報処理技術者試験，情報処理安全確保支援士試験の午前Ⅰ試験対策のために，最少時間で効果を最大化できるように作成したもので，次の三つの特徴があります。

○第一に，受験者が抱える事情にでき得る限りお応えすることを基本方針としています。
○第二に，過去問題の徹底分析をもとに頻出項目に絞って「知識編」を構成しています。
○第三に，合格に必須な実力を養成できるように「問題編」を構成しています。

　第一の受験者が抱える事情とは，午前Ⅱ，午後Ⅰ，午後Ⅱの専門試験の学習時間を確保するために，午前Ⅰ試験の学習にはあまり時間を割きたくないというものです。高度情報処理技術者試験，情報処理安全確保支援士試験は，午前Ⅰ試験に合格しなければ，それ以降の試験は採点されません。そのため，午前Ⅰの試験範囲はすでに学習しており，再学習に時間をかけたくないと考える方が多いと思われます。そこで，本書は，**少ない時間で午前Ⅰ試験合格レベルの学力を培う**，という基本方針で作成しました。

　第二に「知識編」は，本試験の徹底分析に基づき，掲載する項目を厳選しています。さらに，TACが長年受験対策を指導してきた実績をもとに，出題の可能性が高い項目も掲載しています。また，解説は試験に必要な最小限のものとしています。

　第三に「問題編」は，出題率の高い過去問題を中心に構成しています。午前Ⅰ試験は過去問題が再出題されることが多く，全く同じではなくても類似した内容が繰り返し問われることが多いので，過去問題演習が最も効果的で効率的です。

　さらに，本書では**「知識編」と「問題編」をリンクさせています**ので，習得した知識を確認するための問題演習をすぐ行うことができ，また，問題演習で不足だと感じた知識をすぐに補うことができます。

　これらの特徴を持つ本書を活用し，午前Ⅰ試験に合格されることを願ってやみません。

2024年8月　TAC情報処理講座

Contents

第2部　マネジメント

第3部　ストラテジ

第**0**部

午前 I 試験とは

1 午前Ⅰ試験の役割

1.1 午前Ⅰ試験の位置づけ

　高度情報処理技術者試験と情報処理安全確保支援士試験は，ITプロフェッショナルの専門能力を評価する試験として広く認知されている国家試験です。

高度情報処理技術者試験		情報処理安全確保支援士試験
春期に実施	秋期に実施	春期・秋期 （年2回実施）
・ITストラテジスト試験 ・システムアーキテクト試験 ・ネットワークスペシャリスト試験 ・ITサービスマネージャ試験	・プロジェクトマネージャ試験 ・データベーススペシャリスト試験 ・エンベデッドシステムスペシャリスト試験 ・システム監査技術者試験	・情報処理安全確保支援士試験

　高度情報処理技術者試験と情報処理安全確保支援士試験に合格するためには，次の**四つの異なる試験全てに合格すること**が求められます。

午前Ⅰ試験	午前Ⅱ試験	午後Ⅰ試験	午後Ⅱ試験
IT全般の 基礎知識試験	ITプロフェッショナルの基礎知識試験	ITプロフェッショナルの応用技能試験	ITプロフェッショナルの専門技能試験

　四つの試験には順番があり，午前Ⅰ試験に合格できなければ，それ以降の午前Ⅱ試験，午後Ⅰ試験，午後Ⅱ試験は受験していても採点の対象になりません。また，午前Ⅱ～午後Ⅱ試験の出題分野・内容は試験区分によって異なりますが，午前Ⅰ試験は，高度情報処理技術者試験の全区分と情報処理安全確保支援士試験に共通の試験です。つまり，**「午前Ⅰ試験」が第1通過点**であり，午前Ⅰ試験を突破してようやく，高度情報処理技術者と情報処理安全確保支援士の認定試験のスタート台に立てることになります。

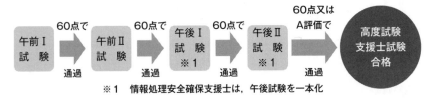

※1　情報処理安全確保支援士は，午後試験を一本化

なお，午前Ⅰ試験には，次の条件1～3のいずれかを満たすことによって，その後2年間，**午前Ⅰ試験の受験を免除する制度**があります。

免除制度	条件1：応用情報技術者試験に合格する。 条件2：いずれかの高度情報処理技術者試験又は情報処理安全確保支援士試験に合格する。 条件3：いずれかの高度情報処理技術者試験又は情報処理安全確保支援士試験の午前Ⅰ試験で基準点以上の成績を得る。

1.2 午前Ⅰ試験の特徴

情報処理技術者試験には「技術レベル」が設定されています。基本情報技術者試験の科目A試験と応用情報技術者の午前試験は，出題分野は同じですが技術レベルが異なります。基本情報技術者試験は技術レベル2で，応用情報技術者試験は技術レベル3です。

午前Ⅰ試験は，応用情報技術者の午前試験と出題分野も技術レベルも同じです。そのため，近年の出題傾向として，同じ日に実施される**応用情報技術者の午前試験80問から30問が抜粋**されて出題されています。

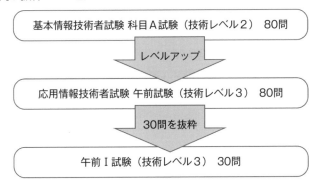

これらから，応用情報技術者試験に合格できるレベルの受験者には，綿密な午前Ⅰ試験対策は不要といえます。不安な出題分野だけ補強すればよいでしょう。

3

2 午前Ⅰ試験の突破法

2.1 午前Ⅰ問題の分析

問6　SOAを説明したものはどれか。

キーワード
キーフレーズ

ア　企業改革において既存の組織やビジネスルールを抜本的に見直し，業務フロー，管理機構，情報システムを再構築する手法のこと

イ　企業の経営資源を有効に活用して経営の効率を向上させるために，基幹業務を部門ごとではなく統合的に管理するための業務システムのこと

ウ　発注者とITアウトソーシングサービス提供者との間で，サービスの品質について合意した文書のこと

エ　ビジネスプロセスの構成要素とそれを支援するIT基盤を，ソフトウェア部品であるサービスとして提供するシステムアーキテクチャのこと

▶午前Ⅰ問題（一部）

　午前Ⅰ試験では，4択問題が30問出題されます。どの問題も，キーワードやキーフレーズに関する問いかけとなっており，受験者は四つの選択肢から最も適当な選択肢を一つ探します。

2.2 キーワードとキーフレーズ

　本試験で出題された午前 I 問題を分析して，よく出題されるキーワードやキーフレーズを抽出して整理しました。

分野	キーワードやキーフレーズ	出題比率
基礎理論	n進数　論理式　集合　有限オートマトン　BNF　関数　確率　相関係数　水平パリティ　映像圧縮符号化方式　符号化　XML　D/A変換器　SIML　機械学習　過学習　ディープラーニング　Python	10%
アルゴリズムとプログラミング	線形リスト　逆ポーランド表記法　LIFO　再帰的関数　ヒープソート　バブルソート　最短経路　ハッシュ関数	
コンピュータ構成要素	スーパースカラ　SIMD　DRAM　フラッシュメモリ　平均アクセス時間　キャッシュの書込み方式　メモリインタリーブ　ハミング符号	
システム構成要素	クラスタリングシステム　ターンアラウンドタイム　M/M/1待ち行列モデル　スケールアウト　MTBF　可用性　信頼性　保守性　稼働率　故障率曲線　フェールセーフ　キャパシティプランニング　ライブマイグレーション　IaaS　PaaS　サーバコンソリデーション	13%
ソフトウェア	Linuxカーネル　プロセスのスケジューリング　主記憶管理　仮想記憶方式　リアルタイムOS　ページング方式の仮想記憶　スラッシング	
ハードウェア	論理回路	
ユーザーインタフェースと情報メディア	アクセシビリティ設計　拡張現実（AR）	
データベース	関係モデル　候補キー　参照制約　射影　汎化　B$^+$木　原子性　デッドロック　障害回復　データウェアハウス　データマイニング	
ネットワーク	CSMD/CD方式　回線のビット誤り率　伝送時間　サブネットワークのアドレス　ブロードキャストアドレス　IPv6　ARP　UDP　NAPT　DHCP	26%
セキュリティ	残留リスク　暗号化アルゴリズム　共通鍵暗号方式　AES　RSA　ハイブリッド暗号方式　パスワード　パスワード認証　ブルートフォース攻撃　認証デバイス　虹彩認証　チャレンジレスポンス認証方式　ファイアウォール　ペネトレーションテスト　TLS　電子メール　IPsec　DNSキャッシュポイズニング　SQLインジェクション　クロスサイトスクリプティング　セッションハイジャック　WAF　ディレクトリトラバーサル　OCSP	
システム開発	DFD　モジュール強度　モジュール結合度　ユースケース図　アクティビティ図　コード設計　ブラックボックステスト　アジャイル　ペアプログラミング　CMMI　インスペクション磁気テープへのバックアップ　バーンダウンチャート	7%

プロジェクト マネジメント	PMBOKガイド　スコープコントロール　スクラム スプリント　アローダイアグラム　ファストトラッキング技法 EVM　工数見積り　使用性　品質特性　保守性 QC7つ道具と新QC7つ道具　プレシデンスダイアグラム	7％
サービス マネジメント	サービスレベル管理　目標復旧時点（RPO）　可用性 可用性管理プロセス　構成管理　構成管理プロセス 問題管理プロセス　インシデント及びサービス要求管理	10％
システム監査	クラウドサービスの導入検討プロセスに対するシステム監査 財務報告に係る内部統制の評価及び監査に関する実施基準 システム監査基準　予備調査　監査手続　フォローアップ 情報システム全体の最適化目標　監査証拠	10％
システム戦略と システム企画	情報戦略策定　エンタプライズアーキテクチャ　SOA　RFI ROI　最適化　投資効果　NPV	10％
経営戦略	M&Aによる垂直統合　PPM　デルファイ法　BCP　SoE バリューチェーン分析　成長マトリクス　4C バランススコアカード　CRM　SCM　KPI　CPS プロセスイノベーション　コア技術　コアコンピタンス	10％
ビジネスインダ ストリ	コンカレントエンジニアリング（CE）　セル生産方式 部品表　EDI　RPA　エッジコンピューティング	
企業活動	マクシミン原理に基づく最適意思決定　OC曲線 減価償却方法　損益分岐点	7％
法務	著作権　産業財産権　使用許諾　不正競争防止法　刑法 請負型契約　準委任契約　個人情報　国際基準 プロバイダ責任制限法	

2.3　キーワード学習

　午後Ⅰ問題によく出題されるキーワード（キーフレーズ）について，その意味や内容を確実に習得します。本書では，分野ごとにキーワード（キーフレーズ）を整理して知識編として掲載しています。この知識編を利用して，短時間で効率良くキーワードを学習してください。

キーワードやキーフレーズを柱に知識を解説	読めば	午前Ⅰ問題を解く知識を獲得できる

2.4　問題演習

　本書の分野ごとの問題編を利用して問題演習を行ってください。知識編で学習したキーワード（キーフレーズ）が習得できているか確認します。正解できなかった場合には，再度知識編を学習して知識の定着を図ってください。

■知識編　知識を習得

1　基礎理論

知識編

1.1　コンピュータ内部でのデータ表現

□ 2進数

0と1のみを用いて、2になったら桁が上がる数値である。コンピュータ内部では整数、実数、文字、画像、音声、プログラムといった各種の情報は、全て2進数で保持される。2進数は、10進数と比べて桁数が多く扱いにくいため、2進数との変換が容易で少ない桁数で表すことができる8進数や16進数で表現されることも多い。

□ n進数への変換

10進数をn進数に変換する場合、10進数を基数nで割る除算を商が0にな... ... り返す。商が0になった時点で、各除算で得られた余り（剰余）を逆順に... ...と、n進数に変換した結果が得られる。

例えば、10進数の158を2進数に変換するのであれば、158を基数である2で割... ると商は79、余りは0となる。さらに、商の79を2で割ると商は39... りは1とな... る。このような演算を繰り返し、商が0になった最後に得られた...から順に並...この結果である（10011110）₂が、158を2進数に変換した...となる。16進... 数も同様に考えることができる。16進数では基数が16なので... で割った余りを... 順に並べればよい。

	10011110				9E
2)158		16)158			9E (16進数で
2) 79		16) 9			表現するとE)
2) 39		0			
2) 19					
2) 9					
2) 4					
2) 2					
2) 1					
0					

▶10進数か... 基数変換

> 正解できなかった知
> 識を再度学習する

> 学習した知識を
> 使ってみる

■問題編　知識の習得を確認

問1　10進数123を、英字A～Zを用いた26進数で表したものはどれか。こ
こで、A＝0、B＝1、…、Z＝25とする。　　　　　（H28問1）
ア　BCD　　イ　DCB　　ウ　ET　　エ　TE

問2　A、B、C、Dを論理変数とするとき、次のカルノー図と等価な論理式
はどれか。ここで、・は論理積、＋は論理和、X̄はXの否定を表す。（H26問1）

CD＼AB	00	01	11	10
00	1	0	0	1
01	0	1	1	0
11	0	1	1	0
10	0	0	0	0

ア　A・B・C̄・D＋B・D̄　　　　　イ　Ā・B・C̄・D̄＋B・D
ウ　A・B・D＋B̄・D̄　　　　　　エ　Ā・B・D̄＋B・D

過去の出題実績を記載し
てあります。

※H＝平成、R＝令和、S＝春期、F＝秋期を
　表しています。
※㊟とあるものは、出題のさいに問題の
　一部に軽微な変更があったものです。

答1　n進数への変換 ▶ P.10　　　　　　　　　　　　　　　　　　　　　ウ
問題のルールを用いると、アルファベットのi番目にある文字は、10進数の（i－1）に該
当する。また、1桁繰り上がって26進数の"10"となった場合、この下から2桁目の"1"
は10進数の26に該当する重みを持つことになる。ここで、10進数の123を26で割ってみ
ると、
　123 ÷ 26 ＝ 4 … 余り 19
となるので、10進数の123を英字A～Zを用いた26進数で表現した場合、
　　下から2桁目：4 … "E"（Eはアルファベットの5番目の文字）
　　　　と
　　下から1桁目：19 … "T"（Tはアルファベットの20番目の文字）
となるので"ET"が正解となる。

答2　カルノー図 ▶ P.12　　　　　　　　　　　　　　　　　　　　　　エ
提示されたカルノー図のうち、"1"となる場合について、次のように分類する。

CD＼AB	00	01	11	10
00	1	0	0	1
01	0	1	1	0
11	0	1	1	0
10	0	0	0	0

まず、①について考えると、A＝0、B＝0、D＝0であれば、Cの真偽にかかわらず結果は
"1"となっている。これは、
　Ā・B̄・D̄
と等価である。
また、②について考えると、B＝1、D＝1であれば、AやCの真偽にかかわらず結果は"1"
となっている。これは、
　B・D
と等価である。①と②のいずれか（論理和）が成立すれば"1"となり、それ以外の場合で"1"
となることはないので、カルノー図は
　Ā・B̄・D̄＋B・D
と等価である。

▶本書に掲載した過去問題の出題実績と重要度

第1部 テクノロジ

1 基礎理論 p.26～
- 問1 ①
- 問2 ① ○
- 問3 ① ○
- 問4 ② ○
- 問5 ② ○
- 問6 ①
- 問7 ②
- 問8 ①
- 問9 ① ○
- 問10 ④
- 問11 ③
- 問12 ① ◎
- 問13 ① ◎
- 問14 ①
- 問15 ①
- 問16 ①

2 アルゴリズムとプログラミング p.62～
- 問1 ① ◎
- 問2 ②
- 問3 ⑤ ◎
- 問4 ② ○
- 問5 ①
- 問6 ①
- 問7 ② ○

3 コンピュータ構成要素 p.78～
- 問1 ① ○
- 問2 ①
- 問3 ①
- 問4 ② ○
- 問5 ①
- 問6 ①
- 問7 ② ○
- 問8 ①
- 問9 ③

4 システム構成要素 p.96～
- 問1 ① ○
- 問2 ①
- 問3 ① ○
- 問4 ② ◎
- 問5 ①
- 問6 ② ○
- 問7 ①
- 問8 ①
- 問9 ② ○
- 問10 ①
- 問11 ① ○
- 問12 ①
- 問13 ①
- 問14 ① ○
- 問15 ①
- 問16 ① ○
- 問17 ①

5 ソフトウェア p.124～
- 問1 ①
- 問2 ①
- 問3 ② ○
- 問4 ①
- 問5 ①
- 問6 ①
- 問7 ②
- 問8 ①

6 ハードウェア p.136～
- 問1 ② ○
- 問2 ② ○
- 問3 ①

7 ユーザーインタフェースと情報メディア p.148～
- 問1 ① ○
- 問2 ① ○
- 問3 ② ○

8 データベース p.170～
- 問2 ① ○
- 問3 ② ◎
- 問4 ① ○
- 問5 ②
- 問6 ①
- 問7 ①
- 問8 ① ◎
- 問9 ①
- 問10 ② ○
- 問11 ②
- 問12 ① ◎
- 問13 ① ○

9 ネットワーク p.202～
- 問1 ③
- 問2 ② ○
- 問3 ①
- 問4 ①
- 問5 ①
- 問6 ①
- 問7 ①
- 問8 ①
- 問9 ①
- 問10 ①
- 問11 ①

10 セキュリティ p.240～
- 問1 ①
- 問2 ①
- 問3 ①
- 問4 ③ ◎
- 問5 ①
- 問6 ①
- 問7 ①
- 問8 ①
- 問9 ①
- 問10 ①
- 問11 ①
- 問12 ①
- 問13 ①
- 問14 ② ○
- 問15 ①
- 問16 ①
- 問17 ①
- 問18 ①
- 問19 ①
- 問20 ②
- 問21 ① ○
- 問22 ② ○
- 問23 ② ○
- 問24 ①
- 問25 ①

11 システム開発 p.282～
- 問1 ① ◎
- 問2 ①
- 問3 ①
- 問4 ①
- 問5 ①
- 問6 ①
- 問7 ①
- 問8 ①
- 問9 ①
- 問10 ② ○
- 問11 ①
- 問12 ①
- 問13 ①
- 問14 ①
- 問15 ①
- 問16 ①
- 問17 ① ○
- 問18 ①

第2部 マネジメント

1 プロジェクトマネジメント p.310～
- 問1 ① ○
- 問2 ①
- 問3 ①
- 問4 ①
- 問5 ①
- 問6 ①
- 問7 ①
- 問8 ①
- 問9 ①
- 問10 ①
- 問11 ①
- 問12 ①

2 サービスマネジメント p.330～
- 問1 ①
- 問2 ①
- 問3 ① ○
- 問4 ③
- 問5 ①
- 問6 ①
- 問7 ① ○
- 問8 ①
- 問9 ①

3 システム監査 p.340～
- 問1 ② ○
- 問2 ①
- 問3 ①
- 問4 ①
- 問5 ③

第3部 ストラテジ

1 システム戦略とシステム企画 p.354～
- 問1 ④ ◎
- 問2 ①
- 問3 ①
- 問4 ①
- 問5 ①
- 問6 ①
- 問7 ①
- 問8 ④
- 問9 ①

2 経営戦略 p.384～
- 問1 ①
- 問2 ①
- 問3 ①
- 問4 ①
- 問5 ①
- 問6 ①
- 問7 ①
- 問8 ①
- 問9 ①
- 問10 ①
- 問11 ①
- 問12 ②
- 問13 ②
- 問14 ①
- 問15 ① ○
- 問16 ①
- 問17 ① ◎
- 問18 ①

3 ビジネスインダストリ p.410～
- 問1 ①
- 問2 ①
- 問3 ③ ○
- 問4 ③
- 問5 ①
- 問6 ①
- 問7 ① ○

4 企業活動 p.434～
- 問1 ①
- 問2 ①
- 問3 ①
- 問4 ①
- 問5 ①
- 問6 ①

5 法務 p.446～
- 問1 ② ○
- 問2 ①
- 問3 ①
- 問4 ① ○
- 問5 ①
- 問6 ①
- 問7 ①
- 問8 ①
- 問9 ①
- 問10 ①
- 問11 ①
- 問12 ① ○

○丸数字はH22年春期～R6年春期までの間に出題された回数です（類題を含みます）。
○過去の出題回数に関わらず，これから再出題される可能性が高い問題を，重要度（◎ ○ 無印 の3段階）で示しました。

第1部

テクノロジ

1 基礎理論

知識編

1.1 コンピュータ内部でのデータ表現

❏ 2進数

　0と1のみを用いて，2になったら桁が上がる数値である。コンピュータ内部では整数，実数，文字，画像，音声，プログラムといった各種の情報は，全て2進数で保持される。2進数は，10進数と比べて桁数が多く扱いにくいため，2進数との変換が容易で少ない桁数で表すことができる8進数や16進数で表現されることも多い。

❏ n進数への変換　　　　　　　　　　　　　　　　　　　　　　　　　**問1**

　10進数をn進数に変換する場合，10進数を基数nで割る除算を商が0になるまで繰り返す。商が0になった時点で，各除算で得られた余り（剰余）を逆順に並べるとn進数に変換した結果が得られる。

　例えば，10進数の158を2進数に変換するのであれば，158を基数である2で割ると商は79，余りは0となる。さらに，商の79を2で割ると商は39，余りは1となる。このような演算を繰り返し，商が0になったら最後に得られた余りから順に並べる。この結果である（10011110）$_2$が，158を2進数に変換した結果となる。16進数も同様に考えることができる。16進数では基数が16なので，16で割った余りを逆順に並べればよい。

```
        10011110                      9E
  2) 158          ⬆          16) 158          ⬆
  2)  79 … 0      |          16)   9 … 14 (16進数で表現するとE)
  2)  39 … 1      |              0 …  9
  2)  19 … 1      |
  2)   9 … 1      |
  2)   4 … 1      |
  2)   2 … 0      |
  2)   1 … 0      |
       0 … 1      |
```

▶10進数からの基数変換

1.2 論理演算と集合演算

❏ 論理

　ある事象に対して正しいか正しくないかを判断できるものを命題という。命題のうち, 正しいと規定できることを「真 (true)」, 正しいと規定できないことを「偽 (false)」と呼ぶ。また, 任意の命題を表す変数を論理変数 (命題変数) といい, 真, 偽のいずれかで表す。真と偽のことを**真理値**といい, 真理値表ではそれぞれ1と0で表現する。

❏ 論理式

　命題変数を論理記号 (論理演算子) によって組み合わせたものを論理式という。主な論理演算には, 次のようなものがある。

▶論理式

論理演算	意味	論理式の例
論理積 （AND）	"かつ" を意味し, 二つの命題変数AとBの両方が真の場合のみ真となる。	$A \wedge B$ $A \cdot B$
論理和 （OR）	"又は" を意味し, 二つの命題変数AとBのうち, 少なくともいずれか一方が真なら真となる。	$A \vee B$ $A + B$
否定 （NOT）	一つの命題変数Aが真なら偽, 偽なら真となる。	$\overline{A}$ $\neg A$
排他的論理和 （XOR, EOR）	二つの命題変数AとBのうち, どちらか一方のみ真の場合に真となる。	$A \oplus B$
含意	命題変数Aが真ならBも真であることを表す。Aが真でBが偽の場合に限り, 偽となる。	$A \supset B$ $A \rightarrow B$

　各論理式の真理値表は, 次のようになる。ここで, 1は真を, 0は偽を表す。なお, $\overline{A \cdot B}$を否定論理積 (NAND), $\overline{A + B}$を否定論理和 (NOR) という。

▶真理値表

A	B	$A \cdot B$	$A+B$	$A \oplus B$	$A \rightarrow B$	$\overline{A}$	$\overline{A \cdot B}$	$\overline{A+B}$
0	0	0	0	0	1	1	1	1
0	1	0	1	1	1	1	1	0
1	0	0	1	1	0	0	1	0
1	1	1	1	0	1	0	0	0

❏ カルノー図　————————————————————————　問2

　論理式を簡略化するために用いる図であり，論理変数のとり得る値を領域で表すとともに，隣接する領域を併合する。このとき，最も上の行と最も下の行は隣接しているとみなし，最も左の列と最も右の列も隣接しているとみなす。隣接する領域について，値が共通する論理変数に注目すると，論理積を用いた論理式が得られる。そして，全ての隣接する領域の論理式を論理和で結合すれば，全領域の論理式が得られる。

AB＼CD	00	01	11	10
00	0	0	0	1
01	0	1	1	0
11	0	1	1	0
10	0	0	0	1

いずれも$B=1$，$D=1$
　→ $B \cdot D$

隣接
どちらも$B=0$，$C=1$，$D=0$
　→ $\bar{B} \cdot C \cdot \bar{D}$

$B \cdot D + \bar{B} \cdot C \cdot \bar{D}$

▶ カルノー図

❏ 集合　————————————————————————————　問3

　同じ属性を持つ要素の集まりである。全ての要素を対象とした全体の範囲を**全体集合**という。例えば，1以上10以下の整数を対象とした場合，全体集合Sは，

　　　$S = \{1, 2, 3, 4, 5, 6, 7, 8, 9, 10\}$

となる。このうち，偶数を集合Aとした場合，

　　　$A = \{2, 4, 6, 8, 10\}$

となる。一方，その集合に含まれない要素からなる集合を**補集合**という。例えば，Aの補集合を$\bar{A}$と表す場合，

　　　$\bar{A} = \{1, 3, 5, 7, 9\}$

となる。また，ある集合に対し，集合の一部となる集合を**部分集合**という。例えば，4の倍数を集合Bとした場合，

　　　$B = \{4, 8\}$

となる。集合Bは集合Aの部分集合となり，$B \subseteq A$のように表される。同様に，集合Aは全体集合Sの部分集合と考えることもできるので，$B \subseteq A \subseteq S$となる。

　これをベン図（各集合を円で表現する図）で表現すると次のようになる。

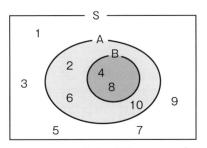

▶集合の概念

二つの集合を用いた集合演算には，次のようなものがある。

▶集合演算

演算の種類	式	概要
和集合	A∪B	集合Aと集合Bのうち，少なくとも一方に含まれる要素の集合。
積集合	A∩B	集合Aと集合Bの両方に共通して含まれる要素の集合。
差集合	A−B	集合Aから集合Bに含まれる要素を取り除いた要素の集合。 全体集合Sと集合Aの差集合S−Aは補集合Āに等しい。

例えば，集合A＝{1，2，3，4，5}，集合B＝{1，3，5，7，9} とした場合，各集合演算の結果は次のように求められる。

A∪B＝{1，2，3，4，5，7，9}

A∩B＝{1，3，5}

A−B＝{2，4}

和集合
A∪B

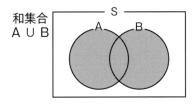

積集合
A∩B

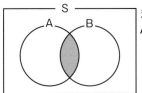

差集合
A−B

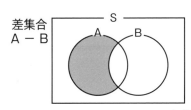

補集合
Ā

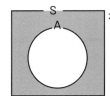

▶集合演算

また，集合演算についても，論理式と同様の基本的な法則がある。ここで，φは要素が一つもない集合を意味し，空集合という。

▶集合演算の公式

	法則	概要
①	交換の法則	$A \cap B = B \cap A$ ， $A \cup B = B \cup A$
②	結合の法則	$A \cap (B \cap C) = (A \cap B) \cap C$ ， $A \cup (B \cup C) = (A \cup B) \cup C$
③	分配の法則	$A \cap (B \cup C) = (A \cap B) \cup (A \cap C)$ $A \cup (B \cap C) = (A \cup B) \cap (A \cup C)$
④	否定の法則	$A \cup \overline{A} = S$ ， $A \cap \overline{A} = \phi$ ， $\overline{\overline{A}} = A$
⑤	ド・モルガンの法則	$\overline{A \cap B} = \overline{A} \cup \overline{B}$ ， $\overline{A \cup B} = \overline{A} \cap \overline{B}$

1.3 プログラム言語における基礎理論

❏有限オートマトン ―――――――――――――――――――――― 問4

オートマトンは，「入力から計算を実行し，結果を出力して停止する」という処理手順（振舞い）を定式化したものである。初期状態と最終状態に加え，有限個の状態と入力される有限個の記号，状態遷移関数によって構成されるものを有限オートマトンという。有限オートマトンの表現には，状態遷移図や状態遷移表などが用いられ，デジタル回路の設計やプログラム設計，構文解析などに応用される。

次の状態遷移図と状態遷移表は，いずれも初期状態から入力された文字と状態遷移関数に従って終了状態に遷移できるかを判定するものであり，初期状態q_0から入力値と状態遷移関数（状態遷移図では矢印で表される）に従って状態を遷移させた結果，終了状態q_2に遷移すれば，その言語は受理される。例えば，"bba"という入力があった場合，先頭から1文字ずつ処理していくので，

$$q_0 \rightarrow q_1 \rightarrow q_1 \rightarrow q_2$$

と遷移する。これは，最終状態に遷移したことになるので，文字列"bba"は受理されることになる。

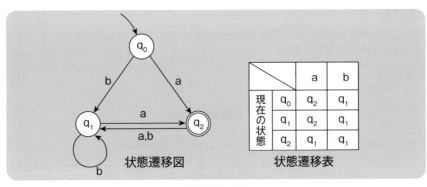

▶状態遷移図の例

❏ BNF（バッカス記法）　　　　　　　　　　　　　　　　　　　　問5

　プログラム言語の構文を形式的に記述する手段の一つである。次の三つの記号及び文字列を用いて構文規則（生成規則）を表す。

▶BNFの記号

： ： ＝	「定義」を表す。
｜	「又は」を表す。
＜ ＞	名詞や名詞句などのような「非終端記号」を表す。

　文の生成は，非終端記号を生成規則に従って文字などの終端記号の列に変換する。例えば，プログラム言語における変数名が「必ず英字で始まり，それ以降は英字又は数字を0回以上繰り返す」と定義される場合，変数名の識別子は次のように定義される。aや0などの各文字は終端記号を表す。

　　＜識別子＞：：＝＜英字＞｜＜識別子＞＜英字＞｜＜識別子＞＜数字＞
　　＜英字＞：：＝a｜b｜c｜…｜z｜A｜…｜Z
　　＜数字＞：：＝0｜1｜2｜…｜9

❏ 計算量

同じ結果を得るプログラムであっても，処理の手順である**アルゴリズム**によって性能は異なる。このようなアルゴリズムの性能を評価する尺度の一つが計算量である。計算量には，次のような種類がある。

▶**計算量の種類**

種類	概要
領域計算量	プログラムが終了するまでに使用される記憶領域の量
時間計算量	プログラムが終了するまでに要する時間の量

時間計算量（処理時間）は処理の実行回数に依存し，処理の実行回数は処理対象のデータ数によって変動する。時間計算量は，一般的に**オーダ記法（O記法）**によって評価する。オーダ記法では，処理の実行回数をデータ数Nを用いた関数F(N)で表したうえで，処理回数F(N)の定数や係数を除外し，最も増加率の大きな項に着目する。

例えば，データ数Nに対する処理回数が（$5N^3 + 2N^2 + 3N + 5$）回であれば，オーダ記法では$O(N^3)$と評価される。これは，処理時間がデータ数Nの3乗に比例することを意味し，データ数が2倍になると処理時間は8倍に，データ数が10倍になると処理時間は1,000倍になることを意味する。

なお，Nのオーダに関する増加率の大小関係は，

$$O(1) < O(\log_2 N) < O(N) < O(N \log_2 N) < O(N^c) < O(c^N) < O(N!) \quad (c は$$
1より大きな値を持つ定数)

である。$O(\log_2 N)$や$O(N \log_2 N)$は，底の2を省略して$O(\log N)$のように表記することが多い。$O(\log N)$のアルゴリズムは，データ数が2倍になったとしても処理時間はほとんど変わらない（処理回数が定数回増える程度の）高速なアルゴリズムである。

❏ 関数 ▶問6

プログラムは命令（文）の集合であり，この制御の流れを規定した制御構造に従って実行される。構造化定理では，制御構造は「連接（順次）」「選択（分岐）」「繰返し（ループ）」の三つで構成される。

これらの構造のほかにも，プログラムを簡潔に記述するために副プログラムを用いる。副プログラムは手続き（procedure）と関数（function）の総称であり，副プログラムを用いることによって，まとまった手順を抽象化（共通化）することが可能

となり，簡潔なプログラムを記述することができる。

　手続きと関数は，目的とする仕事（処理）を手順に従って実行する一連の文から構成される。手続きが処理結果を返却しないのに対して，関数は値（引数）を与えると結果（戻り値）を返す。また，副プログラムの呼出しが起きると，呼び出した側と呼び出された側で，情報の受渡しが行われる。ここで受け渡される情報を引数又はパラメタといい，呼び出した側から渡す情報を「実引数」，呼び出された側が受け取る情報を「仮引数」という。副プログラムの呼出しによる制御の流れは次のとおりである。

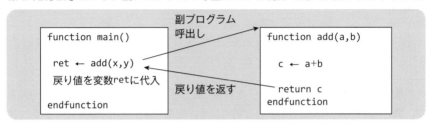

▶副プログラムの呼出しにおける制御の流れ

　この例では，副プログラムadd（x,y）を呼び出すと，制御が副プログラムaddに移る。このときの実引数x，yは，この順に副プログラム中の仮引数a，bに渡され，処理が実行される。そして，副プログラムaddの実行が終了すると，呼出しの直後に制御が戻り，戻り値が呼出し側で利用できるようになる。

❏ 相関係数 ─────────────────────── 問7

二つの変数 x と y に関して，その観測値の組合せを（x，y）と表現すると，n 個の組合せは次のようになる。

(x_1, y_1)　(x_2, y_2)　(x_3, y_3)　……　(x_n, y_n)

これらの値を用いて，相関係数 r を計算する公式は次のようになる。

$$r = \frac{\sum_{i=1}^{n}(x_i-\bar{x})(y_i-\bar{y})}{\sqrt{\sum_{i=1}^{n}(x_i-\bar{x})^2}\ \sqrt{\sum_{i=1}^{n}(y_i-\bar{y})^2}}$$

$\bar{x}$：$x_i \sim x_n$ の平均値

$\bar{y}$：$y_i \sim y_n$ の平均値

r のとり得る値は，$-1 \leqq r \leqq +1$ となる。正の相関が強いほど，r は $+1$ に近くなり，負の相関が強いほど，r は -1 に近くなる。相関がない場合は 0 に近くなる。

❏ 確率 ─────────────────────── 問8

ある事象が発生する頻度の割合である。例えば，サイコロは 1〜6 の目を持つので，それぞれの目が出る確率は $\frac{1}{6}$ となる。各事象が発生する確率の合計は 1 となる。発生する事象と確率の対応関係を確率分布といい，サイコロの目における確率分布は次のようになる。

▶サイコロの目の確率分布

出る目	1	2	3	4	5	6	合計
確率	$\frac{1}{6}$	$\frac{1}{6}$	$\frac{1}{6}$	$\frac{1}{6}$	$\frac{1}{6}$	$\frac{1}{6}$	1

事象Aが発生しない確率は，

　　事象Aが発生しない確率＝1－事象Aが発生する確率

として求めることができる。同様に，

　　事象Aが発生する確率＝1－事象Aが発生しない確率

となる。

同時に発生しない（排反である）事象Aと事象Bがある場合，いずれかが発生する確率pは，

　　p＝事象Aの発生する確率＋事象Bの発生する確率

となる。一方，発生の可否が相互に影響しない（独立である）事象Aと事象Bがある場合，両方がともに発生する確率pは，

　　　p＝事象Aの発生する確率×事象Bの発生する確率

となる。また，同時に発生し得る（排反でない）事象Aと事象Bがある場合，いずれか又は両方が発生する確率pは，

　　　p＝事象Aの発生する確率＋事象Bの発生する確率－両方の事象が発生する確率

となる。

❏ 画像表現

　画像を表現する場合，色の着いた画素（ピクセル）を縦横に並べ，一つひとつの画素に，白黒の2色であれば1ビット，256（2^8）色であれば8ビット，65,536（2^{16}）色であれば16ビットといった色数に対応したビットを割り当てる。結果，画像の表現に必要なビット数は，画素数と色を表現するためのビット数の積となる。例えば，1,024×768ピクセルの画像に65,536色を割り当てた場合，必要なビット数は，

　　　1,024×768×16＝12,582,912［ビット］

となる。なお，画像を圧縮した場合，より少ないビット数で画像を表現できる。圧縮画像のフォーマットにはJPEGやGIF，PNGなどがある。

❏ 文字表現

　コンピュータにおける文字は，ASCIIコードであれば，"A"は65（16進数では41），"j"は106（16進数では6A）などのように対応する数値を割り当てて表現する。これを文字コードという。文字コードには様々な種類があり，主要な文字コードには，次のようなものがある。

▶ **主要な文字コード**

ASCII	ANSI(米国標準規格協会)によって定められた，英数字や記号のみを扱う7ビットの文字コード体系
シフトJIS	JIS(日本工業規格)で定められた文字コード体系。英数字とカタカナを扱う8ビットと全角文字を扱う16ビットの文字コードから構成される。
EUC-JP	UNIXで用いられる，全角文字と半角カタカナ文字を2バイト又は3バイトで表現する文字コード体系。拡張UNIXコードとも呼ばれる。
Unicode	全世界で使われる多国籍文字を同一の文字集合で利用するための文字コード体系。エンコード方式によって，UTF-8やUTF-16などがある。

UTF-8	ASCII文字との互換性を保つため，ASCII文字と同じ文字は1バイトで，それ以外を2バイトから4バイト（又は6バイト）で表現する。
UTF-16	2バイトで表現できる文字は2バイトで表現し，それ以外は4バイトで表現する。

❏ 音声表現

　音声のようなアナログ信号をコンピュータが扱う場合，デジタル信号に変換する。この変換方式の一つに**PCM**（Pulse Code Modulation）がある。PCMでは，**標本化（サンプリング）**，**量子化**，**符号化**の三段階でアナログ信号をデジタル信号に変換（A/D変換）する。

　標本化では音声信号（アナログ信号）を一定の時間間隔で抽出する。抽出したアナログ信号は，量子化によって数値に変換され，符号化によって2進数に変換される。

　1秒間に抽出する回数をサンプリング周波数（単位はHz）といい，音質を劣化させずにデジタル化するためには音声信号の最大周波数の2倍以上の周波数でサンプリングすればよいとされる。これを標本化定理という。例えば，人間の音声が持つ周波数を最大4kHz程度とした場合，サンプリング周波数は8kHz，つまり1秒間に8,000回音声信号を抽出すれば，劣化させずに音声を記録できることになる。

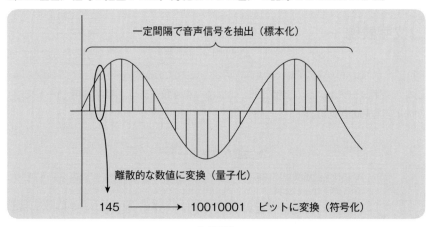

▶PCM

　さらに，量子化するビット数が大きいほど，より詳細に音声を再現できる。例えば，サンプリング周波数が8kHz，量子化ビット数が8ビット（256階調）の場合，1秒間で生成されるビット数は，

8,000×8 ＝64,000 ［ビット］ ＝64 ［kビット］

となる。

　PCMでは，量子化ビット数を多くすれば元の音声を忠実に再現できるが，必要な記憶容量が多くなる。これを削減する方式として，前回のサンプリング結果との差分を求めてデータ量を圧縮する**ADPCM**（Adaptive Differential Pulse Code Modulation；適応差分PCM）がある。例えば，サンプリング周波数が8 kHz，量子化ビット数が8ビットでADPCMによる圧縮率が$\frac{1}{4}$であれば， 1 秒間で生成されるビット数は16kビットとなる。

❏ D/A変換器 ─────────────── 問12

　D/Aコンバータ（Digital to Analog Converter）ともいう。デジタル信号をアナログ信号に変換する機器である。

▶D/A変換器

1.5　AI

❏ ニューラルネットワーク ────────────

　脳の神経細胞（ニューロン）とそのつながりの仕組みをモデル化した情報処理システムである。データマイニングなどにおいて活用される。

❏ ディープラーニング（深層学習）────────────

　分析処理などを機械（コンピュータ）に学習させる手法の一つである。ニューラルネットワークが持つ，

　　　入力 → 〔何層にもわたる複雑な構造変換〕 → 出力

という仕組みを模倣し，大量のデータを入力していくことでコンピュータ自らが特徴的な部分を見つけ出しながら学習を進める。

　データが大量であるほど精度を上げることができ，画像認識や音声認識など様々な

分野で利用され始めている。これにより，車などに搭載されたシステムが歩行者（人間）と車や標識などを見分けることができるようになった。

❑ 機械学習 ──────────────────────────── 問13

　人間の持つ学習能力と同じ機能をコンピュータで実現する技術や手法である。大量の観測データをコンピュータに与えることでコンピュータが学習を行い，学習した特徴に基づいて予測や判断を行う。機械学習は，次の三つに分類することができる。

▶機械学習の分類

教師あり学習	解答（教師データ）の付いたデータを学習する。 【例】「猫」という解答の付いた大量の画像を学習することで，解答のない（猫の）画像に対して「これは猫」と答えることができる。
教師なし学習	解答のないデータを学習する。大量のデータを，様々な特徴によってAI自らが分類し要約する。
強化学習	様々な試行錯誤を通じて，評価（報酬）の高い行動や選択を学習する。 【例】二足歩行ロボットでは，様々な歩行法を試行錯誤しながら歩行距離の長い（評価の高い）歩行法を学習する。

❑ 自然言語処理 ──────────────────────────

　AI技術のひとつである。数千億のパラメータを持つ大規模な言語モデルを使用して，テキストや音声言語を解析し，質問への回答や文章の要約，翻訳などのタスクを実現する。統計モデルや機械学習モデル，特にディープラーニングを利用する。
　自然言語処理の例として，他の言語への翻訳や音声による指示に対応することが挙げられる。これによって，業務の効率化や生産性の向上，ビジネスプロセスの簡素化を実現できる。

1.6　プログラム言語

❑ XML（eXtensible Markup Language）──── 問15

　インターネット上でのデータ交換を効率良く行うためのマークアップ言語であり，次のような特徴を持つ。

- 一つのXML文書は，ただ一つのルート要素を持つツリー構造となる。
- 開始タグと終了タグを対で用いる必要があり，内容がない要素は`<タグ名/>`

という空要素タグを用いることができる。

●要素を入れ子にできる。

●タグを自由に定義できる。

　ユーザーが独自のタグを定義して使用することができるため，業務要件に適した様式を定義し，企業間でやり取りすることなどが容易になる。

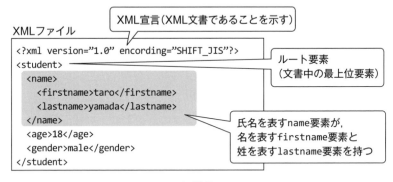

XML宣言（XML文書であることを示す）

XMLファイル

```
<?xml version="1.0" encording="SHIFT_JIS"?>
<student>
    <name>
        <firstname>taro</firstname>
        <lastname>yamada</lastname>
    </name>
    <age>18</age>
    <gender>male</gender>
</student>
```

ルート要素
（文書中の最上位要素）

氏名を表すname要素が，
名を表すfirstname要素と
姓を表すlastname要素を持つ

▶XML

　XMLの各タグがどのような名前を持ち，どのような構造をとるかといった定義（文書型定義）は，スキーマ言語によって記述される。スキーマ言語には，DTD（Document Type Definition）などがある。

　記述されたXML文書のうち，「ルートがただ一つである」「開始タグと終了タグが対応している」といったように，XMLとしての最低限の形式（文法ルール）を満たしているものを，整形式（well-formed）のXML文書という。また，整形式のXML文書のうち，DTDなどのスキーマ言語によって記述された"文書型定義"の要件を満たしているものを，妥当（valid）なXML文書という。

❏ SMIL（Synchronized Multimedia Integration Language）— 問15

　XML関連技術の一つで，静止画や動画，音声といったマルチメディアデータの位置，タイミング，時間等を制御し，表現するための言語である。

❏ Python — 問16

　パイソンと読む。初心者から専門家まで幅広く使用できる，様々な分野で活用されている汎用プログラム言語である。最も多く使用されているのが，AIアプリケーションの開発であるが，Webアプリケーションの開発などでも使われている。

文法がシンプルで柔軟性に富んでいるため，１文で多くの内容を記述できる。その
ため，Ｃ言語と比較すると，同じ内容のプログラムを短く書くことができる。また，
標準ライブラリや外部ライブラリが非常に豊富である。

MEMO

問1 ☑□ □□ 　10進数123を，英字A～Zを用いた26進数で表したものはどれか。ここで，A＝0，B＝1，…，Z＝25とする。　　　　　　　　（H28S問1）

ア　BCD　　　イ　DCB　　　ウ　ET　　　エ　TE

問2 ☑□ □□ 　A, B, C, Dを論理変数とするとき，次のカルノー図と等価な論理式はどれか。ここで，・は論理積，＋は論理和，$\overline{X}$はXの否定を表す。

（R4F問1, H26F問1）

AB＼CD	00	01	11	10
00	1	0	0	1
01	0	1	1	0
11	0	1	1	0
10	0	0	0	0

ア　$A \cdot B \cdot \overline{C} \cdot D + \overline{B} \cdot \overline{D}$　　　　　　　イ　$\overline{A} \cdot \overline{B} \cdot \overline{C} \cdot \overline{D} + B \cdot D$

ウ　$A \cdot B \cdot D + \overline{B} \cdot \overline{D}$　　　　　　　　　エ　$\overline{A} \cdot \overline{B} \cdot \overline{D} + B \cdot D$

答1 n進数への変換 ▶ P.10 ·· **ウ**

　問題のルールを用いると，アルファベットのi番目にある文字は，10進数の（i−1）に該当する。また，1桁繰り上がって26進数の"10"となった場合，この下から2桁目の"1"は10進数の26に該当する重みを持つことになる。ここで，10進数の123を26で割ってみると，

　　　123 ÷ 26 ＝ 4 … 余り 19

となるので，10進数の123を英字A〜Zを用いた26進数で表現した場合，

　　　下から2桁目：4 … "E" （Eはアルファベットの5番目の文字）

　　　　と

　　　下から1桁目：19 … "T" （Tはアルファベットの20番目の文字）

となるので"ET"が解答となる。

答2 カルノー図 ▶ P.12 ·· **エ**

　提示されたカルノー図のうち，"1"となる場合について，次のように分類する。

CD \ AB	00	01	11	10	
00	1	0	0	1	①
01	0	1	1	0	
11	0	1	1	0	②
10	0	0	0	0	

　まず，①について考えると，A＝0，B＝0，D＝0であれば，Cの真偽にかかわらず結果は"1"となっている。これは，

　　　$\overline{A} \cdot \overline{B} \cdot \overline{D}$

と等価である。

　また，②について考えると，B＝1，D＝1であれば，AやCの真偽にかかわらず結果は"1"となっている。これは，

　　　$B \cdot D$

と等価である。①と②のいずれか（論理和）が成立すれば"1"となり，それ以外の場合で"1"となることはないので，カルノー図は

　　　$\overline{A} \cdot \overline{B} \cdot \overline{D} + B \cdot D$

と等価である。

問3 ☑□
□□ 集合 A, B, Cに対して$\overline{A \cup B \cup C}$が空集合であるとき，包含関係として適切なものはどれか。ここで，$\cup$は和集合を，$\cap$は積集合を，$\overline{X}$はXの補集合を，また，$X \subseteq Y$はXがYの部分集合であることを表す。

(H27F問1)

ア $(A \cap B) \subseteq C$　　イ $(A \cap \overline{B}) \subseteq C$　　ウ $(\overline{A} \cap B) \subseteq C$　　エ $(\overline{A} \cap \overline{B}) \subseteq C$

問4 ☑□
□□ 表は，入力記号の集合が $\{0, 1\}$，状態集合が $\{a, b, c, d\}$ である有限オートマトンの状態遷移表である。長さ３以上の任意のビット列を左（上位ビット）から順に読み込んで最後が110で終わっているものを受理するには，どの状態を受理状態とすればよいか。　(H28F問2，H26S問2)

	0	1
a	a	b
b	c	d
c	a	b
d	c	d

ア a　　イ b　　ウ c　　エ d

答3 集合 ▶ P.12 ·· **エ**

各選択肢の左辺の内容をベン図で表すと，次のようになる。

ア $A \cap B$
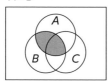

イ $A \cap \overline{B}$
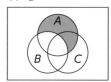

ウ $\overline{A} \cap B$
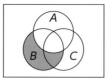

エ $\overline{A} \cap \overline{B}$
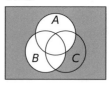

　ここで，$\overline{A \cup B \cup C}$は空集合であるとされているので，ベン図の外周部分（三つの円のいずれにも入らない部分）には，要素が存在しないとみなせる。ベン図からその部分を除外すると次のようになり，$(\overline{A} \cap \overline{B})$だけが$C$の内部に収まることが分かる。

ア　$A \cap B$

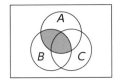

イ　$A \cap \overline{B}$

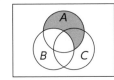

ウ　$\overline{A} \cap B$

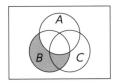

エ　$\overline{A} \cap \overline{B}$

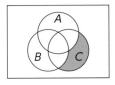

答4　有限オートマトン ▶ P.14 ‥‥‥‥‥‥‥‥‥‥‥‥‥‥‥‥‥‥‥‥‥‥‥‥‥‥‥ **ウ**

　今いる状態に関わらず，1が現れた時点で次に遷移する状態は，b又はdに限定される。b又はdの状態から1が現れると状態dに遷移するので，1が二つ以上連続して現れると，状態は必ずdとなる。dの状態から0が現れた場合は必ずcに遷移することから，受理状態はcとなる。

現在の状態	状態遷移先			受理状態
	最初の1	次の1	最後の0	
状態 a	b	d	c	c
状態 b	d	d	c	c
状態 c	b	d	c	c
状態 d	d	d	c	c

問5 ☑□□□ あるプログラム言語において，識別子（identifier）は，先頭が英字で始まり，それ以降に任意個の英数字が続く文字列である。これをBNFで定義したとき，aに入るものはどれか。 (H29S問2，H23S問2)

<digit> ：：＝ 0｜1｜2｜3｜4｜5｜6｜7｜8｜9

<letter> ：：＝ A｜B｜C｜…｜X｜Y｜Z｜a｜b｜c｜…｜x｜y｜z

<identifier> ：：＝ a

ア <letter>｜<digit>｜<identifier><letter>｜<identifier><digit>

イ <letter>｜<digit>｜<letter><identifier>｜<identifier><digit>

ウ <letter>｜<identifier><digit>

エ <letter>｜<identifier><digit>｜<identifier><letter>

問6 ☑□□□ 非負の整数 m，n に対して次のとおりに定義された関数 $\mathrm{Ack}(m, n)$ がある。$\mathrm{Ack}(1, 3)$ の値はどれか。 (H30S問2)

$$\mathrm{Ack}(m, n) = \begin{cases} \mathrm{Ack}(m-1, \mathrm{Ack}(m, n-1)) & (m > 0 \text{かつ} n > 0 \text{のとき}) \\ \mathrm{Ack}(m-1, 1) & (m > 0 \text{かつ} n = 0 \text{のとき}) \\ n+1 & (m = 0 \text{のとき}) \end{cases}$$

ア 3　　イ 4　　ウ 5　　エ 6

問7 ☑□□□ 相関係数に関する記述のうち，適切なものはどれか。 (H29F問1，H23S問1)

ア 全ての標本点が正の傾きをもつ直線上にあるときは，相関係数が＋1になる。

イ 変量間の関係が線形のときは，相関係数が0になる。

ウ 変量間の関係が非線形のときは，相関係数が負になる。

エ 無相関のときは，相関係数が－1になる。

答5 BNF ▶ P.15 ……………………………………………………………………… **エ**

<digit> は任意の数字を，<letter> は任意の英字を表している。

識別子は，「先頭が英字」の必要があるので，定義中に，

　　<letter>

は単独で含まれるが，

30　第1部　テクノロジ

は単独で含まれてはならない。また、「任意個の英数字が続く」ためには、

識別子として成立している文字列＋数字

識別子として成立している文字列＋英字

が、どちらも識別子となるように定義すればよい。したがって、

<identifier> <digit>

<identifier> <letter>

が、どちらも定義中に含まれることになる。

以上が <identifier> の条件なので、これらを " | " によってつなげた、

<letter> | <identifier> <digit> | <identifier> <letter>

が答えとなる。

答6　関数 ▶ P.16　再帰アルゴリズム ▶ P.56 ‥‥‥‥‥‥‥‥‥‥‥‥‥‥‥‥‥**ウ**

　再帰呼出しにおいて、引数の一方がさらに再帰呼出しとなっている点に注意が必要である。Ack（1，3）が終了するまでの流れを追跡してみると次のようになる。

$$\text{Ack}(1,3) \Rightarrow \text{Ack}(0,\underline{\text{Ack}(1,2)}) \Rightarrow \text{Ack}(0,4) \Rightarrow 4+1=5$$
$$\Downarrow$$
$$\text{Ack}(0,\underline{\text{Ack}(1,1)}) \Rightarrow \text{Ack}(0,3) \Rightarrow 3+1=4$$
$$\Downarrow$$
$$\text{Ack}(0,\underline{\text{Ack}(1,0)}) \Rightarrow \text{Ack}(0,2) \Rightarrow 2+1=3$$
$$\Downarrow$$
$$\text{Ack}(0,1) \Rightarrow 1+1=2$$

　したがって、最終的な結果は5となる。この関数はアッカーマン関数と呼ばれるものであり、引数の値が大きくなると処理回数が非常に増加するという特徴を持っている。

答7　相関係数 ▶ P.18 ‥‥‥‥‥‥‥‥‥‥‥‥‥‥‥‥‥‥‥‥‥‥‥‥‥‥‥‥‥‥‥**ア**

　相関係数は一般に記号rで表され、$-1 \leqq r \leqq +1$ の範囲の値をとる。正の相関が強いほど、rは＋1に近くなり、負の相関が強いほど、rは－1に近くなる（相関がない場合は0に近くなる）。

　ア　正しい。このような関係を正の完全相関といい、2属性の値（x，y）の間には、

　　　$y=ax+b$　（a＞0）

　の関係が成立する。逆に負の完全相関（a＜0）の場合には、相関係数が－1となる。

　イ　関係が線形であるとは、"ア"の解説で示したように完全相関であることを示す。この場合、相関係数は＋1か－1である。

　ウ　関係が非線形の場合、$-1 < r < +1$ となる。この記述だけでは、正負は特定できない。

　エ　関係が無相関の場合、相関係数は0になる。

問8	☑□ □□	製品100個を1ロットとして生産する。一つのロットからサンプルを3個抽出して検査し，3個とも良品であればロット全体を合格とする。100個中に10個の不良品を含むロットが合格と判定される確率は幾らか。

(H27S問2)

ア $\dfrac{7}{10}$　　　　イ $\dfrac{178}{245}$　　　　ウ $\dfrac{729}{1000}$　　　　エ $\dfrac{89}{110}$

問9	☑□ □□	ディジタルハイビジョン対応のビデオカメラやワンセグの映像圧縮符号化方式として採用されているものはどれか。

(H27F問9)

ア AC-3　　　イ G.729　　　ウ H.264/AVC　　　エ MPEG-1

答8 確率 ▶ P.18 ⋯⋯⋯⋯⋯⋯⋯⋯⋯⋯⋯⋯⋯⋯⋯⋯⋯⋯⋯⋯⋯⋯⋯⋯⋯ **イ**

一つのロットから3個を抽出して3個とも良品である，ということは，

① 100個の中から取り出した1個が，良品である

② ①が起こった前提で，残りの99個から取り出した1個が，良品である

③ ①②が起こった前提で，残りの98個から取り出した1個が，良品である

という事象が全て起こる場合を意味する。それぞれの確率は，

① … 100個中10個が不良品，残りの90個が良品なので，$\dfrac{90}{100}$

② … 99個中10個が不良品，89個が良品となっているので，$\dfrac{89}{99}$

③ … 98個中10個が不良品，88個が良品となっているので，$\dfrac{88}{98}$

と求められるので，これらを全て掛け合わせた，

$$\dfrac{90}{100} \times \dfrac{89}{99} \times \dfrac{88}{98}$$

$$=\dfrac{178}{245}$$

が合格確率となる。

なお，組合せ（combination）の概念及び公式を知っていれば，

(a) 100個から3個を取り出すときの組合せの数

$$_{100}C_3 = \frac{100!}{97! \times 3!} = \frac{100 \times 99 \times 98}{3 \times 2}$$

(b) 良品である90個から3個を取り出すときの組合せの数

$$_{90}C_3 = \frac{90!}{87! \times 3!} = \frac{90 \times 89 \times 88}{3 \times 2}$$

を用いて，

$$\frac{(b)}{(a)} = \frac{90 \times 89 \times 88}{100 \times 99 \times 98} = \frac{178}{245}$$

のように答えを導いてもよい。

答9 ‥‥‥‥‥‥‥‥‥‥‥‥‥‥‥‥‥‥‥‥‥‥‥‥‥‥‥‥‥‥‥‥‥‥‥‥‥‥‥ **ウ**

ディジタルハイビジョン放送やワンセグ放送などに用いられる動画データの符号化方式をH.264/AVCという。DVDなどで用いられるMPEG-2と比べて圧縮率が高く，低ビットレート（低速低画質）から高ビットレートまでの様々な用途に用いられる。H.264/MPEG-4 AVCともいう。

- AC-3…映画やDVD，Blu-rayなどに採用されている音声圧縮符号化方式の一つ。ドルビーサラウンドともいう
- G.729…IP電話（VoIP）などに採用されている音声圧縮符号化方式の一つ
- MPEG-1…動画圧縮符号化方式の一つ。ビデオCDなどに利用されていた

☑□
□□
　図のように16ビットのデータを4×4の正方形状に並べ，行と列にパリティビットを付加することによって何ビットまでの誤りを訂正できるか。ここで，図の網掛け部分はパリティビットを表す。

（R5F問2，R3F問2，H27F問2，H24S問2）

1	0	0	0	1
0	1	1	0	0
0	0	1	0	1
1	1	0	1	1
0	0	0	1	

ア　1　　　イ　2　　　ウ　3　　　エ　4

答10 ··· ア

　本問のように2方向にパリティを設定する「水平垂直パリティ」を用いると，1ビットの誤りがあった場合，その検出だけでなく，誤りの位置まで特定できる。位置が特定できれば，その部分を反転させることで訂正まで行える。

〔誤りのない状態〕　　　　　〔1ビットの誤りが発生した状態〕

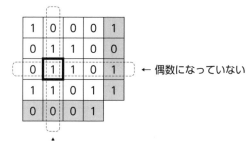

← 偶数になっていない

↑
偶数になっていない

　ただし，この方法では，2ビット以上の誤りが同時に生じた場合，訂正を行うことはできない。例えば，次のような誤りが生じた場合，誤っているビット位置の候補が4か所になってしまい，特定できない。

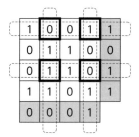

問11 ☑☐☐☐ a, b, c, dの4文字から成るメッセージを符号化してビット列にする方法として表のア～エの4通りを考えた。この表はa, b, c, dの各1文字を符号化するときのビット列を表している。メッセージ中でのa, b, c, dの出現頻度は，それぞれ50%，30%，10%，10%であることが分かっている。符号化されたビット列から元のメッセージが一意に復号可能であって，ビット列の長さが最も短くなるものはどれか。　　　(R2F問2，H28S問2，H22F問2)

	a	b	c	d
ア	0	1	00	11
イ	0	01	10	11
ウ	0	10	110	111
エ	00	01	10	11

問12 ☑☐☐☐ 8ビットD/A変換器を使って負でない電圧を発生させる。使用するD/A変換器は，最下位の1ビットの変化で出力が10ミリV変化する。データに0を与えたときの出力は0ミリVである。データに16進数で82を与えたときの出力は何ミリVか。　　　(R2F問8)

ア　820　　　イ　1,024　　　ウ　1,300　　　エ　1,312

問13 ☑☐☐☐ AIの機械学習における教師なし学習で用いられる手法として，最も適切なものはどれか。　　　(R元F問3)

ア　幾つかのグループに分かれている既存データ間に分離境界を定め，新たなデータがどのグループに属するかはその分離境界によって判別するパターン認識手法

イ　数式で解を求めることが難しい場合に，乱数を使って疑似データを作り，数値計算をすることによって解を推定するモンテカルロ法

ウ　データ同士の類似度を定義し，その定義した類似度に従って似たもの同士は同じグループに入るようにデータをグループ化するクラスタリング

エ　プロットされた時系列データに対して，曲線の当てはめを行い，得られた近似曲線によってデータの補完や未来予測を行う回帰分析

答11 .... **ウ**

各選択肢が「一意に復号可能」という条件を満たすか否かを調べると，

 ア 例えば "00" というビット列は "aa" と "c" の2通りに解釈できるので，一意に
 　 復号することができない。

 イ 例えば "0110" というビット列は "ada" と "bc" の2通りに解釈できるので，一
 　 意に復号することができない。

となり，"ア" と "イ" は条件を満たさないことが分かる。

 "ウ" と "エ" は，元のメッセージを一意に復号できる。この二つについて，出現頻度を
もとにビット列の平均長（期待値）を求めてみると次のようになる。

 ウ $0.5 \times 1 + 0.3 \times 2 + 0.1 \times 3 + 0.1 \times 3 = 1.7$ ［ビット］

 エ $0.5 \times 2 + 0.3 \times 2 + 0.1 \times 2 + 0.1 \times 2 = 2$ ［ビット］

 以上より，答えは "ウ" となる。

答12 D/A変換器 ▶ P.21 .... **ウ**

データが0のときの出力が0ミリVであり，1ビットの変化で10ミリV変化するのである
から，

　　　与えられたデータの値×10 ［ミリV］

が出力されることになる。16進数の82は10進数で130（$8 \times 16 + 2$）なので，

　　　$130 \times 10 = 1,300$ ［ミリV］

が出力される。

答13 機械学習 ▶ P.22 .... **ウ**

機械学習は次のような種類に分類できる。

- 教師あり学習…データとそれに対する「正解」を与えて，結果が近似するよう学習させる手法
- 教師なし学習…明確な正解は与えずにコンピュータ自身にグループ分けやモデル構築を任せる手法
- 強化学習…ゲームの勝敗などの結果をフィードバックしながら，より良い結果となるように試行していく手法

 "ウ" は，類似度を用いて似たもの同士をグループ化していく手法を指しており，教師なし学習の一つといえる。

問14 ☑☐
☐☐
AIにおける過学習の説明として，最も適切なものはどれか。

(R4F問2)

ア　ある領域で学習した学習済みモデルを，別の領域に再利用することによって，効率的に学習させる。

イ　学習に使った訓練データに対しては精度が高い結果となる一方で，未知のデータに対しては精度が下がる。

ウ　期待している結果とは掛け離れている場合に，結果側から逆方向に学習させて，その差を少なくする。

エ　膨大な訓練データを学習させても効果が得られない場合に，学習目標として成功と判断するための報酬を与えることによって，何が成功か分かるようにする。

問15 ☑☐
☐☐
動画や音声などのマルチメディアコンテンツのレイアウトや再生のタイミングをXMLフォーマットで記述するためのW3C勧告はどれか。

(H28F問8，H23S問10)

ア　Ajax　　　イ　CSS　　　ウ　SMIL　　　エ　SVG

問16 ☑☐
☐☐
オブジェクト指向のプログラム言語であり，クラスや関数，条件文などのコードブロックの範囲はインデントの深さによって指定する仕様であるものはどれか。

(R2F問3)

ア　JavaScript　　　イ　Perl　　　ウ　Python　　　エ　Ruby

答14 .... **イ**

　過学習（オーバーフィッティング）とは，訓練データ（入力データと出力データのペア）により一層適合するようにモデルを複雑にすると，訓練データの予測に対しては高精度で正解を導くことができるが，訓練データ以外の未知のデータに対しては予測がかえって不正確になることをいう。

答15　XML ▶ P.22　SMIL ▶ P.23 ··· **ウ**

　SMIL（Synchronized Multimedia Integration Language）は，マルチメディアを用いたプレゼンテーション情報をXML形式で記述するための言語仕様である。テキストや音声，動画などの各メディアのレイアウトや再生制御の手順などを指定できる。

> ・Ajax…JavaScriptを活用し，画面遷移なしで動的なホームページ処理を実現する技術
> ・CSS（Cascading Style Sheet）…文字の大きさやレイアウトなどに関する情報をスタイルシートとして定義する仕組み
> ・SVG（Scalable Vector Graphics）…線や円などのベクタ図形の情報をXML形式で記述し，画像を表現する言語仕様

答16　Python ▶ P.23 ··· **ウ**

　Python（パイソン）はWebアプリケーション，データ解析など，幅広い分野で利用されているスクリプト言語である。次のような特徴を持ちディープラーニングなどの機械学習や人工知能（AI），IoTなどの分野に多く使用されている。
　　　・オブジェクト指向型のプログラミングが可能である。
　　　・文法がシンプルなので，プログラムを書きやすい。また，プログラムが読みやすい（可読性が高い）。
　　　・インデントを用いた字下げ（オフサイドルール）によって，可読性が高い。
　　　・豊富なライブラリが提供されている。

2 アルゴリズムとプログラミング

2.1 データ構造

❏ 抽象データ型

　データの内部構造には触れずに，データに対する基本操作だけで定義されたデータ種別である。PUSHとPOPという二つの基本操作だけで定義されるスタックは，抽象データ型に該当する。抽象データ型は，次のような特徴や利点を持つ。

- カプセル化…データとデータを操作する手続きをひとまとめに定義することである。データを扱うモジュールはカプセル化された手続きを利用してデータにアクセスするため，アルゴリズムとデータを明確に分離でき，情報隠ぺいを実現できる。
- 情報隠ぺい…モジュールなどを設計する際に必要最低限の外部仕様のみを公開する概念である。情報を隠ぺいすることによってモジュールの独立性が高まり，変更に対する耐性を高めることができる。

❏ 線形リスト ─────────────────────────── 問1

　データを格納するデータ部と，次又は前の要素を指すポインタ部から構成される要素をつないだデータ構造である。線形リストでは，要素の並び順が物理的な位置関係に依存せず，論理的な位置関係を実現できる。

　要素が次の要素を指すポインタ部のみを持ち，リストを前から後ろの一方向にだけたどることができる線形リストを**単方向リスト**という。単方向リストでは，末尾の要素のポインタ部には次の要素がないことを示す特別な値（NULLなど）が格納される。末尾の要素のポインタ部に先頭の要素を示す値を格納し，要素が環状に結ばれているリストを**環状リスト（循環リスト）**という。また，要素が次の要素を指すポインタ部と前の要素を指すポインタ部を持ち，リストの前後両方向にたどることができる線形リストを**双方向リスト**という。

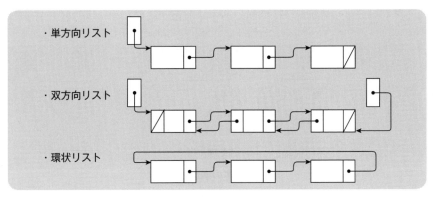

▶線形リスト

　線形リストは，構造体の配列を用いて実現することも可能である。この場合，ポインタ部には次の要素を示す配列の添字を格納し，末尾の要素のポインタ部には配列の添字として無効な値（－1など）を設定する。

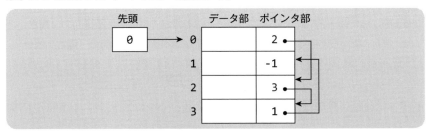

▶レコード型配列を用いたリストの例

❏ 木構造

　複数の要素を階層的に並べたデータ構造で，次のような要素で構成されている。

- 節（node）…木を構成する要素の集合
- 根（root）…階層の一番浅い位置にある節
- 辺又は枝（branch）…節と節を結ぶ経路
- 親（parent）…枝で結ばれた節と節のうち，根から近い方の節
- 子（child）…枝で結ばれた節と節のうち，根から遠い方の節
- 兄弟（sibling）…同じ親を持つ子どうし
- 葉（leaf）…子を持たない節
- 子孫（descendant）…ある節から見て下方に位置する節
- 祖先（ancestor）…ある節から見て上方に位置する節

② アルゴリズムとプログラミング　知識編

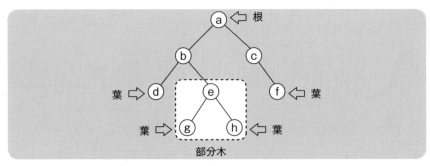

▶**木の構造**

この図において，アルファベットが書いてある丸が**節**である。節aは**根**であり，節d，節f，節g，節hは**葉**である。また，節e，節g，節hに着目したとき，節gと節hは節eの**子**であり，節eは節gと節hの**親**である。このとき，点線で囲まれたこれらの節は，節eを根とした木とも考えられる。このような木の一部分を「部分木」という。

ある節からその子孫である葉までの最長となる経路の長さを，その節の「**高さ**」と呼ぶ。また，根からある節に到達するまでに通る枝の数を，その節の「**深さ**」という。

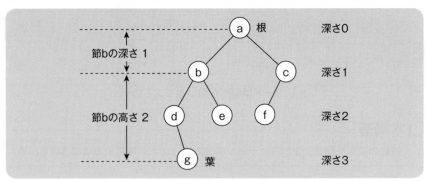

▶**木の高さと深さ**

❏ 2分木

木構造において，各節が最大二つまでの子を持てる木を2分木という。各節が次の性質のうちのいずれかを満たしている木が2分木である。

- 子を持たない。
- 左の子を一つだけ持つ。
- 右の子を一つだけ持つ。

●左の子と右の子を一つずつ持つ。

　２分木において，ある節の右側に位置する部分木を右部分木，左側に位置する部分木を左部分木という。

❏ 完全２分木

　完全２分木を構成するためには，根から深さの小さい順に節を詰めていき，各深さにおいて２の深さ乗個（深さをiとするならば 2^i 個）の節を詰める。ただし，一番下（i番目）の深さでは，左から順に節を詰めれば，節の数が 2^i 個に満たなくてもかまわない。すなわち，完全２分木とは，高さhの２分木において，深さi（$0 \leq i < h$）の節が 2^i 個存在し，深さhの節が左詰めに並んでいるものである。

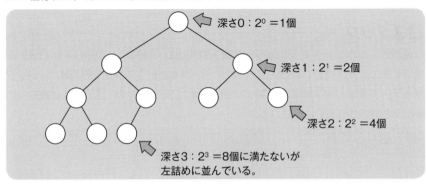

深さ0：2^0 ＝1個
深さ1：2^1 ＝2個
深さ2：2^2 ＝4個
深さ3：2^3 ＝8個に満たないが
左詰めに並んでいる。

▶完全２分木の例

　完全２分木において，どの親子の節の値についても一定の大小関係が成立しているものを**ヒープ**（heap）という。

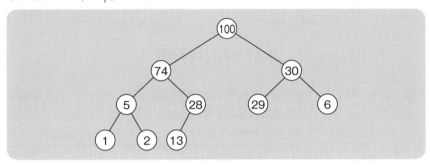

▶ヒープの例

この図は，

親の節が持つ値≧子の節が持つ値

という関係が成立しているヒープである。

❏ 2分探索木

次の条件を満たした2分木が2分探索木である。

- ●ある節の左部分木に属する節の値は，全てその節の値より小さい。
- ●ある節の右部分木に属する節の値は，全てその節の値より大きい。

2分探索木にデータを格納した場合，要素の参照などに伴う計算量は木の高さに比例する。

❏ スタック

後から入ったデータを先に取り出す**後入れ先出し**（LIFO：Last-In First-Out）の性質を持つデータ構造である。スタックにデータを格納する操作を**PUSH**，スタックからデータを取り出す操作を**POP**といい，格納されたデータの読出しは破壊的（読み出すと消去される）に行われる。

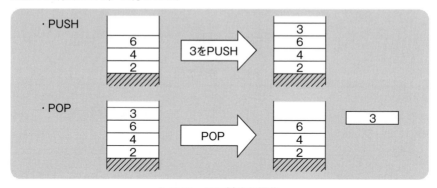

▶スタックに対する操作

配列によってスタックを実現する場合，常に配列の頂上（スタックトップ）に対して操作を行う。頂上に対応する要素の添字をスタックポインタに格納しておき，PUSH時には，スタックポインタの値を1増やし，スタックポインタが指している要素に新たなデータを格納する。POP時には，スタックポインタが指している要素からデータを取り出し，スタックポインタの値を1減らす。

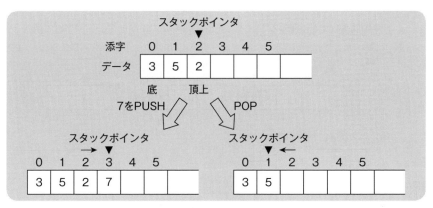

▶配列によるスタック

　あるいは，次にデータを格納すべき要素の添え字をスタックポインタに格納しておき，PUSH時には，スタックポインタが指している要素に新たなデータを格納する。POP時には，スタックポインタの値を１減らし，スタックポインタが指している要素からデータを取り出す。

　リストによってスタックを実現する場合，リストの先頭でPUSHやPOPを行うとリストをたどる必要がなく，少ない計算量でスタックを実現でき，効率が良い。

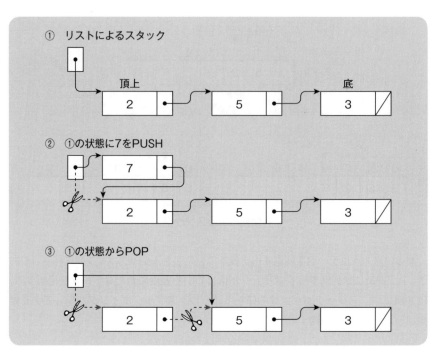

▶リストによるスタックの実現

❏ キュー

　先に入ったデータを先に取り出す**先入れ先出し**（**FIFO**：First-In First-Out）の性質を持つデータ構造である。キューにデータを格納する操作を**エンキュー**（enqueue），キューからデータを取り出す操作を**デキュー**（dequeue）といい，格納されたデータの読出しは，スタックと同様に破壊的に行われる。

▶キューに対する操作

配列によってキューを実現する場合，データを格納する場所（キューの末尾）を示す情報と，データを取り出す場所（キューの先頭）を示す情報が必要となる。エンキューのときは，末尾の要素の添字を格納している変数の値を1増やし，新たな末尾の要素としてデータを格納する。デキューのときは，先頭の要素の添字を格納している変数に従ってデータを取り出し，その変数の値を1増やす。

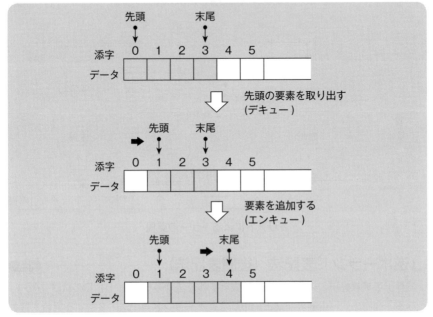

▶配列によるキューの実現

この方法では，無限配列が必要になる。そこで，先頭や末尾を示す添字の値に制限を設け，上限を超えた場合は下限に戻すことによって，有限配列を循環利用する方法がとられる。

リストによってキューを実現する場合，先頭の要素へのポインタを格納する変数と，末尾の要素へのポインタを格納する変数を用意する。エンキューのときは要素にデータを格納し，末尾の要素の次の要素を指すポインタと末尾の要素へのポインタを格納する変数を追加した要素に更新する。デキューのときは先頭の要素へのポインタを格納する変数に従って先頭の要素からデータを取り出し，先頭の要素へのポインタを格納する変数を次の要素に更新する。

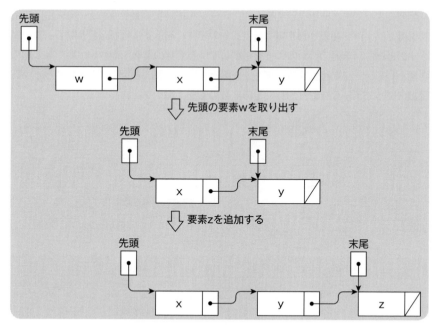

▶リストによるキューの実現

❏逆ポーランド表記法（後置表記法） ━━━━━━━━━ 問2

　演算子を被演算項の後ろ（右側）に表記する方法であり，「A＋B」であれば「AB＋」
となる。通常の式（中置表記法という）を逆ポーランド表記法に変換する場合，最も
優先度が低い（最後に作用する）演算子から順に後置表記法に変換すればよい。逆ポ
ーランド表記法では括弧が不要なため，逆ポーランド表記法に変換する過程で括弧は
除去される。また，最も優先度が高い演算子から変換してもよい。式 "X＝A＋B×（C
＋D）−E" を逆ポーランド表記法に変換すると，次のようになる。ここで，下線は中
置表記法（変換前）を表す。

> X＝A＋B×（C＋D）−E
> XA＋B×（C＋D）−E＝
> XA＋B×（C＋D）E−＝
> XAB×（C＋D）＋E−＝
> XAB（C＋D）×＋E−＝
> XABCD＋×＋E−＝

"A＋B×（C＋D）−E" を逆ポーランド表記法で表現すると，次のようになる。逆

ポーランド表記法は，構文木を「左から」「深さ優先順の」「後行順に」巡回した結果と一致する。

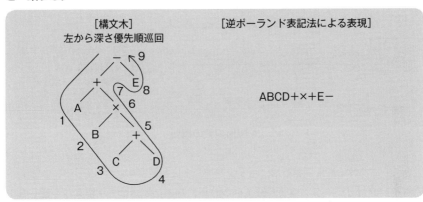

▶構文木と逆ポーランド表記法

2.2 探索アルゴリズム

❏ 線形探索

　列の先頭の要素から順に1要素ずつ，目的の要素を探していく探索アルゴリズムである。線形探索には，配列や線形リストなどを用いることができ，汎用性の高いアルゴリズムである。

　線形探索は，データ列のi（$i = 0$，1，2，…，$N-1$）番目の要素を探索キーと比較し，一致しなければ（$i+1$）番目の要素と比較する手順を，

　　　　$i \geq$ 要素数となるか，i番目の要素と探索キーが一致する

まで繰り返す。次図は探索キーと一致する要素がデータ列に存在しない場合の例である。$i =$ 要素数（N）になるまで探索した場合は，探索キーと一致する要素がデータ列中に存在しなかったことになる。

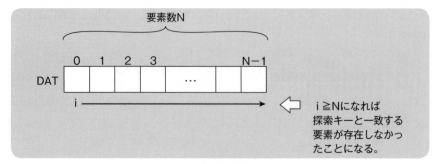

▶線形探索の概要

リストにおける線形探索では，ポインタをもとに各要素をたどっていき，次要素へのポインタが「データの終了（NULLなど）」になった場合は，次要素が存在しないため，そのリストには探索キーと一致する要素が存在しなかったことになる。

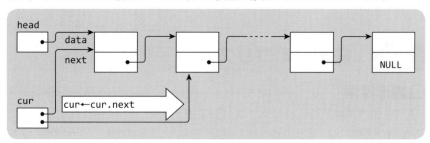

▶リスト構造における線形探索の概要

❏線形探索の計算量

探索の対象となる要素数をNとした場合，配列のi番目に探索キーと一致する要素があればi回の比較が行われる。したがって，線形探索の平均比較回数は次式で求められる。

$$\frac{\sum_{i=1}^{N} i}{N} = \frac{(N+1) \times \frac{N}{2}}{N} = \frac{N+1}{2}$$

▶計算式

オーダ表記では$O(N)$となり，線形探索の計算量は要素数Nに比例することになる。

❏ 2分探索

　要素が昇順又は降順に並んでいる配列において，探索範囲の中央に位置する要素と探索キーを比較し，比較結果に応じて探索範囲の半分を切り捨て，探索範囲を狭めながら探索キーと一致する要素を探し出すアルゴリズムである。

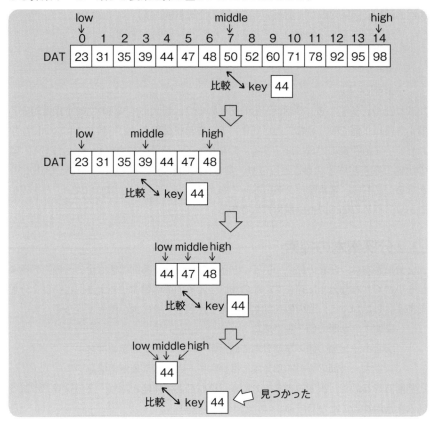

▶ 2分探索の概要

　検索を始めるときは，配列全体を探索範囲とし，探索範囲の中央位置を求める。その後，探索範囲を狭めていくが，中央位置の添字（middle）は，探索範囲の先頭となる添字（low），末尾となる添字（high）とすると，$\dfrac{low+high}{2}$ で求めることができる。探索キーと一致する要素が配列に存在しない場合は，最終的にhigh＜lowとなる。

❑ 2分探索の計算量

探索対象の要素数をNとした場合，1回比較するごとに探索対象となる要素数は $\frac{N}{2}, \frac{N}{4}, \cdots$ と減っていく。したがって，m回比較すれば，探索対象となる要素数は $\frac{N}{2^m}$ 個となっているはずである。探索終了時に探索対象が残り1個となった状態，つまり，m回比較して探索対象が1個となっているのであれば，

$$\frac{N}{2^m} = 1$$

$$N = 2^m$$

$$m = \log_2 N$$

が成り立つ。すなわち，要素がN個の配列の場合，最大$\log_2 N$回の比較で探索対象の要素を残り1個に絞り込むことができ，その要素が探索キーと一致するしないにかかわらず，2分探索の処理は終了する。したがって，最悪の場合でも（$\log_2 N + 1$）回の比較で探索が終了することになり，2分探索の計算量をO記法で表すとO（logN）となる。これは，要素数が2倍になっても比較回数は1回しか増加しないことを表しており，極めて効率の良い探索方法である。

❑ 2分探索木の探索

2分探索木は，任意の節について，左部分木に存在する節の値は全てその節の値よりも小さく，右部分木に存在する節の値は全てその節の値よりも大きいという2分木である。したがって，節の値を探索キー値と比較し，その大小関係によって

　　　探索キー＝節の値…探索成功
　　　探索キー＞節の値…左部分木には探索キーと一致する要素はない
　　　探索キー＜節の値…右部分木には探索キーと一致する要素はない

と判断できるので，探索対象を半分に絞り込むことが可能となり，2分探索アルゴリズムを適用することができる。

root		left	data	right
0	0	1	15	3
	1	2	7	−1
	2	−1	5	−1
	3	5	25	4
	4	−1	28	−1
	5	−1	17	−1

▶ 2分探索木

2分探索木の計算量

　探索対象が要素数Nの完全2分木の場合，木の高さは$\log_2 N$に比例する。すなわち，配列を用いた2分探索と同様に，最大比較回数は（$\log_2 N + 1$）回となり，計算量はO記法で表すとO（logN）となる。一方，各節が子を一つだけ持つ2分探索木では，木の高さがNとなるため，計算量はO（N）となり最悪の2分探索木となる。

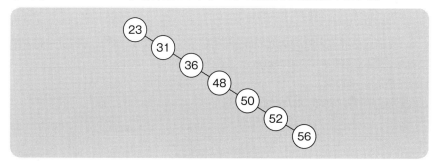

▶ 最悪の2分探索木

B木

　2分探索木に対して挿入や削除などの操作を繰り返すと，要素数が偏った2分探索木になってしまう。このような2分探索木の左右の要素数を調整し平衡を保つ木を「**バランス木（平衡木）**」という。B木は，多分木（各節が三つ以上の子を持つことができる木）をベースにしたバランス木である。B木は次の条件を満たす。

- 根は0個以上2k個以下のキーを持つ。
- 根と葉以外の各節は，k個以上2k個以下のキーを持つ（k個未満は許されない）。
- 根各節は（キーの数＋1）のポインタを持つ。
- 根から全ての葉までの経路の長さは等しい。

$k＝2$の時の節の構造は次図のようになる。

p_0	k_0	p_1	k_1	p_2	k_2	p_3	k_3	p_4
ポインタ	キー	ポインタ	キー	ポインタ	キー	ポインタ	キー	ポインタ

▶B木の節の構造

　一つの節には，キー値k_iとポインタp_iは，

　　　p_0, k_0, p_1, k_1, …, p_{2k-1}, k_{2k-1}, p_{2k}

と並び，キー値k_iは，

　　　$k_0<k_1<…<k_{2k-1}$

という関係にある。また，ポインタp_iは，

　　　「キー値k_{i-1}よりも大きく，キー値k_iよりも小さい値を持つ節」

のアドレスを指している。このため，探索を行う場合，線形探索と同様の要領で節の
キー値を，

　　　k_0, k_1, …, k_{2k-1}

の順に比較し，

　　　探索キー値$<k_i$

となった時点でポインタp_iをたどればよいということになる。また，探索キー値が全
てのキー値よりも大きい，すなわち，

　　　探索キー値$>k_{2k-1}$

となる場合はポインタp_{2k}をたどればよい。

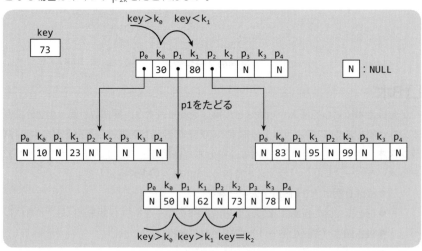

▶B木の探索

❏ ハッシュ表探索

　キー値をハッシュ関数を用いてハッシュ値に変換し，目的のデータを探索する方法
である。データへのポインタを格納する配列を「ハッシュ表」という。ハッシュ関数
では，異なるキー値が同じハッシュ値に変換されることがある。これを「衝突」とい
う。衝突が発生した（シノニム）場合は，同じハッシュ値を持つデータ同士で線形リ
ストを作成する。探索時はハッシュ関数によってハッシュ値から線形探索によってリ
ストをたどる。

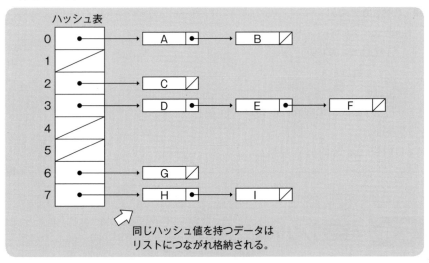

▶ハッシュ表探索

2.3 再帰アルゴリズム

❏ 再帰アルゴリズム ―――――――――――――― ①問6 問4

自分自身を呼び出すアルゴリズムである。

単純な再帰アルゴリズムの一つに，階乗を求める関数がある。関数factは引数nを受け取り，n!（=n×(n−1)×…×2×1）を返す。ここで，nは1以上であり，nが1の場合は再帰呼出しをしない。

■ program ―――――――――――――――――――

```
function fact(n)
    if(nが1に等しい)
        return 1
    else
        return n×fact(n-1)
    endif
endfunction
```

2.4 整列アルゴリズム

❏ 選択法 ――――――――――――――――――――

最も基本的な整列（データをあるキー項目の値の順に並べ替える）アルゴリズムの一つである。昇順に整列する場合，整列開始時は配列全てを整列対象とする。整列対象の配列から最も小さな要素を選択し，配列の左端の要素と交換する。次に，配列から最小値と確定した左端の要素を除いた配列を新たな整列対象として同じ処理を行う。これらの処理を（要素数−1）回繰り返した時点で，整列が完了する。

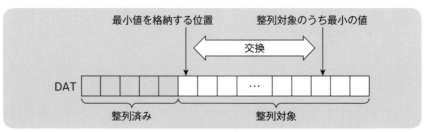

▶選択法の概念

❏ 選択法の計算量

N，N−1，N−2，…，3，2個の中からそれぞれ最小値を見つける必要があり，比較回数はそれぞれN−1，N−2，N−3，…，2，1回である。したがって，比較回数の合計は$\frac{N(N-1)}{2}$回となり，計算量はO記法で表現すると$O(N^2)$となる。したがって，選択法は効率の良いアルゴリズムであるとはいえない。

❏ バブルソート　　　　　　　　　　　　　　　　　問5　問6

整列対象の隣接要素を比較し，逆順であれば交換することによって整列するアルゴリズムである。まず，配列全体を整列対象とし，左端の要素とその右隣の要素，左から2番目の要素とその右隣の要素といった順に隣り合う要素を順に比較し，要素の並びが逆順であれば交換する処理を整列対象の右端まで繰り返せば，整列対象の右端には，整列対象の中で最も大きな要素が存在することになる。

これによって最大値を確定することができるので，右端の要素を整列対象から除外し，隣接する要素を比較・交換する操作を繰り返すことにより，整列を実現させることが可能である。

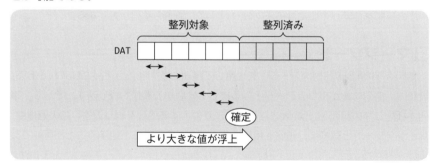

▶バブルソートの概念

左端の要素は自分よりも大きな要素にぶつかるまで右に移動し，自分よりも大きな要素にぶつかると，左端の要素に代わってより大きな要素が右に移動していく。この仕組みが泡（bubble）が浮き上がる様子に似ているため，バブルソートと呼ばれる。また，**交換法**とも呼ばれる。

❏ ヒープソート　　　　　　　　　　　　　　　　　問5　問6

ヒープを利用した整列アルゴリズムである。ヒープでは親子間に一定の大小関係が成立している。親＞子という関係が成立するヒープでは，根には最大値が格納されて

いる。まず，根の要素と末尾の要素（完全２分木なので最右にある葉）を交換し，新たに葉となった元の根の要素を切り離し最大値を確定する。この状態では，親＞子の関係が崩れているので，親と左右の大きな方の子と比較し，親の方が小さければ親と子を交換する。この操作を，親よりも大きな子がなくなるか，葉に到達するまで繰り返し，ヒープを再構築する。

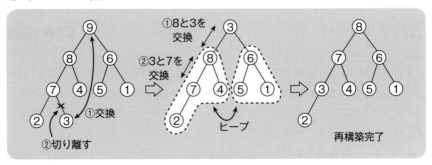

▶再構築

この手順を要素が１個になるまで繰り返せば，降順の整列が完了する。

❑ マージソート

　整列済みの配列の併合（マージ）を利用して高速に整列を行うアルゴリズムである。最初に，整列対象が１つのデータとなるまで２分割する操作を繰り返す。そして，整列された二つの配列を，元の大きさになるまで併合する処理を繰り返す。この処理は，クイックソートと同様に，再帰を用いることによって簡潔に記述することが可能である。

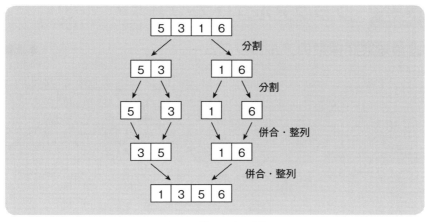

▶マージソートの図

　マージソートは，どのような対象に対しても（最悪の場合でも），O（N logN）の計算量で整列を行うことができる。ただし，O記法では除外される定数や係数が大きく，同じO（N logN）のアルゴリズムであるクイックソートと比べると低速である。また，マージソートは整列の対象とするデータ数に比例した大きさの作業領域を別に用意する必要があるので，領域計算量がO（N）となる。

　マージソートは，高速ソートであるが安定なアルゴリズムである。さらに，併合するデータ列に対して先頭から順にアクセスするため，全ての要素が主記憶上に配置されている必要がない。このため，マージソートは外部記憶装置を利用した大量データの整列やリストの整列に用いられることもある。

最短経路探索のアルゴリズム ──────── 問7

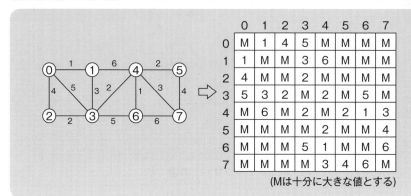

(Mは十分に大きな値とする)

▶**重み付きグラフと隣接行列**

　重み付きグラフと始点が与えられたとき，始点から任意の節までの辺の重みの総和が最小となる経路を探索するアルゴリズムである。最短経路探索のアルゴリズムのうち，**ダイクストラ**（Dijkstra）のアルゴリズムでは，次の手順で最短経路を探索する。

① 全ての節は，確定されていない（未確定）とする。

② 全ての節について，距離を記入する。このとき，始点と隣接していない節までの距離は無限となる。

③ 始点までの距離を0として，始点に印を付ける。ここで，印を付けた節は，その節までの最短経路が確定済みであることを表す。

④ 未確定の節のうち，距離が最も短い節を選び，確定する。

⑤ ④で印を付けた節に隣接する節までの距離を求め，より短い経路があれば更新する。

⑥ 全ての節に印が付くまで④と⑤を繰り返すと，各節の始点からの最短経路と距離が得られる。

　節3を始点としてダイクストラのアルゴリズムによる最短経路探索を行うと，次のようになる。図中の三角形は「始点からの距離」を表し，確定した部分は線で囲んで示している。

① 始点から全ての節までの距離を記入し，始点を確定する。

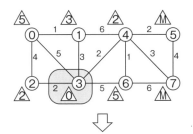

② 始点からの距離が最小の節2を確定する。

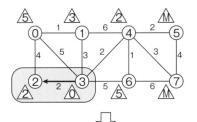

③ 未確定の節のうち，始点からの距離が最小の節4を確定する。節4に隣接する節5，6，7のまでの距離が更新できる。

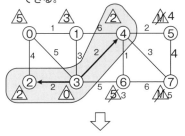

④ 未確定の節のうち，始点からの距離が最小の節1を確定する。節1に隣接する節0の距離が更新できる。

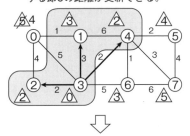

⑤ 未確定の節のうち，始点からの距離が最小の節6を確定する。

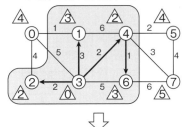

⑥ 未確定の節のうち，始点からの距離が最小の節0を確定する。

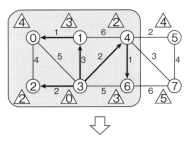

この後は，節5，7の順に最短経路を確定していく。

▶ダイクストラのアルゴリズムによる最短経路探索

　この図から，節3から節6への最短経路は，直接行く（距離5）経路ではなく，節4を経由していく（距離3）経路であることが分かる。

問1 ☑☐
☐☐
先頭ポインタと末尾ポインタをもち，多くのデータがポインタでつながった単方向の線形リストの処理のうち，先頭ポインタ，末尾ポインタ又は各データのポインタをたどる回数が最も多いものはどれか。ここで，単方向のリストは先頭ポインタからつながっているものとし，追加するデータはポインタをたどらなくても参照できるものとする。 (R元F問4)

ア　先頭にデータを追加する処理

イ　先頭のデータを削除する処理

ウ　末尾にデータを追加する処理

エ　末尾のデータを削除する処理

答1　線形リスト ▶ P.40 ⋯⋯⋯⋯⋯⋯⋯⋯⋯⋯⋯⋯⋯⋯⋯⋯⋯⋯⋯⋯⋯⋯⋯⋯⋯⋯⋯⋯⋯⋯⋯⋯ **エ**

"エ"以外の処理は，それぞれ次のように一つ又は二つのポインタを書き換える処理で実現できる。よって，ポインタをたどるような操作は不要である。

ア　追加するデータのポインタ部に先頭ポインタの値を設定し，追加するデータがリストの先頭データを指すようにする。その後，先頭ポインタを「追加するデータのアドレス」で書き換え，先頭ポインタが追加するデータを指すようにする。

イ　先頭ポインタを「先頭ポインタが指すデータのポインタ部」で書き換える。

ウ　末尾ポインタが指すデータのポインタ部を「追加するデータのアドレス」で書き換え，その後に末尾ポインタを「追加するデータのアドレス」で書き換える。

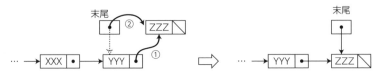

一方，"エ"の処理だけは，ポインタをたどる処理が必要であり，各データのポインタを
たどる回数は最大となる。末尾データを削除する場合は，「現在の末尾の一つ前のデータ」
を得る必要があるが，そのためにはリストの先頭から順にポインタをたどるしかないからで
ある（末尾から逆にたどることはできない）。具体的には，次のような手順で末尾の削除を
行うことになる。

・先頭ポインタからリストの末尾方向へ順にポインタをたどり，「末尾の一つ前のデータ」
　への参照を得る

・「末尾の一つ前のデータ」のポインタ部を，ナル値（末尾であることを示す）などの特殊
　な値で書き換える

・末尾ポインタを「末尾の一つ前のデータ」のアドレスで書き換える

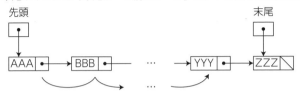

リストの先頭から順にポインタをたどり，「末尾の一つ前のデータ」を得る

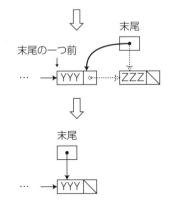

問2 ☑□□□ 逆ポーランド表記法（後置記法）で表現されている式ABCD－×＋において，A＝16，B＝8，C＝4，D＝2のときの演算結果はどれか。逆ポーランド表記法による式AB＋は，中置記法による式A＋Bと同一である。

(R5F問1)

ア 32 　　イ 46 　　ウ 48 　　エ 94

問3 ☑□□□ 自然数をキーとするデータを，ハッシュ表を用いて管理する。キー x のハッシュ関数h(x)を

$$h(x) = x \bmod n$$

とすると，任意のキーaとbが衝突する条件はどれか。ここで，nはハッシュ表の大きさであり，x mod nはxをnで割った余りを表す。

(R4F問3，H27S問3，H25F問2，H23F問3，H21S問3)

ア a＋bがnの倍数 　　　イ a－bがnの倍数
ウ nがa＋bの倍数 　　　エ nがa－bの倍数

答2 逆ポーランド表記法 ▶ P.48 ·· **ア**

逆ポーランド表記法（後置表記法）は，演算子を二つの被演算子（項）の右側に記述（後置）する表記法である。逆ポーランド表記法の "ABCD－×＋" は次のような計算を行うと解釈できる。

$$
\begin{array}{ccccccc}
A & B & C & D & - & \times & + \\
\end{array}
$$

$$C - D$$

$$B \times (C - D)$$

$$A + B \times (C - D)$$

この "A＋B×（C－D）" に，A＝16，B＝8，C＝4，D＝2 を当てはめて計算すると，
$$16 + 8 \times (4 - 2) = 16 + 8 \times 2 = 16 + 16 = 32$$
が得られる。

答3 ·· **イ**

関数hによるハッシュ値は「xをnで割った余り」で求められるので，それがある値tとなる場合，xの値は

t
n+t
2×n+t
3×n+t
…

というように，「nの倍数＋t」となっているはずである。

aとbが衝突するということは，ハッシュ値が等しくなるということなので，どちらもこの「nの倍数＋t」という条件を満たしていることになる。よって，aとbの差は，

（nの倍数＋t）－（nの倍数＋t）
＝（P×n＋t）－（Q×n＋t）　　　（P，Qは任意の整数）
＝（P－Q）×n

となり，結果は必ずnの倍数となる。

問4 ☑□ fact(*n*)は，非負の整数*n*に対して*n*の階乗を返す。fact(*n*)の再帰的
□□ な定義はどれか。 (H29F問3，H25S問2)

ア if *n* = 0 then return 0 else return *n* × fact(*n* − 1)

イ if *n* = 0 then return 0 else return *n* × fact(*n* + 1)

ウ if *n* = 0 then return 1 else return *n* × fact(*n* − 1)

エ if *n* = 0 then return 1 else return *n* × fact(*n* + 1)

問5 ☑□ バブルソートの説明として，適切なものはどれか。
□□
(R3F問3)

ア ある間隔おきに取り出した要素から成る部分列をそれぞれ整列し，更に間隔を詰
めて同様の操作を行い，間隔が1になるまでこれを繰り返す。

イ 中間的な基準値を決めて，それよりも大きな値を集めた区分と，小さな値を集め
た区分に要素を振り分ける。次に，それぞれの区分の中で同様の操作を繰り返す。

ウ 隣り合う要素を比較して，大小の順が逆であれば，それらの要素を入れ替えると
いう操作を繰り返す。

エ 未整列の部分を順序木にし，そこから最小値を取り出して整列済の部分に移す。
この操作を繰り返して，未整列の部分を縮めていく。

答4 再帰アルゴリズム ▶ P.56 .... **ウ**

$n!$（nの階乗）の計算は，nを非負の整数とすると，$n \times (n-1) \times (n-2) \times \cdots \times 2 \times 1$ と表せる。これをfact(n)として再帰的に計算すると，次のようになる。

fact$(n) = n \times$fact$(n-1)$

fact$(n-1) = (n-1) \times$fact$(n-2)$

fact$(n-2) = (n-2) \times$fact$(n-3)$

...

fact$(2) = 2 \times$fact(1)

fact$(1) = 1 \times$fact(0)

これより，$n!$を再帰的に計算する関数 fact(n)は，次のように定義できる。

$n = 0$のとき，fact$(0) = 0! = 1$

$n > 0$のとき，fact$(n) = n \times$fact$(n-1)$

これを提示された表現形式にすると，次のような手続きになる。

if $n = 0$ then return 1 else return $n \times$fact$(n-1)$

答5 バブルソート ▶ P.57 ヒープソート ▶ P.57 .... **ウ**

バブルソート（交換法）は，隣り合った要素どうしを比較し，逆順ならば交換するという処理を繰り返すことで整列を行うアルゴリズムである。

ア シェルソートの説明である。

イ クイックソートの説明である。

エ ヒープソートにの説明である。

問6 ☑□ ヒープソートの説明として，適切なものはどれか。
□□

（H28F問3）

ア　ある間隔おきに取り出した要素から成る部分列をそれぞれ整列し，更に間隔を詰めて同様の操作を行い，間隔が1になるまでこれを繰り返す。

イ　中間的な基準値を決めて，それよりも大きな値を集めた区分と，小さな値を集めた区分に要素を振り分ける。次に，それぞれの区分の中で同様な処理を繰り返す。

ウ　隣り合う要素を比較して，大小の順が逆であれば，それらの要素を入れ替えるという操作を繰り返す。

エ　未整列の部分を順序木にし，そこから最小値を取り出して整列済の部分に移す。この操作を繰り返して，未整列の部分を縮めていく。

問7 ☑□ グラフに示される頂点V_1から，V_4，V_5，V_6の各点への最短所要時間
□□ を求め，短い順に並べたものはどれか。ここで，グラフ中の数値は各区間の所要時間を表すものとし，最短所要時間が同一の場合には添字の小さい順に並べるものとする。

（H26F問3）

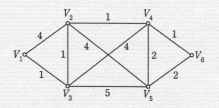

ア　V_4, V_5, V_6　　　イ　V_4, V_6, V_5

ウ　V_5, V_4, V_6　　　エ　V_5, V_6, V_4

答6 バブルソート ▶ P.57　ヒープソート ▶ P.57 ⋯⋯⋯⋯⋯⋯⋯⋯⋯⋯⋯⋯⋯⋯ **エ**

　ヒープとは，全ての親子の間に一定の大小関係（親≧子　又は　子≧親）が成立するような完全２分木である。ヒープは，その特徴から根には最大値あるいは最小値が格納されるので，

　　① 　根を取り出す
　　② 　残った部分をヒープに再構築する

という処理を繰り返すことで，データを整列することができる。このアルゴリズムをヒープソートという。

　ア　シェルソートの説明である。
　イ　クイックソートの説明である。
　ウ　バブルソート（交換法）の説明である。

答7 最短経路探索のアルゴリズム ▶ P.60 ⋯⋯⋯⋯⋯⋯⋯⋯⋯⋯⋯⋯⋯⋯⋯⋯⋯⋯ **イ**

　グラフより，V_1からV_2〜V_6に至る最短経路とその距離を求めていくと，次のようになる。

　　　$V_2 : V_1 \rightarrow V_3 \rightarrow V_2$ の経路で，距離が $1 + 1 = 2$
　　　$V_3 : V_1 \rightarrow V_3$ の経路で，距離が 1
　　　$V_4 : V_1 \rightarrow V_3 \rightarrow V_2 \rightarrow V_4$ の経路で，距離が $1 + 1 + 1 = 3$
　　　$V_5 : V_1 \rightarrow V_3 \rightarrow V_2 \rightarrow V_4 \rightarrow V_5$ の経路で，距離が $1 + 1 + 1 + 2 = 5$
　　　$V_6 : V_1 \rightarrow V_3 \rightarrow V_2 \rightarrow V_4 \rightarrow V_6$ の経路で，距離が $1 + 1 + 1 + 1 = 4$

　したがって，V_4，V_5，V_6を短い順に並べると

　　　V_4，V_6，V_5

となる。

　なお，各点の最短経路と最短距離を求める際には，ダイクストラのアルゴリズムを用い，その時点でV_1からの距離が最小である点から求めていくと分かりやすい。その場合，確定の順序は$V_3 \rightarrow V_2 \rightarrow V_4 \rightarrow V_6 \rightarrow V_5$となる。

3 コンピュータ構成要素

3.1 プロセッサ性能と高速化技法

❏クロック周波数

　プロセッサは，一定間隔で発生するクロック信号に同期して命令を実行する。１秒当たりのクロック信号の発生数をクロック周波数といい，その単位はHz（ヘルツ）である。クロック周波数の逆数（１クロック当たりの時間）は，**クロック周期**（クロックサイクル）となる。

　また，一つの命令が実行に要するクロック数を**CPI**（Cycles Per Instruction）という。CPIとクロック周期から，１命令当たりの実行時間が求まる。例えば，クロック周波数が800MHzで，CPIの平均値が５とすると，

　　　平均命令実行時間
　　　　　＝（１クロック当たりの時間）×（CPIの平均値）
　　　　　＝（クロック周波数の逆数）×（CPIの平均値）
　　　　　＝（$1 \div (800 \times 10^6)$）× 5
　　　　　＝$1.25 \times 10^{-9} \times 5$　［秒］
　　　　　＝6.25　［ナノ秒］

となる。

❏MIPS（Million Instructions Per Second）

　プロセッサが１秒間に実行できる命令数の平均値を，100万（＝10^6）を単位として表したものである。クロック周波数が800MHzで，CPIの平均値が５のプロセッサがあった場合，

　　　MIPS値
　　　　　＝（１秒間の命令実行数）÷10^6
　　　　　＝（（クロック周波数）÷（CPIの平均値））÷10^6
　　　　　＝（$800 \times 10^6 \div 5$）÷10^6
　　　　　＝160

となる。

また，クロック周波数の逆数（1クロック当たりの時間）のことを，クロック周期（クロックサイクル）と呼ぶ。1命令当たりの実行時間は，各命令の実行に必要なクロック数（CPI：Cycles Per Instruction）にクロック周期を乗じた値となる。プロセッサ間で命令実行性能を比較する場合，クロック周波数で比較可能なのは，両者が同一アーキテクチャである場合だけである。

❏ FLOPS（FLoating point number Operations Per Second）

1秒間に実行可能な浮動小数点数演算の回数を表す性能評価指標であり，主に科学技術計算の分野で用いられる。

❏ 命令パイプライン 　　　　　　　　　　　　　　　　　　　　問1

命令をいくつかのステージ（段階）に分け，各ステージをオーバーラップさせながら並列に処理することで処理速度を向上させる技術である。このとき，1ステージを処理するために必要な時間をピッチ，同時に実行できる命令数をパイプラインの深さという。

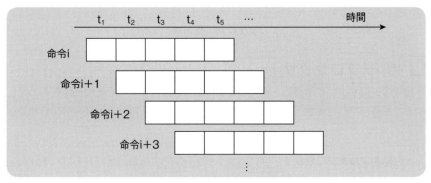

▶命令パイプラインの概念

パイプラインを用いない場合，実行するのに5サイクル必要な命令をn個実行するには（5×n）サイクルの時間を要する。しかし，図のように，命令を5ステージに分割した場合，パイプラインを使用すると（n＋4）サイクルで終了できる。命令を構成するステージ数（パイプラインの深さ，段数）をD，1ステージ当たりの実行時間（パイプラインピッチ）をPとしたとき，M個の命令を実行するのに必要な時間は，

　　　ステージの総数×ピッチ
　　＝（命令数＋深さ－1）×P

$$= (M+D-1) \times P$$

で表すことができる。

パイプラインのステージ数をより細分化すれば，高速化が期待できる。このような概念を**スーパーパイプライン**という。

❏ スーパースカラ

パイプラインの実行ユニットを複数用意して同時に複数の命令を実行する手法である。スーパースカラにより，CPIを1より小さくすることが可能となる。

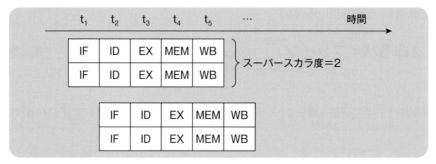

▶スーパースカラ

❏ マルチプロセッサ

複数のプロセッサを用意し，並列して動作させることによって処理性能を高める仕組みである。プロセッサ以外の資源の共有方法によって，密結合と疎結合に分類できる。

> - **密結合マルチプロセッサ**…全プロセッサが一つの主記憶装置（メモリ）を共有し，単一のOSの制御下で処理を行う。
> - **疎結合マルチプロセッサ**…各プロセッサが主記憶装置とOSを個別に持ち，主にディスク装置を共有する。

❏ SIMD (Single Instruction stream/Multiple Data stream) ─── 問2

スタンフォード大学のM.J.Flynnが提唱した概念に，"命令の流れ"と"データの流れ"がそれぞれ単一か複数かによって，プロセッサを4種類に分類する概念がある。その一つがSIMDで，単一の命令で複数のデータを同時に処理するものであり，マルチメディアデータの処理などに用いられる。

❏アムダールの法則

　マルチプロセッサ構成にすることで処理速度は向上するが，単純に，プロセッサを二つ使用したマルチプロセッサシステムが，同じプロセッサ一つを使用したシステムの2倍の速度でプログラムを実行できるというわけではない。マルチプロセッサでは通常の処理に加えて，プロセッサ間での命令の振分けや同期制御などが生じるため，プロセッサ数に完全に比例した性能を得ることはできない。これを数式で表したものがAmdahlの法則である。Amdahlの法則では，次の式で「期待できる速度向上比」を求める。

$$\cfrac{1}{(1-高速化部分率) + \cfrac{高速化部分率}{高速化度}}$$

▶計算式

- 高速化度…マルチプロセッサ構成によって実現可能な理論上の速度の従来比
- 高速化部分率…処理全般において，マルチプロセッサ構成が適用できる割合

3.2　メモリアーキテクチャ

❏RAM

　データの書込みと読出しが可能なメモリであり，電源供給が停止すると内容を失う**揮発性**という特性を持つ。RAMはデータ保持方式の違いによって，SRAMとDRAMの二つに大別できる。

❏DRAM（Dynamic RAM）　　　　　　　　　　問3 問4

　ビットを保持するためのメモリセルをコンデンサやトランジスタで構成する。SRAMに比べて低速であるが，メモリセル構成が単純なためビット当たりの単価が安く，集積度を高めること（大容量化）が容易である。コンデンサの電荷は時間経過とともに失われていく。そのため，定期的な通電によって再書込み（リフレッシュ）し，内容を保持する必要がある。

❏ ROM

　データの読出しのみが可能なメモリであり，電源供給を停止しても内容が保持される**不揮発性**という特性を持つ。主に，ゲーム機のプログラムや組込み機器のファームウェア，プリンタのフォントデータなど，変更の必要がないデータの提供に適している。

　現在では，電気的に内容を消去して再書込みが可能なEEPROM（Electrically Erasable Programmable ROM）や**フラッシュメモリ**が広く普及している。記録された内容の消去や変更ができないものをマスクROMという。

❏ キャッシュメモリ ━━━━━━━━━━━━━━━━ 問6

　プロセッサ（レジスタ群）と主記憶装置の間に配置され，プロセッサと主記憶装置のアクセス速度の差（アクセスギャップ）を補うための小容量な緩衝記憶装置である。一般にSRAMが用いられる。キャッシュメモリは通常ブロック単位で管理されるため，あるアドレスへのアクセスが実行される際には，そのアドレスの前後も含めた主記憶装置の1ブロック分のデータが，キャッシュメモリに転送される。

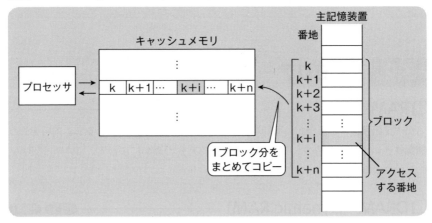

▶キャッシュメモリ

❏ 平均アクセス時間

　プロセッサにおける主記憶装置へのアクセス時間，キャッシュメモリのアクセス時間，キャッシュメモリのヒット率を用いて求めた期待値であり，次の式で求められる。

　　平均アクセス時間＝（1－キャッシュメモリのヒット率）×主記憶装置へのアクセス時間＋キャッシュメモリのヒット率×キャッシュメモリのアクセス時間

（１－キャッシュメモリのヒット率）は，キャッシュメモリ上に目的のデータが存在しない確率であり，NFP（Not Found Probability）という。

例えば，主記憶装置へのアクセス時間が100ナノ秒，キャッシュメモリへのアクセス時間が20ナノ秒のコンピュータがあり，キャッシュメモリのヒット率が90％であった場合，平均アクセス時間は，

$$(1-0.9) \times 100 + 0.9 \times 20 = 10 + 18 = 28 \text{[ナノ秒]}$$

と求められる。

逆に，同じコンピュータにおいて，平均アクセス時間を24ナノ秒以内に収めるために必要なキャッシュメモリのヒット率aは，

$$(1-a) \times 100 + a \times 20 \leqq 24$$
$$100 - 80a \leqq 24$$
$$80a \geqq 76$$
$$a \geqq 0.95$$

となり，95％以上と求めることができる。

❏ ライトスルー方式 ──────────── 問7

キャッシュメモリにデータを書き込む際，キャッシュメモリと主記憶装置の両方にデータを書き込む方式である。キャッシュと主記憶装置の一貫性を保ちやすく，キャッシュの内容を主記憶装置に書き戻す必要はないが，キャッシュの効果は期待できない。

❏ ライトバック方式 ──────────── 問7

キャッシュメモリにデータを書き込む際，キャッシュにだけデータを書き込む方式である。キャッシュから追い出すブロックをそのタイミングで主記憶装置に書き込む。主記憶装置への書込み頻度を減らせるが，一貫性を保つための制御が複雑になる。

❏ メモリインタリーブ ━━━━━━━━━━━━━━━━━━━━ 問8

　メモリを複数の"バンク"と呼ばれるグループに分割し，各バンクに対して並列に
アクセスする，メモリアクセスの高速化技術である。

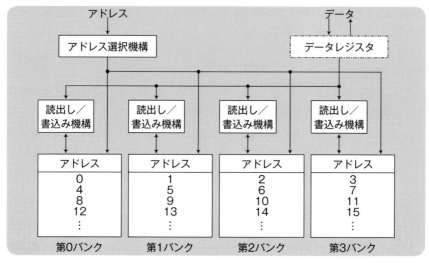

▶メモリインタリーブ

❏ ECC（誤り訂正符号）━━━━━━━━━━━━━━━━━━ 問9

　メモリ上のデジタル情報が雑音などで変化して誤りが発生した場合に，自動的に訂
正する技法である。ECCメモリにはハミング符号を採用することが多い。

❏ ハミング符号 ━━━━━━━━━━━━━━━━━━━━━━ 問9

　メモリの誤り制御に用いられ，2ビットまでの誤りの検出と，1ビットの誤りの訂
正が可能である。ハミング符号では，情報に n ビットの検査ビットを付与することで，
（$2^n - n - 1$）ビットまで（全体としては $2^n - 1$ ビットまで）の情報に対して，誤り
の検出や訂正を行うことができる。検査ビットを大きくするほど誤り訂正能力は高く
なる。

　4ビットの情報 $x1 \sim x4$ に対して，次の検査式が成立するような3ビットの検査ビ
ット $x5 \sim x7$ を付加した $x1 \sim x7$ の符号を考える。$a \bmod 2$ とは a を2で割った余り
を示す。

$$(x1 + x2 + x3 + x5) \bmod 2 = 0$$
$$(x1 + x2 + x4 + x6) \bmod 2 = 0$$

$(x2+x3+x4+x7)\ \text{mod}\ 2=0$

これらの検査式が成立するということは，$(x1+x2+x3+x5)$，$(x1+x2+x4+x6)$，$(x2+x3+x4+x7)$ それぞれの"1"のビットの数が偶数になるということである。

ここで，1ビットの情報誤りを含むことが分かっている情報（1100）を正しい情報に訂正する。この4ビット"1100"の情報（x1〜x4）に3ビット"010"の検査ビット（x5〜x7）を付与した"1100010"のビット列を考える。これを検査式に当てはめると，

$(1+1+0+0)\ \text{mod}\ 2=0$ 成立 → x1，x2，x3に誤りはない。

$(1+1+0+1)\ \text{mod}\ 2=1$ 不成立 → x1，x2，x4のうちいずれかが誤っている。

$(1+0+0+0)\ \text{mod}\ 2=1$ 不成立 → x2，x3，x4のうちいずれかが誤っている。

となる。これらから，x4が誤っていると判断でき，正しい情報は，x4を0から1に訂正した（1101）となる。

問1 ☑☐☐☐ パイプラインの性能を向上させるための技法の一つで，分岐条件の結果が決定する前に，分岐先を予測して命令を実行するものはどれか。

（R5F問4）

ア　アウトオブオーダー実行　　イ　遅延分岐
ウ　投機実行　　　　　　　　　エ　レジスタリネーミング

問2 ☑☐☐☐ 並列処理方式であるSIMDの説明として，適切なものはどれか。

（H28S問4）

ア　単一命令ストリームで単一データストリームを処理する方式
イ　単一命令ストリームで複数のデータストリームを処理する方式
ウ　複数の命令ストリームで単一データストリームを処理する方式
エ　複数の命令ストリームで複数のデータストリームを処理する方式

問3 ☑☐☐☐ DRAMの説明として，適切なものはどれか。

（H28S問7）

ア　1バイト単位でデータの消去及び書込みが可能な不揮発性のメモリであり，電源遮断時もデータ保持が必要な用途に用いられる。
イ　不揮発性のメモリでNAND型又はNOR型があり，SSDに用いられる。
ウ　メモリセルはフリップフロップで構成され，キャッシュメモリに用いられる。
エ　リフレッシュ動作が必要なメモリであり，PCの主記憶として用いられる。

答1 命令パイプライン ▶ P.71 ……………………………………………………… **ウ**

　プログラムの実行においては，分岐命令があると次に実行される命令の候補が複数存在することになる。次に実行する命令の先読みを行うパイプライン制御において，分岐条件が確定する前に分岐先を予測し，その分岐先にある命令群をパイプラインに投入する技術を投機実行と呼ぶ。

- アウトオブオーダー実行…命令の順序を入れ替えて実行する技法。例えば，依存関係がない二つの命令A，Bがこの順でプログラム中に現れ，Aが先行する別の命令の演算結果待ちをしなければならない場合に，命令Bをその待ち時間の間に実行する
- 遅延分岐…分岐命令実行時に命令パイプラインを最大限活用するために，分岐先の命令をあらかじめパイプラインに投入してから，分岐命令をパイプラインに投入する技法
- レジスタリネーミング…レジスタを付け替える技法。例えば，ある命令がレジスタAに値を書き込んだ後に次の命令がレジスタAに上書きするような場合，2番目の命令は前の命令が書込みを完了した後に書き込まないと正しく処理できない。ここで，次の命令が書き込むレジスタをAではなくBにすると依存関係を絶つことができる

答2 SIMD ▶ P.72 …………………………………………………………………… **イ**

　SIMD（Single Instruction stream Multiple Data stream）は，1命令で複数のデータの演算処理を並列に実行する方式である。音声や映像などのマルチメディアデータ処理などに適している。

　ア　SISD（Single Instruction stream Single Data stream）の説明である。
　ウ　MISD（Multiple Instruction stream Single Data stream）の説明である。
　エ　MIMD（Multiple Instruction stream Multiple Data stream）の説明である。

答3 DRAM ▶ P.73 …………………………………………………………………… **エ**

　DRAMは記憶素子にコンデンサを用いた揮発性の性質を持った半導体メモリであり，記憶内容を保持するためのリフレッシュ（再書込み）が必要となる。また，構造が単純なので製造コストが低く，主にPCの主記憶などに用いられる。

　ア　EEPROMの説明である。
　イ　フラッシュメモリの説明である。
　ウ　SRAMの説明である。

問4 ☑☐☐☐　SRAMと比較した場合のDRAMの特徴はどれか。（R2F問7，H25F問8）

ア　主にキャッシュメモリとして使用される。
イ　データを保持するためのリフレッシュ又はアクセス動作が不要である。
ウ　メモリセル構成が単純なので，ビット当たりの単価が安くなる。
エ　メモリセルにフリップフロップを用いてデータを保存する。

問5 ☑☐☐☐　15Mバイトのプログラムを圧縮した状態でフラッシュメモリに格納している。プログラムの圧縮率が40％，フラッシュメモリから主記憶への転送速度が20Mバイト／秒であり，1Mバイトに圧縮されたデータの展開に主記憶上で0.03秒が掛かるとき，このプログラムが主記憶に展開されるまでの時間は何秒か。ここで，フラッシュメモリから主記憶への転送と圧縮データの展開は同時には行われないものとする。　　　　　　　　（H29S問4）

ア　0.48　　　イ　0.75　　　ウ　0.93　　　エ　1.20

問6 ☑☐☐☐　L1，L2と2段のキャッシュをもつプロセッサにおいて，あるプログラムを実行したとき，L1キャッシュのヒット率が0.95，L2キャッシュのヒット率が0.6であった。このキャッシュシステムのヒット率は幾らか。ここでL1キャッシュにあるデータは全てL2キャッシュにもあるものとする。

（R4F問4）

ア　0.57　　　イ　0.6　　　ウ　0.95　　　エ　0.98

答4　DRAM ▶ P.73 ··· **ウ**

DRAMとSRAMの主な特徴をまとめると，次のようになる。DRAMの特徴は"ウ"であり，それ以外はSRAMの特徴である。

	DRAM	SRAM
主な構成回路	コンデンサ	フリップフロップ
アクセス速度	低速	高速
集積度	高い	低い
ビット当たりの価格	安い	高い
リフレッシュ動作	必要	不要
主な用途	主記憶	キャッシュメモリ

答5　·· **ア**

15Mバイトのプログラムを圧縮率40％で圧縮するので，圧縮後のデータ量は，
　　15×0.4＝6［Mバイト］
である。これを20Mバイト／秒の速度で転送するので，転送に要する時間は，
　　6÷20＝0.3［秒］
となる。また，1Mバイトに圧縮されたデータの展開に0.03秒を要するので，6Mバイトのデータを全て展開するには，
　　0.03×6＝0.18［秒］
が掛かることになる。以上を合算した，
　　0.3＋0.18＝0.48［秒］
が求める答えとなる。

答6　キャッシュメモリ ▶ P.74 ··· **エ**

1次キャッシュと2次キャッシュを備えるシステムでは，まず1次キャッシュを調べ，1次キャッシュ上にデータが存在しなかった場合のみ，2次キャッシュを調べる。1次キャッシュ又は2次キャッシュのいずれかでヒットすれば，キャッシュシステム全体としてのヒットとみなせるので，ヒット率は，
　　（1次キャッシュでヒットする確率）
　　＋（1次キャッシュでヒットしない確率）×（2次キャッシュでヒットする確率）
で求められる。この式に提示された各数値を入れると，次のようになる。
　　0.95＋（1－0.95）×0.6＝0.95＋0.05×0.6＝0.95＋0.03＝0.98

問7 ☑□ キャッシュの書込み方式には，ライトスルー方式とライトバック方式
□□ がある。ライトバック方式を使用する目的として，適切なものはどれか。

（H26F問4，H25S問4）

ア　キャッシュと主記憶の一貫性（コヒーレンシ）を保ちながら，書込みを行う。

イ　キャッシュミスが発生したときに，キャッシュの内容の主記憶への書き戻しを不
　要にする。

ウ　個々のプロセッサがそれぞれのキャッシュをもつマルチプロセッサシステムにお
　いて，キャッシュ管理をライトスルー方式よりも簡単な回路構成で実現する。

エ　プロセッサから主記憶への書込み頻度を減らす。

問8 ☑□ メモリインタリーブの説明はどれか。 （R2F問4）
□□

ア　CPUと磁気ディスク装置との間に半導体メモリによるデータバッファを設けて，
　磁気ディスクアクセスの高速化を図る。

イ　主記憶のデータの一部をキャッシュメモリにコピーすることによって，CPUと
　主記憶とのアクセス速度のギャップを埋め，メモリアクセスの高速化を図る。

ウ　主記憶へのアクセスを高速化するために，アクセス要求，データの読み書き及び
　後処理が終わってから，次のメモリアクセスの処理に移る。

エ　主記憶を複数の独立したグループに分けて，各グループに交互にアクセスするこ
　とによって，主記憶へのアクセスの高速化を図る。

答7 ライトスルー方式 ▶ P.75　ライトバック方式 ▶ P.75 ·· **エ**
　ライトバック方式では，キャッシュメモリのみに書込みを行い，キャッシュミスなどを契機としてデータがキャッシュから追い出されるタイミングでキャッシュメモリの内容を主記憶に反映する。結果としてプロセッサから主記憶への書込み頻度は減り，キャッシュメモリによるデータの読込み動作と書込み動作の両方の性能向上が期待できる。

　ア　ライトバック方式では主記憶の内容が常に最新の状態であるとは限らず，一貫性は保たれない。一貫性を保ちながら書込みを行うのであれば，ライトスルー方式を使用する必要がある。
　イ　ライトバック方式では一貫性が保たれないので，キャッシュミス時にはキャッシュの内容を主記憶へ書き戻す制御が必要となる。書き戻しを不要にしたいのであれば，ライトスルー方式を使用する必要がある。
　ウ　キャッシュコントローラに関する記述である。

答8 メモリインタリーブ ▶ P.76 ·· **エ**
　メモリインタリーブは，主記憶を複数の独立して動作するグループ（バンク）に分け，各バンクに並行にアクセスすることで，CPUから見た主記憶への効率的なアクセスを図る方式である。

　ア　ディスクキャッシュに関する説明である。専用のメモリがディスク装置側に用意されることもあれば，主記憶の一部領域を確保し，そこをディスクキャッシュとして利用することもある。
　イ　キャッシュメモリの利用に関する説明である。
　ウ　メモリアクセスを並列化せず，逐次に行う場合の説明である。

③ コンピュータ構成要素　問題編

　　　　ハミング符号とは，データに冗長ビットを付加して，1ビットの誤り
を訂正できるようにしたものである。ここでは，X_1，X_2，X_3，X_4の4
ビットから成るデータに，3ビットの冗長ビットP_3，P_2，P_1を付加したハミ
ング符号$X_1X_2X_3P_3X_4P_2P_1$を考える。付加したビットP_1，P_2，P_3は，それぞれ

$$X_1 \oplus X_3 \oplus X_4 \oplus P_1 = 0$$
$$X_1 \oplus X_2 \oplus X_4 \oplus P_2 = 0$$
$$X_1 \oplus X_2 \oplus X_3 \oplus P_3 = 0$$

となるように決める。ここで，$\oplus$は排他的論理和を表す。

　ハミング符号1110011には1ビットの誤りが存在する。誤りビットを訂正
したハミング符号はどれか。　　　　　　　　　　　（R4S問1，H30S問1，H25S問1）

ア　0110011　　　イ　1010011　　　ウ　1100011　　　エ　1110111

答9 ECC（誤り訂正符号） ▶ P.76　ハミング符号 ▶ P.76 ……………………… **ア**

"1110011" の各ビットに対して，問題文に記述されている論理演算を行った結果はそれぞれ次のようになる。

$$X_1 \oplus X_3 \oplus X_4 \oplus P_1 = 1 \oplus 1 \oplus 0 \oplus 1 = 1$$
$$X_1 \oplus X_2 \oplus X_4 \oplus P_2 = 1 \oplus 1 \oplus 0 \oplus 1 = 1$$
$$X_1 \oplus X_2 \oplus X_3 \oplus P_3 = 1 \oplus 1 \oplus 1 \oplus 0 = 1$$

本来ならばこの3式は全て0になるはずであるが，全て1となっている。よって，全ての式に共通して含まれるビット，すなわち

$$X_1$$

が誤っていると判断できる。

正しいハミング符号は，X_1 を "1" から "0" に訂正した，

0110011

となる。

4 システム構成要素

4.1 システムの形態と構成

❏ 集中処理システム

　プログラムやデータを1か所（一つのコンピュータ）で集中して処理を行うシステム形態である。具体的には，メインフレームなどの高性能コンピュータをホストとし，それに複数の端末を接続した形態のシステムが多い。基本的なデータ処理は全てホスト側で行い，端末側ではジョブの投入や処理結果の回収を行う。運用・保守が単純であること，セキュリティの確保が容易であること，データ内容の一貫性を保ちやすいことなどがメリットとして挙げられる。一方，新技術に柔軟に対応することが難しい，アプリケーションの追加・変更への対応が難しい，障害時の影響が大きいなどのデメリットがある。

❏ 分散処理システム

　プログラムやデータを複数の拠点やコンピュータに分散して配置し，それぞれが協調しながら処理を行う形態である。分散処理システムは，各コンピュータの立場や役割から，次表のような3種類に分類できる。

　要求に応じた拡張が容易であること，障害の影響を局所化できることなどがメリットとして挙げられる。一方，運用コストが増大する，障害の発生時に原因の特定が困難である，データの安全性や一貫性の確保が難しいなどのデメリットがある。

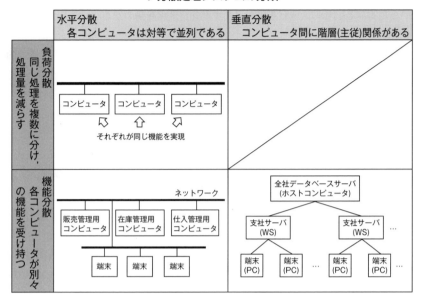

▶分散処理システムの分類

❏ クライアントサーバシステム

　処理を，処理を依頼するプロセス（クライアントプロセス）と，依頼された処理を実行して依頼側に結果を返すプロセス（サーバプロセス）の二つのプロセスに分け，クライアントとサーバが協調しながら処理を進めるシステム形態である。ここで，クライアント及びサーバは基本的には「プロセス」を指す概念であるが，クライアントプロセスやサーバプロセスが稼働する機器のことをクライアントやサーバと呼ぶこともある。

❏ クラスタリング ━━━━━━━━━━━━━━━━ 問1

　複数台のサーバ機（ノード）によってクラスタ（房，群）を構成し，仮想的な一台のノードとして扱う技術である。クラスタリングを実現する方式にはいくつかの種類があり，大きく分けると可用性の向上を目的とした**HA**（High Availability）クラスタと演算性能の向上を目的とした**HPC**（High Performance Computing）クラスタがある。

　HAクラスタは，フェールオーバークラスタと負荷分散クラスタに分類される。HPCクラスタは，１台のコンピュータでは実現できないような高い性能を得ること

4 システム構成要素

知識編

87

を目的としたクラスタであり，演算用ノードやデータベース用ノード，制御用ノードといった異なる役割のノードを組み合わせてクラスタを構成する。

❏ RAID ─────────────────────────────── 問15

複数の磁気ディスク装置を組み合わせることにより，性能や信頼性の向上を実現する技術である。

● 高信頼性の実現

元のデータを復元するための冗長ビットを他のディスクに記録することにより，障害が発生しても正常なディスク装置から元のデータを復元し，高い信頼性を実現する。冗長ビットの持たせ方には，ディスク全体を複製する方法（**ミラーリング**）や1のビットの数を偶数あるいは奇数となるような検査ビット（パリティ）を設定する方法などがある。

● 並列動作による高速化の実現

単一のディスク装置に格納されていた情報を複数のディスクに分散して記録（**ストライピング**）し，それを並列して読み込むことによって，高性能なディスクアクセスを実現する。

4.2 システム性能評価

❏ 性能評価指標 ─────────────────── 問2 ⑨問2

システム性能を測る基本的な指標としては，次のようなものがある。**レスポンスタイム**は主にオンライントランザクション処理の指標として，**ターンアラウンドタイム**は主にバッチ処理の指標として用いられる。

▶基本的な評価指標

レスポンスタイム	要求入力完了の直後から，結果の出力開始までに要する時間
ターンアラウンドタイム	ジョブを提出してから，結果が戻るまでの時間
スループット	単位時間内に実行できるジョブの量
TPS	1秒間に処理できるトランザクション数

❏ 待ち行列モデル ──────────────── 問7

コンピュータシステムにおける事象を待ち行列でモデル化し，待ち行列モデルを数学的に解析することで，所要時間などを予測する。待ち行列とは，用意された「窓口」でサービスを受けるために，複数の「客」が並んでいる状態を指す言葉である。コンピュータシステムでは，

・マルチプログラミングにおける，実行可能プロセスによるプロセッサの競合

　　　→ プロセッサが窓口，プロセスが客

・オンライントランザクション処理におけるトランザクション

　　　→ 処理プログラムが窓口，トランザクションが客

とモデル化できる。

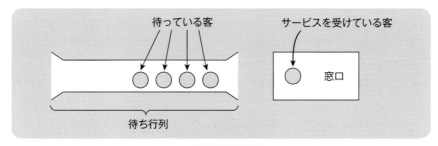

▶待ち行列の例

待ち行列モデルは，窓口に到着する客の頻度分布，窓口の数などによって，いくつかに分類できる。ここでよく用いられる表記法に，**ケンドール記法**がある。ケンドール記法は待ち行列の性質を，

　　　到着の分布／サービス時間の分布／窓口の数

で記す方法である。到着及びサービス時間の分布を表す記号としては，主に次のものが用いられる。

　　　（到着）

　　　　　M：ポアソン分布　（到着がランダム）

　　　　　G：一般分布　（MとDの中間に該当する，何らかの係数に従った通常の分布）

　　　　　D：一様分布　（到着が一定）

　　　（サービス時間）

　　　　　M：指数分布　（サービス時間がランダム）

　　　　　G：一般分布　（MとDの中間に該当する，何らかの係数に従った通常の分布）

　　　　　D：一様分布　（サービス時間が一定）

❑M/M/1モデル ──────────────────────── 問6 問7

到着がランダム（＝到着がポアソン分布に従う），サービス時間がランダム（＝指数分布に従う）で，窓口が1つの待ち行列を表し，最も基本的な待ち行列モデルである。M/M/1モデルは次のような特徴を持つ。

- 待ち行列の長さに制限はない。
- 一度並んだ客がサービスを受ける前に立ち去ることはない。
- 到着した客は必ず待ち行列に並ぶ。
- 到着した客の順番が入れ替わることはない。

M/M/1モデルでは，平均到着率，平均サービス時間，窓口利用率の考え方を用いることで，平均待ち時間や平均応答時間が算出できる。

- 平均到着率（λ）…系（窓口及び待ち行列が置かれる領域）に対する，単位時間当たりの到着客数の平均
- 平均サービス時間（$E(t_s)$）… 1人の客に対するサービスの所要時間の平均
- 窓口利用率（ρ）…窓口がサービス中である割合

    $\rho = \lambda \times E(t_s)$
- 平均待ち時間（$E(t_w)$）…客が系に到着してから，サービスを開始されるまでの時間の平均

  計算式 $E(t_w) = \dfrac{\rho}{1-\rho} \times E(t_s)$

- 平均応答時間（$E(t_q)$）…客が待ち行列に並んでからサービスを受け終わるまでの時間の平均。すなわち，平均待ち時間と平均サービス時間の和

  計算式 $E(t_q) = E(t_w) + E(t_s)$

  $= \dfrac{\rho}{1-\rho} \times E(t_s) + E(t_s)$

  $= \dfrac{\rho+1-\rho}{1-\rho} \times E(t_s) = \dfrac{1}{1-\rho} \times E(t_s)$

❑キャパシティプランニング ──────────────── 問3

需要（ユーザー要求）を満足し，ピーク時の負荷にも耐え得るシステム構成を設計することである。モニタリング，分析，チューニング，実装といったサイクルで構成される。**チューニング**とは，ハードウェア使用率を最適化するために，変更箇所や変更内容を決定することである。このためには，処理性能や容量などが低く，システム

全体の処理性能を阻害する部分（ボトルネック）を特定し，そこを増強する必要がある。

❏ スケールアップ ──────────────── 問5

CPUやメモリなどのリソースをより高性能・大容量なものに交換・増設することによって，サーバそのものの処理性能を向上させる手法である。

❏ スケールアウト ──────────────── 問5

サーバの台数を増やして複数のサーバで分散処理を行うことによって，システム全体の処理性能を向上させる手法である。

4.3 システム信頼性評価

❏ RASIS ──────────────────────── 問9

システムの信頼性（広義）を表す概念である。RASISは次に示す5つの性質の頭文字をとったものである。

▶RASIS

Reliability（狭義の信頼性）	システムの故障のしにくさを表す。評価指標としてMTBFを用いる。
Availability（可用性）	システムが使用できる可能性を表す。評価指標として稼働率を用いる。
Serviceability（保守性）	システム保守のしやすさを表す。評価指標としてMTTRを用いる。
Integrity（保全性，完全性）	不整合の起こりにくさを表す。
Security（安全性）	障害や不正アクセスに対する耐性を表す。

❏ MTBF（平均故障間隔） ──────────── 問8 問10

ある故障が発生してから次の故障が発生するまでの時間の平均である。MTBFが長いほど，信頼性（RASISのR）の高いシステムであるといえる。

MTBFを長くする要素としては，次のようなものが考えられる。

- ●記憶装置のビット誤り訂正
- ●命令の再試行

●予防保守

❏MTTR（平均修理時間）——————————— 問8 問10

　故障発生から復旧までに要する修理時間の平均である。MTTRが短いほど，保守性（RASISの１つ目のS）の高いシステムであるといえる。

　MTTRを短くする要素としては，次のようなものが考えられる。

- ●エラーログの取得
- ●遠隔保守
- ●保守システムの分散配置（分散システムの場合）

❏稼働率——————————————————————— 問11

　全時間に対する，システムが使用可能な状態にある（稼働している）時間の比率である。稼働率が高いほど，可用性（RASISのA）が高いシステムといえる。

　稼働率はMTBFとMTTRを用いて，

$$稼働率 = \frac{MTBF}{MTBF + MTTR}$$

▶計算式

で求められる。例えば，MTBFが995時間，MTTRが５時間である機器の稼働率は，

　　MTBF÷（MTBF＋MTTR）

　　　=995÷（995＋5）

　　　=0.995

と求められる。

❏故障率——————————————————————

　単位時間内に故障が発生する確率（故障発生回数の期待値）である。モデル化して計算式に用いる際には，MTBFの逆数を用いればよい。故障率を表す際の補助単位としてFIT（１FIT＝10^9時間に１回故障する）が用いられることもある。

❏バスタブ曲線—————————————————— 問14

　機器の故障率は，使用経過時間とともに変化する。このとき経過時間を横軸，故障率を縦軸にとってグラフ化すると，一般に次のような形となる。これを俗にバスタブ曲線と呼んでいる。

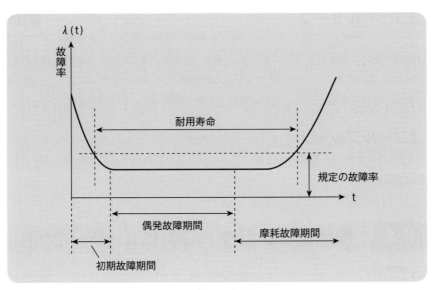

▶バスタブ曲線

❏ フォールトトレランス

　「システムの一部分で障害が発生しても，全体としての動作が継続できる」という設計概念である。障害発生を前提としている考え方である。分散処理や冗長構成などの設計手法を用いてフォールトトレランスを実現する。

❏ フォールトアボイダンス

　「個々の構成機器の信頼性を高めることで，障害の発生そのものを抑制する」という設計概念である。

❏ フェールソフト

　「システムの一部分で障害が発生した場合，その部分を切り離し，処理能力を落としてでもシステム全体としての稼働が継続できる」という設計思想である。

　マルチプロセッサシステムで，あるプロセッサの障害が発生した場合に残りのプロセッサだけで処理を継続することはフェールソフトといえる。デュプレックスシステムもフェールソフトといえる。

　障害部分を切り離し，能力が低下した状態で稼働を続けることを**フォールバック運転（縮退運転）**という。

④ システム構成要素

知識編

❑ フェールセーフ ━━━━━━━━━━━━━━━━━━━━━━━━━━ 問15

　「システムに障害が発生したとき，その影響が安全側に働くようにする」という設計思想である。障害によって，データの消失，障害の拡大，生命の危険などが発生しないよう，危険性を下げる方向にシステムを制御する。フェールセーフは「安全第一」であり，極端な場合，システムの稼働停止もやむを得ないという考え方である。

❑ フールプルーフ ━━━━━━━━━━━━━━━━━━━━━━━━━━━━━━

　「入力ミスなどの人為的ミスによって，システムが誤動作することを避ける」という設計思想である。

4.4　仮想化とクラウドコンピューティング

❑ 仮想化 ━━━━━━━━━━━━━━━━━━━━━━━━━━━━━━━━━━━

　コンピュータや資源の物理的な構成を隠蔽し，論理的な構成を提供する技術の総称である。主記憶空間，補助記憶装置（ストレージ），ネットワーク，コンピュータそのものなどが仮想化の対象となる。

❑ サーバコンソリデーション ━━━━━━━━━━━━━━━━━━━ 問12

　仮想化技術を使って，複数のコンピュータやアプリケーションを整理統合することで，1台の物理サーバの中に仮想的に何台ものサーバを生み出す技術である。アプリケーションごとに専用のOSを使って専用の物理サーバを用意する必要がないため，サーバ機器の管理コストの削減が実現できる。

❑ ライブマイグレーション ━━━━━━━━━━━━━━━━━━━━━━

　物理サーバの仮想化環境上で動作している仮想サーバを，無停止のまま他の物理サーバに転送する機能である。**ホットマイグレーション**ともいう。ライブマイグレーションによって，仮想サーバが動作する実マシンを自由に変更することができるため，次のような柔軟な運用が可能になり，計画停止や縮退運転を避けることができる。

- ●保守対象の物理サーバから仮想サーバを移動させ，保守対象の物理サーバを完全に停止，あるいは再起動させる。
- ●高い負荷の発生が想定される場合など，負荷の低い物理サーバに仮想マシンを移す。

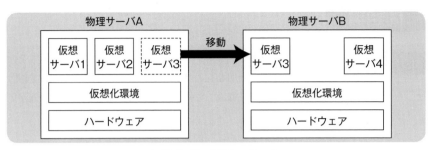

▶ライブマイグレーション

❏ クラウドコンピューティング

インターネットに代表されるネットワークを通じて，ソフトウェアやハードウェア，ネットワーク，ストレージといったリソースを提供する形態である。

❏ SaaS（Software as a Service） ─── 問16 問17

クラウドサービス事業者が運用するアプリケーションをサービスとして利用する形態である。サービスされるアプリケーションには，電子メールやオンラインストレージのほかにも，会計システム，販売システム，顧客管理（CRM）システム，営業支援（SFA）システムといった業務アプリケーションなどがある。

❏ PaaS（Platform as a Service） ─── 問16 問17

開発環境やミドルウェアといったプラットフォームをサービスとして利用する形態であり，ユーザーは提供されたプラットフォーム上で任意のアプリケーションプログラムを実装することができる。インフラの構築や開発環境の整備などを行うことなく自社独自のアプリケーションを作成できるが，プログラミング言語などはサービスによって異なるため，既存のプログラムをそのまま移行できるとは限らない。

❏ IaaS（Infrastructure as a Service） ─── 問16 問17

クラウドサービス事業者がサーバ機能（CPUやメモリ等），ストレージ，ネットワークといったインフラを提供する形態であり，ユーザーは任意のソフトウェアをインストールして実行することができる。ミドルウェアを含め利用するソフトウェアには制限がない反面，アプリケーションやミドルウェア，OSの一部などをユーザーが管理する必要がある。**HaaS**（Hardware as a Service）ともいう。

問題編

問1 ☑□ □□　クラスタリングシステムで，ノード障害が発生したときに信頼性を向上させる機能のうち，適切なものはどれか。　　　　　　　　　　　（H27F問5）

ア　アプリケーションを代替ノードに転送して実行するためのホットプラグ機能が働く。

イ　アプリケーションを再び動かすために，代替ノードを再起動する機能が働く。

ウ　障害ノードを排除して代替ノードでアプリケーションを実行させるフェールオーバ機能が働く。

エ　ノード間の通信が途切れるので，クラスタの再構成を行うフェールバック機能が働く。

問2 ☑□ □□　ジョブの多重度が1で，到着順にジョブが実行されるシステムにおいて，表に示す状態のジョブA～Cを処理するとき，ジョブCが到着してから実行が終了するまでのターンアラウンドタイムは何秒か。ここで，OSのオーバヘッドは考慮しないものとする。　　　　　　　　（H23F問5）

単位 秒

ジョブ	到着時刻	処理時間 （単独実行時）
A	0	5
B	2	6
C	3	3

ア　11　　　イ　12　　　ウ　13　　　エ　14

答1 クラスタリング ▶ P.87 ·· **ウ**

　クラスタリングシステムのような複数コンピュータを相互接続した冗長システムにおいて，あるコンピュータに障害が発生したとき，別のコンピュータへ処理を引き継ぐことをフェールオーバという。一方，障害復旧後に元へ戻すことはフェールバックという。

答2 性能評価指標 ▶ P.88 ·· **ア**

　多重度が1で到着順に実行されるということは，「ジョブAが終わったならばジョブBが開始する」というように，各ジョブが到着順に一つずつ実行されていくことになる。よって，ジョブCの実行が終了するのは，時刻0から14（＝5＋6＋3）秒後になる。

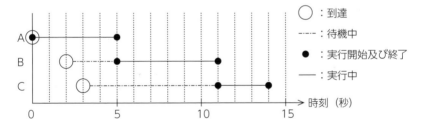

　ジョブCは時刻3に到着するので，ターンアラウンドタイムは，
　　14－3＝11 ［秒］
となる。

問3 ☑□
□□
　キャパシティプランニングの目的の一つに関する記述のうち，最も適切なものはどれか。
(R元F問7)

ア　応答時間に最も影響があるボトルネックだけに着目して，適切な変更を行うことによって，そのボトルネックの影響を低減又は排除することである。

イ　システムの現在の応答時間を調査し，長期的に監視することによって，将来を含めて応答時間を維持することである。

ウ　ソフトウェアとハードウェアをチューニングして，現状の処理能力を最大限に引き出して，スループットを向上させることである。

エ　パフォーマンスの問題はリソースの過剰使用によって発生するので，特定のリソースの有効利用を向上させることである。

問4 ☑□
□□
　あるクライアントサーバシステムにおいて，クライアントから要求された1件の検索を処理するために，サーバで平均100万命令が実行される。1件の検索につき，ネットワーク内で転送されるデータは平均 2×10^5 バイトである。このサーバの性能は100MIPSであり，ネットワークの転送速度は 8×10^7 ビット／秒である。このシステムにおいて，1秒間に処理できる検索要求は何件か。ここで，処理できる件数は，サーバとネットワークの処理能力だけで決まるものとする。また，1バイトは8ビットとする。
(H31S問5，H24S問6)

ア　50　　　イ　100　　　ウ　200　　　エ　400

答3　キャパシティプランニング ▶ P.90 ・・・・・・・・・・・・・・・・・・・・・・・・・・・・・・・・・・・・・・・**イ**
　キャパシティプランニングとは，ハードウェアやソフトウェアの負荷を考慮し，必要な資源量を配備する計画である。その目的は，資源不足によってシステム及び業務の効率が下がり，水準を維持できなくなる状況を防ぐことである。

　　ア，エ　キャパシティプランニングは，特定のボトルネック解消や，特定のリソース有効利用に特化したものではない。

答4　・・・**ア**
　「処理できる件数は，サーバとネットワークの処理能力だけで決まる」のであるから，サーバの処理能力，ネットワークの転送能力という二つの視点からそれぞれ最大処理数を求め，そのうちボトルネックとなるほう，すなわち「小さいほう」を選択すればよい。

・サーバの処理能力からみた最大処理数
　サーバ性能が100MIPSなので，1秒間に$100×10^6$命令が実行可能である。よって，1秒間 に処理可能な件数は，
　　　（1秒間に実行可能な命令数）÷（検索1件当たりの平均命令数）
　　　$=100×10^6÷10^6$
　　　$=100$［件／秒］
となる。

・ネットワークの転送能力からみた最大処理数
　転送速度が$8×10^7$ビット／秒，1件の検索で転送される平均データ量が$2×10^5$バイトであるから，1秒間に処理（転送）可能な件数は，
　　　（最大転送容量）÷（1件当たりの平均データ量）
　　　$=8×10^7÷(2×10^5×8)$
　　　$=50$［件／秒］
となる。

　よって，ボトルネックとなるのはネットワークの方であり，
　　　50［件／秒］
が解答となる。サーバ側は1秒間に100件を処理する能力があるが，ネットワークに足を引っ張られ，能力をフルに発揮できない。

問5 ☑□
□□　物理サーバのスケールアウトに関する記述はどれか。

（H27S問5）

ア　サーバに接続されたストレージのディスクを増設して冗長化することによって，サーバ当たりの信頼性を向上させること

イ　サーバのCPUを高性能なものに交換することによって，サーバ当たりの処理能力を向上させること

ウ　サーバの台数を増やして負荷分散することによって，サーバ群としての処理能力を向上させること

エ　サーバのメモリを増設することによって，単位時間当たりの処理能力を向上させること

問6 ☑□
□□　コンピュータによる伝票処理システムがある。このシステムは，伝票データをためる待ち行列をもち，M/M/1の待ち行列モデルが適用できるものとする。平均待ち時間がT秒以上となるのは，システムの利用率が少なくとも何％以上となったときか。ここで，伝票データをためる待ち行列の特徴は次のとおりである。

・伝票データは，ポアソン分布に従って到着する。

・伝票データをためる数に制限はない。

・1件の伝票データの処理時間は，平均T秒の指数分布に従う。

（H30F問2，H26F問2）

ア　33　　　イ　50　　　ウ　67　　　エ　80

問7 ☑□
□□　通信回線を使用したデータ伝送システムにM/M/1の待ち行列モデルを適用すると，平均回線待ち時間，平均伝送時間，回線利用率の関係は，次の式で表すことができる。

（R元F問2）

$$平均回線待ち時間 = 平均伝送時間 \times \frac{回線利用率}{1 - 回線利用率}$$

回線利用率が0から徐々に増加していく場合，平均回線待ち時間が平均伝送時間よりも最初に長くなるのは，回線利用率が幾つを超えたときか。

ア　0.4　　　イ　0.5　　　ウ　0.6　　　エ　0.7

答5 スケールアップ ▶ P.91　スケールアウト ▶ P.91 ・・・・・・・・・・・・・・・・・・・・・・・**ウ**

　サーバの処理能力を向上させる方法の代表的なものに，スケールアップとスケールアウトがある。スケールアップは，現在利用しているサーバ自体の能力を向上させる方法であり，CPUやメモリの増強，新しい高性能のサーバへの置換えなどが該当する。これに対し，スケールアウトとは，サーバの台数を増やすことで，サーバ群全体の性能を向上させることを指す。

答6 M/M/1モデル ▶ P.90 ・・・**イ**

　伝票処理システムにM/M/1の待ち行列モデルが適用できることから，処理装置の利用率をρ，平均処理時間をTとすると，平均待ち時間T_wは次式で計算できる。

$$T_w = \frac{\rho}{1-\rho} \times T$$

よって，$T_w \geqq T$となるには，

$$\frac{\rho}{1-\rho} \times T \geqq T$$

$$\frac{\rho}{1-\rho} \geqq 1$$

が成立すればよい。これをρについて解くと，

$$\rho \geqq 1 \times (1-\rho)$$
$$2\rho \geqq 1$$
$$\rho \geqq 0.5 = 50 \ [\%]$$

となる。

答7 待ち行列モデル ▶ P.89　M/M/1モデル ▶ P.90 ・・・・・・・・・・・・・・・・・・・・・・・・・・**イ**

　平均伝送時間をA，回線利用率をPとすると，平均回線待ち時間は
　　　A×P÷(1−P)
で表される。この平均回線待ち時間のほうが平均伝送時間より長くなるときは，
　　　A×P÷(1−P)＞A
が成立するはずである。この不等式は両辺にAがあるので，除して
　　　P÷(1−P)＞1
となり，これをPについて解いて
　　　P＞1−P
　　　　↓
　　　2P＞1
　　　　↓
　　　P＞0.5
を得る。すなわち，回線利用率が0.5を超えると，平均回線待ち時間が平均伝送時間よりも長くなる。

問8 ☑☐☐☐　MTBFを長くするよりも，MTTRを短くするのに役立つものはどれか。

ア　エラーログ取得機能　　　イ　記憶装置のビット誤り訂正機能
ウ　命令再試行機能　　　　　エ　予防保守

問9 ☑☐☐☐　マスタファイル管理に関するシステム監査項目のうち，可用性に該当するものはどれか。
（R3S問21，H30S問22）

ア　マスタファイルが置かれているサーバを二重化し，耐障害性の向上を図っていること
イ　マスタファイルのデータを複数件まとめて検索・加工するための機能が，システムに盛り込まれていること
ウ　マスタファイルのメンテナンスは，特権アカウントを付与された者だけに許されていること
エ　マスタファイルへのデータ入力チェック機能が，システムに盛り込まれていること

問10 ☑☐☐☐　あるシステムにおいて，MTBFとMTTRがともに1.5倍になったとき，アベイラビリティ（稼働率）は何倍になるか。　（H28F問5，㊾H23F問6）

ア　$\dfrac{2}{3}$　　　イ　1.5　　　ウ　2.25　　　エ　変わらない

答8 MTBF ▶ P.91　MTTR ▶ P.92 ·· **ア**

　MTBF（平均故障間隔）は「故障なく稼働し続けられる時間」の平均であり，（狭義の）信頼性の指標となる。一方，MTTR（平均修理時間）は「修理に要する平均時間」であり，保守性の指標となる。MTBFは長いほど，MTTRは短いほど望ましく，その結果として，可用性の指標である稼働率も高まる。

　エラーログは，システム稼働においてどんなエラーがどこで起きたかを記録した履歴である。取得したエラーログを解析することによって，エラー原因究明などの修復作業の効率化が図れ，MTTRが短くなることが期待できる。

　イ　ビット誤り訂正機能によって一時的なデータの誤り発生を防ぐことで，それに起因するシステム停止を抑制できる。MTBFを長くするのには役立つが，MTTRの短縮とは直接の関係はない。

　ウ　命令再試行機能によって，一時的な誤動作によるシステム停止を抑制できる。MTBFを長くするのには役立つが，MTTRの短縮とは直接の関係はない。

　エ　予防保守を実施することで，顕在化していない障害の要因を早期に発見し，取り除くことができる。MTBFを長くするのには役立つが，MTTRの短縮とは直接の関係はない。

答9 RASIS ▶ P.91 ··· **ア**

　可用性とは，利用者が必要なときにデータやシステムを確実に利用できるという性質を表す。マスタファイル管理における可用性であれば，マスタファイルのデータや媒体を二重化することにより，マスタファイルを参照する必要が生じたときに障害等で参照できないということが起こらないように，対策を行う必要がある。

　イ　効率性に該当する。

　ウ　機密性に該当する。

　エ　完全性に該当する。

答10 MTBF ▶ P.91　MTTR ▶ P.92 ·· **エ**

MTBFとMTTRを用いると，稼働率は，

　　$MTBF \div (MTBF + MTTR)$

で求められる。よって，これらがともに1.5倍になった場合は，稼働率は，

　　　$(MTBF \times 1.5) \div (MTBF \times 1.5 + MTTR \times 1.5)$

　　$= (MTBF \times 1.5) \div ((MTBF + MTTR) \times 1.5)$

　　$= MTBF \div (MTBF + MTTR)$

となる。すなわち，従来の稼働率と同じ値である。

問11 ☑□
□□
4種類の装置で構成される次のシステムの稼働率は，およそ幾らか。ここで，アプリケーションサーバとデータベースサーバの稼働率は0.8であり，それぞれのサーバのどちらかが稼働していればシステムとして稼働する。また，負荷分散装置と磁気ディスク装置は，故障しないものとする。

(H30S問5)

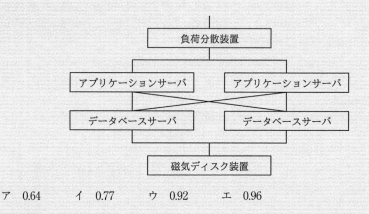

ア 0.64   イ 0.77   ウ 0.92   エ 0.96

問12 ☑□
□□
複数のサーバを用いて構築されたシステムに対するサーバコンソリデーションの説明として，適切なものはどれか。

(R2F問5)

ア 各サーバに存在する複数の磁気ディスクを，特定のサーバから利用できるようにして，資源の有効活用を図る。

イ 仮想化ソフトウェアを利用して元のサーバ数よりも少なくすることによって，サーバ機器の管理コストを削減する。

ウ サーバのうちいずれかを監視専用に変更することによって，システム全体のセキュリティを強化する。

エ サーバの故障時に正常なサーバだけで瞬時にシステムを再構成し，サーバ数を減らしてでも運転を継続する。

答11　稼働率 ▶ P.92 ·· **ウ**

アプリケーションサーバの部分は2台のうち少なくとも1台が稼働していればよいので，

$\qquad$1－（2台とも故障している確率）

$\qquad$＝1－（1台が故障している確率）^{2}

$\qquad$＝1－0.2^2

$\qquad$＝0.96

が稼働率となる。データベースサーバ部分も同様であり，それぞれが稼働している場合だけ
システム全体として稼働しているとみなせる。したがって，

$\qquad$0.96×0.96＝0.9216

が全体の稼働率となる。

答12　サーバコンソリデーション ▶ P.94 ·· **イ**

コンソリデーション（consolidation）は，複数のコンピュータやアプリケーションなど
を整理統合することを指す言葉である。運用や保守費用の低減を実現する方策として採用さ
れる。

$\quad$エ　クラスタ構成などによるフォールトトレラントな設計に関する記述である。

問13 ☑☐
☐☐ 　コンテナ型仮想化の説明として，適切なものはどれか。　　　(R4F問5)

ア　物理サーバと物理サーバの仮想環境とがOSを共有するので，物理サーバか物理サーバの仮想環境のどちらかにOSをもてばよい。

イ　物理サーバにホストOSをもたず，物理サーバにインストールした仮想化ソフトウェアによって，個別のゲストOSをもった仮想サーバを動作させる。

ウ　物理サーバのホストOSと仮想化ソフトウェアによって，プログラムの実行環境を仮想化するので，仮想サーバに個別のゲストOSをもたない。

エ　物理サーバのホストOSにインストールした仮想化ソフトウェアによって，個別のゲストOSをもった仮想サーバを動作させる。

答13 ·· **ウ**

仮想化の実現方式は，ホスト型，ハイパーバイザー型，コンテナ型に大別できる。

- ホスト型…実マシンのOS（ホストOS）上に仮想化ソフトをインストールし，その上で仮想サーバ（ゲストOS）を走らせる
- ハイパーバイザー型…実マシンにハイパーバイザーと呼ばれる仮想化ソフトを直接インストールし，その上で仮想サーバ（ゲストOS）を走らせる
- コンテナ型…ホストOS上にアプリケーションの起動に必要なライブラリなどを含めた"コンテナ"を動作させ，その上でアプリケーションを実行する

　仮想マシンごとにゲストOSを走らせるホスト型やハイパーバイザー型と異なり，コンテナ型は一つのホストOS上で各コンテナが「あたかも個別のサーバのように振る舞う」形で稼働する。オーバーヘッドが小さい（資源の負荷が小さい）というメリットがあるが，異なるOSが混在できないというデメリットもある。

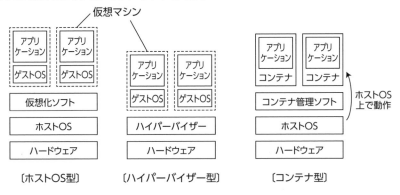

ア　コンテナ型仮想化では，OSは必ず物理サーバ側に（ホストOSとして）もたせる。
イ　ハイパーバイザー型仮想化に関する記述である。
エ　ホスト型仮想化に関する記述である。

故障率曲線において，図中のAの期間に実施すべきことはどれか。

(H28F問29)

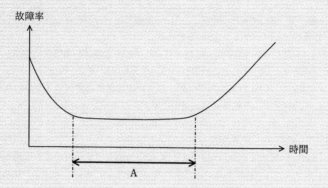

ア　設計段階では予想できなかった設計ミス，生産工程では発見できなかった欠陥な
　どによって故障が発生するので，出荷前に試運転を行う。

イ　対象の機器・部品が，様々な環境条件の下で使用されているうちに，偶発的に故
　障が発生するので，予備部品などを用意しておく。

ウ　疲労・摩耗・劣化などの原因によって故障が発生するので，部品交換などの保全
　作業を行い，故障率を下げる。

エ　摩耗故障が多く発生してくるので，定期的に適切な保守を行うことによって事故
　を未然に防止する。

答14 バスタブ曲線 ▶ P.92 ‥‥‥‥‥‥‥‥‥‥‥‥‥‥‥‥‥‥‥‥‥‥‥‥‥‥‥ **イ**

一般にハードウェアの故障率は，次のような三つの期間にわたって変化していく。

・初期故障期間

　最初は初期不良の可能性が残っているので故障率が高く，その後は徐々に減少する。

・偶発故障期間

　初期不良も出尽くし，稼働が安定して故障率は低くほぼ一定になる。この期間に発生する故障は偶発的なものと考えられる。

・摩耗故障期間

　経年劣化の影響が出始め，機械部分の摩耗などを原因とした故障が発生するようになる。このため，故障率は単調に増加していく。

経過時間と故障率の関係をグラフにすると，その形状は次のような，"バスタブ曲線"と呼ばれるものになる。

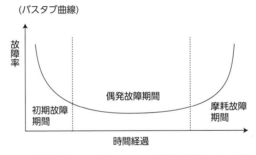

(バスタブ曲線)

問題図のAの期間は偶発故障期間に該当するので，"偶発的"などの言葉を用いている"イ"が正解となる。

ア　初期故障期間で実施すべき事項である。

ウ，エ　摩耗故障期間で実施すべき事項である。

問15 ☑□ フェールセーフの考えに基づいて設計したものはどれか。
　　　□□

(H31S問16)

ア　乾電池のプラスとマイナスを逆にすると，乾電池が装填できないようにする。

イ　交通管制システムが故障したときには，信号機に赤色が点灯するようにする。

ウ　ネットワークカードのコントローラを二重化しておき，片方のコントローラが故障しても運用できるようにする。

エ　ハードディスクにRAID1を採用して，MTBFで示される信頼性が向上するようにする。

問16 ☑□ クラウドのサービスモデルをNISTの定義に従ってIaaS，PaaS，SaaS
　　　□□ に分類したとき，パブリッククラウドサービスの利用企業が行うシステム管理作業において，PaaSとSaaSでは実施できないが，IaaSでは実施できるものはどれか。

(H28S問15)

ア　アプリケーションの利用者ID管理

イ　アプリケーションログの取得と分析

ウ　仮想サーバのゲストOSに係るセキュリティの設定

エ　ハイパバイザに係るセキュリティの設定

答15 RAID ▶ P.88　フェールセーフ ▶ P.94 ･･････････････････････････････ **イ**

フェールセーフとは，システムの一部に故障や異常が発生したとき，データの喪失，装置への障害拡大，運転員への危害などを減じる方向にシステムを制御するシステムの信頼性を追求する耐障害設計の考え方である。

交通管制システムが故障したときに信号機に赤色を点灯するという設計は，危険を回避するという，フェールセーフの考えに基づいている。

　ア　電池のプラスマイナスを間違えるという事象は，人間による「誤操作」や「不注意」に該当する。これらを配慮することは，フールプルーフに基づいた設計と評価できる。

　ウ，エ　コントローラや磁気ディスクを二重化する（RAID1は同じデータを複数ディスクにミラーリングして書き込む）ことで，一部が故障したときにシステムの全面停止を回避し，処理を継続できる。これらはフォールトトレランスやフェールソフトに基づいた設計と評価できる。

答16　SaaS ▶ P.95　PaaS ▶ P.95　IaaS ▶ P.95 ･････････････････････････ **ウ**

IaaS，PaaS，SaaSの基本的な内容は次のとおりである。

- SaaS（Software as a Service）…ハードウェアからアプリケーションまでの全てを事業者側が管理し，利用者は必要に応じてアプリケーション機能を選択・利用する
- PaaS（Platform as a Service）…ハードウェアとネットワーク，及びその上で稼働するアプリケーション開発用の環境（プラットフォーム）は事業者が管理し，その上で稼働する個々のアプリケーションは利用者が用意して管理する
- IaaS（Infrastructure as a Service）…ハードウェアとネットワークなどのリソースは事業者が管理し，利用者はその環境に自分で用意したソフトウェアをインストールして管理・使用する。HaaS（Hardware as a Service）と呼ばれることもある

仮想サーバのゲストOSの設定は，「インフラ上で稼働するソフトウェア」に関する設定の一つなので，IaaSであれば利用企業側で管理作業を実施できる。一方，PaaSやSaaSではこのような「プラットフォーム」については提供を受ける立場なので，管理作業は実施できない。

　ア，イ　アプリケーションに関する管理作業は，PaaSでも実施できる。

　エ　ハイパバイザは，仮想化環境全体を統括管理するソフトウェアである。これはゲストOSと比較すると，よりインフラ（基盤）に近い存在であり，IaaSの場合においてもサービス提供側で管理する項目と判断できる。

問17 ☑□ □□ NISTの定義によるクラウドサービスモデルのうち，クラウド利用企業の責任者がセキュリティ対策に関して表中の項番1と2の責務を負うが，項番3～5の責務を負わないものはどれか。 (H27S問14)

項番	責　務
1	アプリケーションに対して，データのアクセス制御と暗号化の設定を行う。
2	アプリケーションに対して，セキュアプログラミングと脆弱性診断を行う。
3	DBMS に対して，修正プログラム適用と権限設定を行う。
4	OS に対して，修正プログラム適用と権限設定を行う。
5	ハードウェアに対して，アクセス制御と物理セキュリティ確保を行う。

ア　HaaS　　イ　IaaS　　ウ　PaaS　　エ　SaaS

答17 SaaS ▶ P.95 PaaS ▶ P.95 IaaS ▶ P.95 ··· **ウ**

NIST（National Institute of Standards and Technology：米国国立標準技術研究所）では，クラウドコンピューティングのサービスモデルとして，SaaS，PaaS，IaaSの3つを定義している。

- SaaS（Software as a Service）…オンラインストレージ，Webメール，会計ソフトといった，クラウドのインフラ上で稼働するアプリケーションを利用者に提供する形態であり，原則として利用者はインフラやアプリケーションの機能などを管理することはできない
- PaaS（Platform as a Service）…利用者にユーザーが開発したアプリケーションを実装することが可能なインフラを利用者に提供する形態であり，利用者はインフラを管理することはできないが，実装したアプリケーションは管理する権限と責任を持つ
- IaaS（Infrastructure as a Service）…CPUやメモリ，ストレージ，ネットワーク，場合によってはOSといったコンピュータ資源を提供する形態であり，利用者はOS，ミドルウェア，アプリケーションなどを管理する権限と責任を持つ

項番1と2はアプリケーションに関する責務を負うことを示しているので，PaaSかIaaSのどちらか，ということになる。また，項番3〜5の責務を負わないということは，利用者がDBMS（ミドルウェア）とOSに関する権限を持たないことを意味する。選択肢のうち，これらに適合するサービスモデルはPaaSである。

5 ソフトウェア

知識編

5.1 ソフトウェアの分類とOS

❏ オペレーティングシステム（OS）

OSには，中心的な制御プログラム部分を指す場合（狭義のOS，スーパーバイザー又は**カーネル**とも呼ぶ）と，**シェル**（OSのユーザーインタフェースを提供するソフトウェア）やエディタなどのユーティリティプログラムなども含めた基本ソフトウェア全体を指す場合（広義のOS）とがある。

❏ UNIXとLinux ──────────── 問1

UNIXは，ワークステーションなどで用いられる，マルチユーザー・マルチプロセスのOSである。UNIXは，次のような特徴を持つ。

- ●ディレクトリやプロセスをファイルと同様に扱える。
- ●OS自体がC言語で記述されている。

Linuxは，ソースプログラム自体はUNIXと異なるが，ほぼ同じ動作を実現したOS（厳密には，OSのカーネル部分）で，Linuxカーネル自体はライセンスフリーであり，小規模オフィスでのサーバ用途などで広く利用されている。

5.2 プロセス状態遷移とスケジューリング

❏ プロセス ──────────── 問6

プロセッサやメモリ・入出力装置といった各種リソース（資源）を割り当て，処理されるプログラムの実行実体である。

プロセスは，

- ●実行（running, active）状態…資源を割り当てられて実行している
- ●実行可能（ready）状態…資源の割当てがあれば，すぐに実行を開始できる
- ●待ち（待機，wait）状態…入出力完了など，何らかの事象発生を待っている

の三つの状態間を遷移しながら処理される。

　シングルプロセッサのコンピュータならば，ある時点で実行状態のプロセスはただ一つであり，生成直後のプロセスは実行可能状態となって，他の実行可能状態プロセスと待ち行列を形成する。

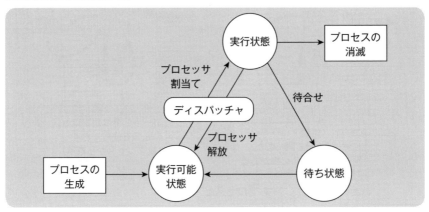

▶ **プロセスの状態遷移**

❑ ディスパッチャ

　実行可能状態のプロセスに資源を割り当て，実行状態に移す動作をディスパッチングといい，これを行う機構をディスパッチャという。

　また，複数の実行可能状態のプロセスの中から，次に実行状態にすべきプロセスを選択することを**スケジューリング**といい，これを行う機構を**スケジューラ**という。一般には「ディスパッチャ」あるいは「スケジューラ」という単語で，ディスパッチング及びスケジューリングを行う機構全体を指すことが多い。

❑ スレッド

　軽量プロセスとも呼ばれる，比較的新しく登場した実行単位の概念である。

　プロセスは生成時にそれぞれ独立したメモリ空間などの資源が与えられるが，スレッドにはレジスタ群やスタック領域が独自に割り当てられ，メモリ空間のような資源は親プロセスのものをそのまま継承し，共有する。このため，スレッド生成時には子プロセス生成時のようなオーバーヘッドが生じず，処理効率を高めることができる。一つのプロセスで複数のスレッドを生成し，同時並行的に処理を行えるシステムを，マルチスレッドと呼び，一つのプロセスは必ず一つ以上のスレッドを保有することになる。

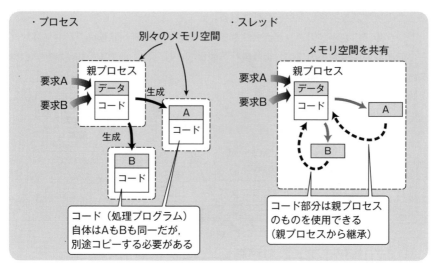

▶プロセスとスレッド

❏ プリエンプティブ方式 ——————————————— 問6

　実行状態のプロセスがタイムクォンタムを使い切った時点や，より優先度の高いプロセスが実行可能状態になった時点で，OSが割込みを発生させて実行状態のプロセスから強制的にプロセッサをとり上げる方式である。プリエンプティブマルチタスクともいう。実行状態であったプロセスは，実行可能状態に遷移する。

　プリエンプティブ方式では複数のプロセスが公平にプロセッサを使用することができ，優先度などを考慮した効率の高いコンテキスト切替えが可能となる。ノンプリエンプティブ方式に比べ，OSのオーバーヘッドが大きくなるが，現在のCPU性能では問題にならないことが多い。

❏ タイムクウォンタム ——————————————— 問2

　プロセッサを複数のプロセスで使用する場合に，各プロセスに割り当てられたプロセッサを使用できる時間である。タイムスライスともいう。

❏ ノンプリエンプティブ方式 ———————————————

　OSが実行状態のプロセスから強制的にプロセッサをとり上げることができない方式である。実行状態のプロセスは，終了するか，特定の要因で自主的にOSに制御を移さない限り，プロセッサを占有し続ける。ノンプリエンプティブ方式は制御が単純

であり，OSのオーバーヘッドは小さい。しかし，円滑なマルチプログラミングが期待できない，あるプロセスが無限ループに入った場合はOSに制御が戻らないなどの欠点を持つ。

❏ スケジューリングアルゴリズム

　実行可能状態のプロセスの待ち行列をどのようなルールで形成し，どのような方法でディスパッチを行うかというアルゴリズムによってスケジューリングは行われる。

❏ 到着順方式

　実行可能状態となったプロセスを順番に待ち行列に並べ，待ち行列の先頭から順にプロセッサを割り当てるスケジューリングアルゴリズムである。**FCFS**（First-Come First-Service）**方式**あるいは**FIFO**（First-In First-Out）**方式**とも呼ばれる。単純でオーバーヘッドが少ないが，ノンプリエンプティブ方式のスケジューリングアルゴリズムのため，優先度の高いプロセスを優先させることができない，プロセッサの使用割合が高い（入出力装置の使用割合が低い）プロセスにサービスが偏ってしまうなどの欠点がある。

❏ ラウンドロビン方式　　　　　　　　　　　　　　　　　問2

　各プロセスに一定のタイムクォンタムを与え，実行中のプロセスがタイムクォンタムを使い切った場合は，実行可能状態に遷移し，待ち行列の最後尾に回って再度実行されるのを待つ方式である。

5.3　プロセス排他制御

❏ 排他制御

　複数のプロセスが同時に実行される環境で発生する資源競合を解決するための制御である。あるプロセスが資源を利用している間は，その資源に対する他のプロセスのアクセスを許さないように排他制御する。

　排他制御が行われなかった場合に発生する不都合を次図に示す。

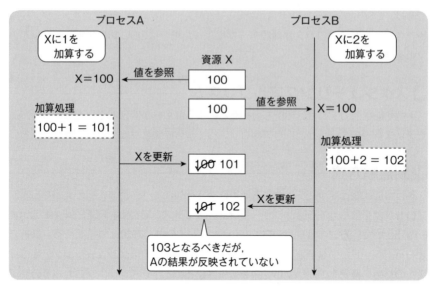

プロセスA　　　　　　　　　　　　　プロセスB

Xに1を加算する　　　　　　　　　　　　　Xに2を加算する

資源 X

X＝100　←値を参照　100

100　値を参照→　X＝100

加算処理
100＋1 ＝ 101

加算処理
100＋2 ＝ 102

Xを更新→　~~100~~ 101

~~101~~ 102　←Xを更新

103となるべきだが，
Aの結果が反映されていない

▶排他制御が行われない場合

　この図において，"値を参照"から"Xを更新"までの間，すなわち「その間，他のプロセスに資源を更新されると正しい処理が行えなくなる」期間のことを，**クリティカルセクション**と呼ぶ。排他制御とは「クリティカルセクション中での，他プロセスによる割込みを禁止する」処理である。

5.4　割込み制御

❏ 割込み制御

　OSの中核部分であるカーネル（制御プログラム）は，デバイスドライバなどからの割込み通知によって，割込みの種類に応じた処理を行う。この処理を行うプログラムは，割込みルーチンや割込みハンドラと呼ばれる。割込み通知を検出すると，カーネルは実行中のプロセスをいったん中断し，割込みルーチンに制御を移す。割込みルーチンが終了すると，原則的には割り込まれたプロセスに制御を戻す。

❏ 外部割込み

　プロセッサ以外のハードウェア（入出力装置やメモリのECC，ハードウェアタイ

マなど）によって生じる割込みである。

▶外部割込み

名　称	発生要因
入出力割込み	入出力動作の完了，入出力装置の状態変化など
タイマー割込み	タイマー（計時機構）に設定された所定の時間が経過
外部信号割込み	コンソールからの入力，他の処理装置からの連絡など
異常割込み	電源異常，処理装置／主記憶装置の障害など 機械チェック割込みともいう

❏ 内部割込み

プロセッサ内部の要因によって生じる割込みである。

▶内部割込み

名　称	発生要因
演算例外	オーバーフロー／アンダーフローの発生，0による除算
不正な命令コードの実行	存在しない命令や形式が一致しない命令を実行
モード違反	特権モードの命令をユーザーモードで実行
ページフォールト	仮想記憶において存在しないページを指定
割出し	SVC命令の実行，トラップ処理など

5.5　記憶管理

❏ 主記憶領域の管理方式　　　　　　　　　　　　　　　　問7

　マルチプログラミングを実現するためには，主記憶領域を複数の区画に分割し，それぞれの区画にプログラムをロードする。一つの区画に複数のプログラムをロードすることはできないので，空き区画がなければ，すぐに実行しないプログラムを補助記憶に退避（**スワップアウト**）して空き区画を作り，新しいプログラムをロードする。また，退避したプログラムを実行する際は，補助記憶からプログラムを主記憶に再読込み（**スワップイン**）する。この仕組みをスワッピングという。

❏ 仮想記憶方式 ──────────────────── 問4 問5

　補助記憶装置上に仮想的な主記憶領域を設定し，OSの制御によって実際の主記憶領域と連携させる方式である。仮想記憶を用いることで，主記憶の容量を意識せずにプログラムを設計・実行できる。仮想記憶方式では，命令実行のたびに仮想記憶上の仮想アドレスを主記憶上の実アドレスに変換する作業が必要となる。これを**動的アドレス変換**（**DAT**：Dynamic Address Translation）という。

❏ ページング方式 ──────────────── 問4 問5 問7

　プログラム及び記憶領域を，数100〜数kバイトの"ページ"と呼ばれる固定長の単位に分割して仮想記憶を管理する方式である。ページテーブルと呼ばれるアドレス変換テーブルによって実アドレスと仮想アドレスの変換を実現する。

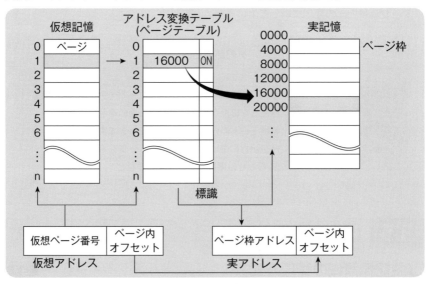

▶ページング方式

❏ デマンドページング ─────────────── 問4 問7

　アクセスしたいページが実記憶上に存在しない状態を，**ページフォールト**という。ページフォールトが起こった場合，カーネルによる割込み制御が行われて補助記憶から必要なページが読み込まれる。この読込み動作を**ページイン**と呼ぶ。ページフォールトが発生するつどページインを行う方式をデマンドページングと呼ぶ。これに対して，あらかじめ必要とされそうなページを予測して，ページフォールトが発生するよ

りも先にページインしておく方式を**プリページング**と呼ぶ。

❏ スラッシング ―――――――――――――――――――――――― 問7

　ページフォールトが発生した時点で空いているページ枠がない場合，当面必要とされないページを補助記憶上に退避させて空きページ枠を作成する。これを**ページアウト**と呼ぶ。ページアウトとページインによる一連の動作を**ページ置換え**又は**ページング**という。ページングが多発してシステムの処理効率が極端に低下する現象をスラッシングと呼ぶ。スラッシングを解消するためには，主記憶装置の容量を増やすことが根本的な解決策となる。

5.6　プログラム実行制御

❏ コンパイル ――――――――――――――――――――――――

　テキスト形式で記述されたソース（原始）プログラムを翻訳し，０と１のビットで表現された機械語の目的プログラムに変換することをコンパイルという。この目的プログラムを生成する言語処理プログラムをコンパイラという。コンパイラは，字句解析，構文解析，意味解析，最適化，コード生成という順に処理を行い，目的プログラムを生成する。

5.7　開発ツール

❏ ローコード／ノーコードツール ――――――――――――――― 問8

　プログラミング知識がなくても，仕上がりをイメージしながら既存の部品などを配置することでアプリケーションが作成できるツールの総称である。Webサイトの構築やドメインエンジニアリングでの業務プロセスのIT化用途で使用されることが多い。

5.8 オープンソースソフトウェア

❏ オープンソースソフトウェア（OSS）

ソースコードが無償で公開されており，ライセンスに反さない限りにおいて自由に改変・再配布が行えるソフトウェアの総称である。

　オープンソースソフトウェアの普及や啓蒙を目的とする非営利団体として有名なものに，OSI（Open Source Initiative）がある。OSIでは，OSSが持つべき性質として，OSD（The Open Source Definition）と呼ばれる次のような"オープンソースの定義"を提唱している。

1. 再頒布の自由（販売や無料で配布することを制限しない）
2. ソースコードの頒布許可
3. 派生ソフトウェア作成，頒布許可
4. 作者のソースコードの完全性
5. 個人やグループに対する差別の禁止
6. 利用する分野に対する差別の禁止
7. ライセンスの分配の自由
8. 特定製品でのみ有効なライセンスの禁止
9. 他のソフトウェアを制限するライセンスの禁止
10. ライセンスは技術的中立でなければならない

·············· **MEMO** ··············

問1 ☑□□□ Linuxカーネルの説明として，適切なものはどれか。

(H26F問6)

ア　GUIが組み込まれていて，マウスを使った直感的な操作が可能である。

イ　Webブラウザ，ワープロソフト，表計算ソフトなどが含まれており，Linuxカーネルだけで多くの業務が行える。

ウ　シェルと呼ばれるCUIが組み込まれていて，文字での操作が可能である。

エ　プロセス管理やメモリ管理などの，アプリケーションが動作するための基本機能を提供する。

問2 ☑□□□ プロセスのスケジューリングに関する記述のうち，ラウンドロビン方式の説明として，適切なものはどれか。

(H27S問6)

ア　各プロセスに優先度が付けられていて，後に到着してもプロセスの優先度が実行中のプロセスよりも高ければ，実行中のものを中断し，到着プロセスを実行する。

イ　各プロセスに優先度が付けられていて，イベントの発生を契機に，その時点で最高優先度のプロセスを実行する。

ウ　各プロセスの処理時間に比例して，プロセスのタイムクウォンタムを変更する。

エ　各プロセスを待ち行列の順にタイムクウォンタムずつ実行し，終了しないときは待ち行列の最後につなぐ。

問3 ☑□□□ プログラム実行時の主記憶管理に関する記述として，適切なものはどれか。

(H28F問6，H24F問7)

ア　主記憶の空き領域を結合して一つの連続した領域にすることを，可変区画方式という。

イ　プログラムが使用しなくなったヒープ領域を回収して再度使用可能にすることを，ガーベジコレクショシという。

ウ　プログラムの実行中に主記憶内でモジュールの格納位置を移動させることを，動的リンキングという。

エ　プログラムの実行中に必要になった時点でモジュールをロードすることを，動的再配置という。

答1　UNIXとLinux ▶ P.114 ……………………………………………………… エ

　カーネル（kernel）とは，OSの機能のうち，資源管理などの中核的な部分を担当する制御プログラムを指す言葉である。GUIやCUI（シェル）などのユーザーインタフェースは，設定や操作を行うためのユーティリティプログラムの一種であり，カーネルには含まれない。また，Webブラウザやワープロソフトなどはアプリケーションプログラムとして提供されることが一般的であり，一部のアプリケーションプログラムを標準的に実装するOSもあるが，これらもカーネルには該当しない。

答2　タイムクウォンタム ▶ P.116　ラウンドロビン方式 ▶ P.117 ………………… エ

　ラウンドロビン方式は，一定の微小な時間（タイムクウォンタム）を設定し，タイムクウォンタムを使い切ったプロセス（タスク）は待ち行列の最後尾に回すことで，巡回的にプロセスを実行していくスケジューリング方式であり，通常はプロセスの優先度は考慮しない。

　ア　優先度順方式に関する記述である。
　イ　イベントドリブンの制御をとり入れた優先度順方式に関する記述である。
　ウ　タイムクウォンタムは一定時間とするのが一般的であり，このような制御は通常は行わない。なお，優先度方式を活用して「処理時間が短いプロセスほど優先度を高くする」ように制御すると，SJF（Shortest Job First）と呼ばれるスケジューリングを実現することが期待できる。

答3　…………………………………………………………………………………… イ

　プログラムが使用しなくなった断片化されたヒープ領域を回収し，いくつかのより大きなヒープ領域に構成し直して，再度使用可能にすることを，ガーベジコレクションという。

　ア　コンパクション（断片化解消）に関する記述である。
　ウ　動的再配置に関する記述である。
　エ　動的リンキングに関する記述である。

問4 ☑□ 仮想記憶方式で，デマンドページングと比較したときのプリページン
□□ グの特徴として，適切なものはどれか。ここで，主記憶には十分な余裕
があるものとする。 (R2F問6)

ア 将来必要と想定されるページを主記憶にロードしておくので，実際に必要となっ
たときの補助記憶へのアクセスによる遅れを減少できる。

イ 将来必要と想定されるページを主記憶にロードしておくので，ページフォールト
が多く発生し，OSのオーバヘッドが増加する。

ウ プログラムがアクセスするページだけをその都度主記憶にロードするので，主記
憶への不必要なページのロードを避けることができる。

エ プログラムがアクセスするページだけをその都度主記憶にロードするので，将来
必要となるページの予想が不要である。

問5 ☑□ ページング方式の仮想記憶における主記憶の割当てに関する記述のう
□□ ち，適切なものはどれか。 (H30S問6)

ア プログラム実行時のページフォールトを契機に，ページをロードするのに必要な
主記憶が割り当てられる。

イ プログラムで必要なページをロードするための主記憶の空きが存在しない場合に
は，実行中のプログラムのどれかが終了するまで待たされる。

ウ プログラムに割り当てられる主記憶容量は一定であり，プログラムの進行によっ
て変動することはない。

エ プログラムの実行開始時には，プログラムのデータ領域とコード領域のうち，少
なくとも全てのコード領域に主記憶が割り当てられる。

答4 仮想記憶方式 ▶ P.120　ページング方式 ▶ P.120
デマンドページング ▶ P.120 ·· **ア**

デマンドページングは，実際のページ要求の発生に応じて（ページフォールトが発生する
たびに）ページインを行う方式である。これに対して，要求されそうなページをあらかじめ
予測して主記憶に配置しておく方式をプリページングという。

プリページングにおいて予測が当たれば，アクセスによる遅れを大幅に減少できる。ただ
し，予測が外れたときは無駄なページをロードすることになる。デマンドページングでは実
際にページが必要になってからロードするので，無駄なロードは発生しない。

　イ　プリページングを用いると，100％ではないにせよ，ある程度は先読みによってペー
　　ジフォールトを避ける効果が期待できる。少なくとも，ページ要求が発生するまで何も
　　しないデマンドページングよりもページフォールトが多く発生するということはない。
　ウ，エ　デマンドページングの特徴である。

答5 仮想記憶方式 ▶ P.120　ページング方式 ▶ P.120 ······························· **ア**

ページング方式の仮想記憶システムでは，ページ単位で主記憶へのロード（ページイン）
を行う。各プログラムの実行時に必要となるページが主記憶上にない（ページフォールト）
場合は，主記憶上の1ページ分の空き領域を割り当て，そこにロードする。

　イ　空き領域がない場合は，FIFOやLRUなどのアルゴリズムによって主記憶から追い出
　　す（ページアウトする）ページを決定し，ページ置換えを行う。
　ウ　プログラムの進行状況によって，プログラムに割り当てられる主記憶容量は変動する。
　エ　そのようなことはない。データ領域もコード領域も，そのときに必要な部分がロード
　　される。

問6

プリエンプティブな優先度ベースのスケジューリングで実行する二つの周期タスクA及びBがある。タスクBが周期内に処理を完了できるタスクA及びBの最大実行時間及び周期の組合せはどれか。ここで，タスクAの方がタスクBより優先度が高く，かつ，タスクAとBの共有資源はなく，タスク切替え時間は考慮しないものとする。また，時間及び周期の単位はミリ秒とする。

(R5F問6)

ア

	タスクの 最大実行時間	タスクの 周期
タスクA	2	4
タスクB	3	8

イ

	タスクの 最大実行時間	タスクの 周期
タスクA	3	6
タスクB	4	9

ウ

	タスクの 最大実行時間	タスクの 周期
タスクA	3	5
タスクB	5	13

エ

	タスクの 最大実行時間	タスクの 周期
タスクA	4	6
タスクB	5	15

答6　プロセス ▶ P.114　プリエンプティブ方式 ▶ P.116 ································ **ア**

　優先度ベースのタスクスケジューリングなので，優先度が高いタスクAは，タスクBの存在を意識することなく，単独実行時と同じように周期的に処理を進めることができる。一方，優先度が低いタスクBは，タスクAがCPUを利用していない空き時間を活用するしかない。

　タスクBのための空き時間が十分に取れるかは，両タスクが同時に周期を開始した状況を考えると分かりやすい。各選択肢の実行の様子を次図に示す。"ア"だけが，タスクBの周期内での完了を可能にしており，他の選択肢は実行時間の途中で次の周期を迎えてしまっている。

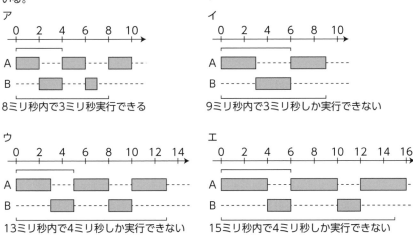

　なお，各周期の開始タイミングによっては，他の選択肢の設定においてタスクBが周期内に収まる場合も生じ得る。例えば"イ"の場合，タスクAとタスクBの周期が1ミリ秒ずれて開始すれば，次図のようにそれぞれ周期内での実行が行える。

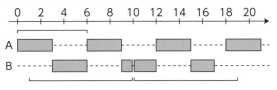

　ただし，このように「特定の状況でだけ周期内に収まる」というのでは，問題文の「処理を完了できる」という条件を満たしているとは言い難い。これに対して"ア"は，タスクBの周期（8ミリ秒）がタスクAの周期（4ミリ秒）のちょうど2倍となっている。このため，お互いの開始タイミングがどのような関係にあろうと，タスクBの1周期の中には必ずタスクAの2周期分が過不足なく含まれる形となり，十分な空き時間（4ミリ秒）があることが保証される。

問7 ☑□ ページング方式の仮想記憶において，ページ置換えの発生頻度が高く
□□ なり，システムの処理能力が急激に低下することがある。このような現
象を何と呼ぶか。 (R3F問6，H24S問8)

ア スラッシング イ スワップアウト
ウ フラグメンテーション エ ページフォールト

問8 ☑□ アプリケーションソフトウェアの開発環境上で，用意された部品やテ
□□ ンプレートをGUIによる操作で組み合わせたり，必要に応じて一部の処
理のソースコードを記述したりして，ソフトウェアを開発する手法はどれか。
(R5F問16)

ア 継続的インテグレーション イ ノーコード開発
ウ プロトタイピング エ ローコード開発

答7　主記憶領域の管理方式 ▶ P.119　ページング方式 ▶ P.120
　　　デマンドページング ▶ P.120　スラッシング ▶ P.121 ‥‥‥‥‥‥‥‥‥‥ **ア**

　ページ置換えが頻発して業務プログラムのCPU使用率が急激に低下する現象のことをスラッシングという。スラッシングを防ぐには，ジョブやプログラムの多重度を下げる，主記憶を増強するなどを行う必要がある。

- スワップアウト…可変区画方式のメモリ管理を行うシステムにおいて，プログラム単位やセグメント単位でプログラムをメモリから補助記憶装置に退避させる動作。ロールアウトともいう
- フラグメンテーション…メモリ管理において，活用できない細かな未使用領域ができてしまう現象の総称。固定区画方式において，各区画の中に未使用領域ができる内部フラグメンテーションや，可変区画方式において，非連続の小さな未使用領域が散在してしまう外部フラグメンテーションなどがある
- ページフォールト…ページング方式の仮想記憶システムにおいて，アプリケーションが必要とするページが主記憶上にないこと

答8　ローコード／ノーコードツール ▶ P.121 ‥‥‥‥‥‥‥‥‥‥‥‥‥‥‥ **エ**

　ソフトウェア開発において，開発期間の短縮やコストの削減などの導入効果が期待されている開発手法として，ノーコードとローコードがある。

　ノーコードは，コーディング作業なしに（ソースコードを全く書かずに）にGUIを利用した専用ツールを使用して，開発を行うことができる手法（又はツール）であり，ローコードは，わずかなコーディング作業のみでアプリ開発を可能とする手法である。

　ノーコードはプログラミングの知識が不要なため，誰でも開発ができるという利点があるが，利用できる機能やデザインが限られるため，自由度や拡張性は低い。これに対し，ローコードは，コードを書くため，ノーコードと比べて拡張性や自由度が高い。

- 継続的インテグレーション…アジャイル開発などで用いられる開発手法の一つ。コードが完成するたびに結合テストを実施し，問題点や改善点を探す
- プロトタイピング…試作品（プロトタイプ）を作成してユーザーに評価してもらうことで，ユーザー要求の早期確定や開発リスクの評価につなげていく開発手法

6 ハードウェア

6.1 論理素子と回路

❑ 論理素子 ——————————————————— 問1 問2 問3

　入力信号を受け取り，それを用いた論理演算の結果を出力する素子である。**論理ゲート**とも呼ばれる。一般に，論理素子を図で表すときは**MIL記号**と呼ばれる表記が用いられる。情報処理技術者試験においても，MIL記号が用いられている。

▶主な論理素子

名称	AND（論理積）	OR（論理和）	XOR（排他的論理和）
MIL記号	A B ⟶ X　入力　　出力	A B ⟶ X	A B ⟶ X
式	$X = A \cdot B$	$X = A + B$	$X = A \oplus B$
真理値表			

A	B	X
0	0	0
1	0	0
0	1	0
1	1	1

A	B	X
0	0	0
1	0	1
0	1	1
1	1	1

A	B	X
0	0	0
1	0	1
0	1	1
1	1	0

名称	NOT（否定）	NAND（否定論理積）	NOR（否定論理和）
MIL記号	X ——▷○—— $\overline{X}$ 入力　　　出力	A ——⟄○—— X B	A ——⟄○—— X B
式	$\overline{X}$	$X = \overline{A \cdot B}$	$X = \overline{A+B}$
真理値表	<table><tr><td>X</td><td>$\overline{X}$</td></tr><tr><td>0</td><td>1</td></tr><tr><td>1</td><td>0</td></tr></table>	<table><tr><td>A</td><td>B</td><td>X</td></tr><tr><td>0</td><td>0</td><td>1</td></tr><tr><td>1</td><td>0</td><td>1</td></tr><tr><td>0</td><td>1</td><td>1</td></tr><tr><td>1</td><td>1</td><td>0</td></tr></table>	<table><tr><td>A</td><td>B</td><td>X</td></tr><tr><td>0</td><td>0</td><td>1</td></tr><tr><td>1</td><td>0</td><td>0</td></tr><tr><td>0</td><td>1</td><td>0</td></tr><tr><td>1</td><td>1</td><td>0</td></tr></table>

NAND（Not AND：否定論理積）はAND演算の結果の否定，NOR（Not OR：否定論理和）はOR演算の結果の否定である。

❏ 論理回路 ———————————————— 問1 問2 問3

AND，OR，NOT，NAND，NOR，XORなど，論理演算を実現する電子回路である。マイクロプロセッサを構成する様々な回路は，これらの論理回路を用いて構成する。複数の論理素子を組み合わせることで，様々な出力を行う論理回路を構築できる。例えば，NOT，AND，ORゲートを組み合わせれば，XORゲートと同じ出力を得ることができる。

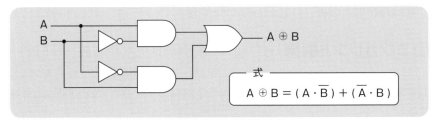

式

$$A \oplus B = (A \cdot \overline{B}) + (\overline{A} \cdot B)$$

▶XORゲートを実装

6.2 構成部品と制御

❏ 集積回路（IC）

トランジスタやダイオード，抵抗といった各種素子を基板（ウェハ）上で接続し，演算などの機能を持たせたものである。非常に小さいことから，**チップ**（chip）とも呼ばれる。一つの基板上にどのくらいの素子が集められているかを集積度といい，集積度に応じて**LSI**（大規模集積回路）や**VLSI**（超大規模集積回路）という名称を用いることもある。

集積回路には，**バイポーラ型**と**CMOS型**の2種類がある。バイポーラ型の集積回路は，CMOS型と比較して高速な動作，及び大電流出力が可能である。一方，CMOS型よりも消費電力が大きく，集積度が低いという欠点もある。

6.3 組込みシステム

❏ リアルタイムOS（RTOS）

汎用系のシステムと比較すると，組込みシステムでは，正確なタイミングで制御しなければならないハードウェアを扱うことが多い。例えば，ミリ秒単位で変化するセンサからの入力情報を処理し，即座にハードウェアに指示を出したり，タスク間で遅延なく同期をとったりすることが求められる。そのため，組込みシステムでは，厳しい時間制約を守れるOSが必要となる。このような「リアルタイム性を確保すること」に主眼が置かれたOSを，リアルタイムOSという。

❏ コンカレント開発

コンカレントには，「同時の」とか「並行した」という意味がある。組込みシステムにおけるコンカレント開発は，主にハードウェアとソフトウェアの同時開発を意味する。

本来であれば，ソフトウェアの開発はハードウェアの完成を待って行われるが，開発期間を短縮するためにはハードウェアの開発と同時にソフトウェアの開発に着手しなければならない。

このような同時開発を行うためには，完成前のハードウェアをシミュレーションするための開発ツールが不可欠である。これによって，ハードウェア完成前にソフトウェアの検証を行うことができる。

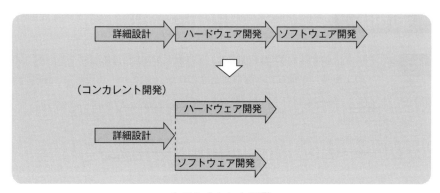

▶コンカレント開発

❏ コデザイン

　設計の初期段階でハードウェアとソフトウェアの機能分担をシミュレーションで検証する方法である。**協調設計**ともいう。コンカレント開発では，ハードウェアとソフトウェアの機能分担に問題があった場合などに，開発に大きな手戻りが発生するおそれがある。コデザインによって，コンカレント開発を円滑に進めることができる。

問1 ☑□
□□ 1桁の2進数A，Bを加算し，Xに桁上がり，Yに桁上げなしの和（和の1桁目）が得られる論理回路はどれか。 （R3F問7，H30F問7）

ア
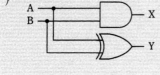

イ
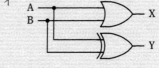

ウ
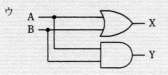

エ
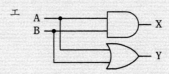

答1 論理素子 ▶ P.132　論理回路 ▶ P.133 ·· **ア**

　本問で述べられているのは"半加算器"である。半加算器の各出力について真理値表を整理すると，次のようになる。

```
      1
  +   1
  ─────
    1 0
```
↗桁上げ　↖和の1桁目

A	B	和の1桁目	桁上げ
0	0	0	0
0	1	1	0
1	0	1	0
1	1	0	1

　これより，

　　　　桁上がりを出力する部分には，論理積（AND）回路を

　　　　和の1桁目を出力する部分には，排他的論理和（XOR）回路を

　配置すればよいことが分かる。

問2 ☑□
□□ 真理値表に示す3入力多数決回路はどれか。

（R5F問7，H27S問7）

入力			出力
A	B	C	Y
0	0	0	0
0	0	1	0
0	1	0	0
0	1	1	1
1	0	0	0
1	0	1	1
1	1	0	1
1	1	1	1

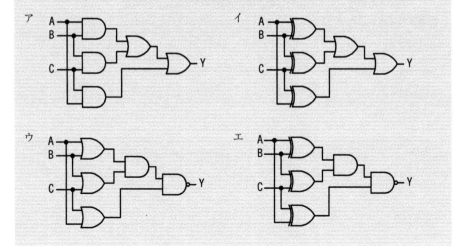

答2 論理素子 ▶ P.132　論理回路 ▶ P.133 ··· **ア**

「3入力多数決回路」とあることから分かるように,この真理値表では「三つの入力のうち,多い方の値」が出力になっている。すなわち,

・1の入力が1個以下の場合…0
・1の入力が2個以上の場合…1

という出力になる。"ア"の回路を論理式にして表すと,

(A AND B) OR (B AND C) OR (C AND A)

となる。1の入力が1個以下の場合,A,B,C のうち二つが同時に1になることはないので,カッコ内の論理積の結果が1になることはなく,必ず0になる。よって,それらの論理和も必ず0である。

一方,1の入力が2個以上の場合は,A,B,C のうち二つが同時に1になる組合せが必ず一つ以上あることになる。このとき,カッコ内の論理積のうち,少なくともどれか一つは1になるので,それらの論理和も必ず1である。したがって,"ア"が答えとなる。

　イ　1の入力が1個のときに出力が1,3個のときに出力が0となってしまう。
　ウ　1の入力が1個以下のときに出力が1,2個以上のときに出力が0となってしまう。
　エ　入力内容にかかわらず,全て出力が1となってしまう。

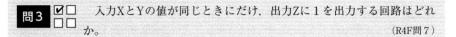

問3 ☑□
　　□□
入力XとYの値が同じときにだけ，出力Zに1を出力する回路はどれ
か。

（R4F問7）

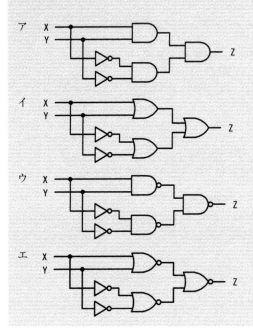

答3 論理素子 ▶ P.132 論理回路 ▶ P.133 ·················· **ウ**

各選択肢について，「Xに0，Yに0を入力」や「Xに0，Yに1を入力」など具体的に値を入れて，「入力XとYの値が同じときにだけ，出力Zに1を出力する」という要件を満たすかどうか，検討するとよい。

"ウ"以外の選択肢は，たとえば次のような入力値のときに要件を満たさない。

ア

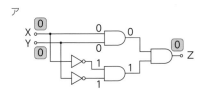

イ

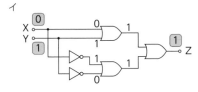

エ

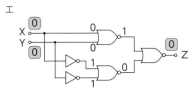

7 ユーザーインタフェースと情報メディア

知識編

7.1 ユーザーインタフェース技術

❏ ユーザーインタフェース

　人間と機械（コンピュータなど）との境界面のことである。人間（ユーザー）にとっての使いやすさなどに重きを置いたシステムや製品のユーザーインタフェースの設計を人間中心設計という。

❏ ユーザビリティ（usability）

　システムの「使い勝手」や「使いやすさ」を表すものであり，処理の効率性やユーザーの満足度なども含まれる。国際規格のISO 9241-11では，「特定の利用状況において，特定のユーザーによって，ある製品が指定された目標を達成するために用いられる際の，有効さ，効率，ユーザーの満足度の度合い」と定義されている。

❏ アクセシビリティ（accessibility）　　　　　　　問1

　製品，建物，サービス，ソフトウェア，情報サービス，Webサイトなどを，高齢者や障害者を含む誰もが利用できること，又は利用しやすいことをいう。また，利用のしやすさの度合いを表す意味でも使用される。例えば，マウスが使用できないユーザーのためにキーボードのみの操作にしたり，視覚障害のあるユーザーのために音声読上げソフトを導入したりすることなどが該当する。

7.2 UX/UIデザイン

❏ UX（User eXperience）デザイン

　製品やサービスを通じてユーザーがどのような経験（**ユーザーエクスペリエンス**）を得られるかを意識して設計を行うことである。スマートフォンの外観をスタイリッシュにして高級感を演出する，購入した商品の金額に応じてポイントが貯まるポイントシステムを導入する，などはUXデザインに該当する。

❏ 画面・帳票設計

画面や帳票のデザインは，分かりやすく，使いやすいものでなければならない。設計時には，次のようなことに留意する。

- ●入力は左上から右下へと順序設定する。
- ●関連項目は隣接させる。
- ●導出できる項目は，自動設定する。

一連の処理の画面遷移を表したものを，画面遷移図という。

❏ フールプルーフ設計

人間の入力において，入力データに対して数々のチェック（入力チェック）を行い，入力エラー（入力ミス）を抑制する。年齢の入力欄には正の整数しか入力できないように設定したり，存在しないコード番号が入力されたら，エラーメッセージを表示することなどが該当する。

❏ コード設計

データの識別や分類を行う際には，目的に応じたコードを用いる。コードの機能には，識別機能，分類機能，配列機能，チェック機能などがある。また，一度設定したコードは長期間使用するため，扱いやすく，共通性・拡張性があり，明瞭でなければならない。

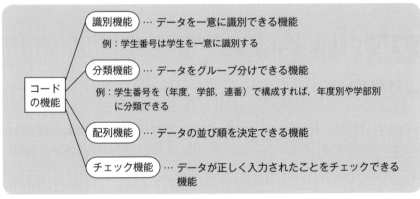

▶コードが持つ機能

❏ Webサイトの構造設計

情報を分類・組織化して整理し，Webサイトの全体構造を設計する。R・ワーマンが提唱したLATCH法では，場所（Location），文字（Alphabet），時間（Time），種類（Category），階層・順序（Hierarchy）の5種類で情報を分類し，組織化する。また，Webデザインにおける情報の構造化は**ハイパーリンク**を用いて行われ，次のような形態がある。

▶構造化された情報の形態

直線型	ある一定の流れで情報を構造化し，後戻りしない形態。入会や購入の手続きなど
階層型	情報を階層（木構造）で構造化する形態。商品分類ページと商品詳細ページなど
Webリンク型	情報同士が相互に参照（リンク）しあう形態
フォークソノミー型	利用者が「タグ」を付け加えることにより，分類する形態。ソーシャルブックマークなど

❏ 情報デザイン

情報を，目的に応じて分かりやすく提示する手法のことである。どんな情報をどんなユーザーにどの程度，提示するのかを明確にして，情報の選択，整理，階層化などを行う。

7.3　情報メディア

❏ 音声データ

音声データは，一定の間隔ごとに音声信号に数値（符号）を割り当てる。音声データはサイズが非常に大きくなることが多いため，可聴域を超える（人間には聞こえない）音を切り捨てる圧縮を行うことも多い。このような圧縮は非可逆圧縮と呼ばれ，元の情報を完全に復元することはできない。

▶主な音声データの規格

PCM	音声を標本化・量子化・符号化した形式。非圧縮方式であり，主にオーディオCD（CD−DA）などに用いられる。
MP3	MPEG1の音声部分を独立させた，圧縮音声規格。主に携帯音楽プレイヤーで利用される。

❏ 動画データ

動画は，画像（フレーム）を連続して表示することで実現する。単位時間に表示するフレームの枚数（フレームレート）が多いほど，滑らかな動画を表示できる。動画データはサイズが大きくなるため，圧縮されることが多い。

▶主な動画データの規格

MPEG-1	ビデオCDなどに用いられる動画の圧縮規格
MPEG-2	DVDビデオやTVの地上デジタル放送などに用いられる動画の圧縮規格

❏ グラフィックソフトウェア

画像処理を行うソフトウェアの総称である。建築設計士やグラフィックデザイナーが高度な処理を行うために使用する有料のものから，無料で使用できるお絵描きソフトなど，種類は広範囲に及ぶ。

❏ XR（クロスリアリティ） 問3

VR，AR，MR，SRを包含した，現実世界と仮想世界を融合するための技術の総称である。

- **VR**（Virtual Reality：仮想現実）…現実世界と似た仮想世界をコンピュータで作り出し，あたかもその中にいるような感覚を生み出す技術
- **AR**（Augmented Reality：拡張現実）…現実世界に仮想的な情報を重ね合わせて表示し，現実世界を仮想的に拡張する技術。VRが現実世界ではなく仮想世界を作り出すことに対して，ARは現実世界の上に情報を付加する
- **MR**（Mixed Reality：複合現実）…仮想世界を拡張して現実世界の情報を重ね合わせる技術。ホログラムの３D映像を見ながら手を動かして操作する技術などがある
- **SR**（Substitutional Reality：代替現実）…現実世界に過去の映像を映し出して，過去のできごとが現在起きているような感覚を生む技術。実用化が始まったばかりである

❏ メタバース

３次元の仮想空間上で人々がコミュニケーションをとることができる技術やサービスである。VRやARを活用することで，仮想空間に存在する気分を味わえる。

❏CG（Computer Graphics）━━━━━━━━━━ 問3

コンピュータを用いて画像を作成する処理のことである。**2次元CG**（2DCG）と**3次元CG**（3DCG）に大別される。2次元CGは，画像を画素の集合として表現する，主に絵や写真などのラスタ方式と，画像の構成要素であるオブジェクトを数値（方向や長さ）で表現する，主に図面などのベクタ方式がある。また，3次元CGでは，画像の表現に次のような処理や手法が用いられる。

▶3次元CGの技術

アンチエイリアシング	斜線や曲線の色などを調整し，ギザギザ（ジャギー）を目立たなくする手法
モーフィング	二つの画像から，その中間となる画像を自動的に生成する処理を繰り返すことにより，ある形状から別の形状に滑らかに変化する様子を表現する手法
シェーディング	画素の色を調整し，陰影を表現する手法
テクスチャマッピング	オブジェクトに画像を貼り付け，質感を高める手法
ポリゴン	多角形（三角形や四角形など）を組み合わせて物体を表現するさいの構成要素。物体の表面に関するデータを扱うサーフェスモデルの一つ
メタボール	物体を球形とみなして濃度分布を設定し，物体を滑らかに表現する手法

MEMO

問1 ☑□
□□
　アクセシビリティ設計に関する規格であるJIS X 8341-1:2010（高齢者・障害者等配慮設計指針－情報通信における機器，ソフトウェア及びサービス－第1部：共通指針）を適用する目的のうち，適切なものはどれか。

(H29F問8)

ア　全ての個人に対して，等しい水準のアクセシビリティを達成できるようにする。

イ　多様な人々に対して，利用の状況を理解しながら，多くの個人のアクセシビリティ水準を改善できるようにする。

ウ　人間工学に関する規格が要求する水準よりも高いアクセシビリティを，多くの人々に提供できるようにする。

エ　平均的能力をもった人々に対して，標準的なアクセシビリティが達成できるようにする。

問2 ☑□
□□
　拡張現実（AR：Augmented Reality）の例として，最も適切なものはどれか。

(H27S問8)

ア　SF映画で都市空間を乗り物が走り回るアニメーションを，3次元空間上に設定した経路に沿って視点を動かして得られる視覚情報を基に作成する。

イ　アバタの操作によって，インターネット上で現実世界を模した空間を動きまわったり，会話したりする。

ウ　実際には存在しない衣料品を仮想的に試着したり，過去の建築物を3次元CGで実際の画像上に再現したりする。

エ　臨場感を高めるために大画面を用いて，振動装置が備わった乗り物に見立てた機器に人間が搭乗し，インタラクティブ性が高いアトラクションを体感できる。

答1 アクセシビリティ ▶ P.142 ··· **イ**

アクセシビリティ（accessibility）は，製品やサービスを，高齢者や障害者を含むだれもが利用できることを指す言葉である。例えば，視覚障害のある人のために音声読上げ機能を導入することなどがアクセシビリティの向上措置に該当する。

JIS X 8341 "高齢者・障害者等配慮設計指針－情報通信における機器，ソフトウェア及びサービス" は，アクセシビリティに関するガイドラインであり，公的機関や民間企業は積極的にこれに準拠することが求められている。規格中では，アクセシビリティについて
　　　"幅広く定義された利用者グループを扱う"
　　　"様々な能力をもつ最も幅広い層の人々が利用できるようにする"
　　　"この規格の指針が支援できることは，（一般的な）アクセシビリティを
　　　多様な人々に対して達成し，利用の状況を理解しながら，多くの個人
　　　のアクセシビリティ水準を改善することである。"
などの記述がある。これに合致しているのは "イ" である。

ア　規格中で "アクセシビリティとは，等しい水準のユーザビリティを全ての個人について達成することではなく，少なくともある程度のユーザビリティを全ての個人について達成することである" と述べられている。
ウ　規格中で他の人間工学規格（JIS Z 8531など）については，併用・連携することでより良い指針を提供できることなどが述べられている。それらが要求する水準よりも高いアクセシビリティの提供を目的としているわけではない。
エ　規格中で "アクセシビリティを支援する設計による解決策は，平均的能力の人々に対する設計ではなく，様々な障害をもつ人々を含む最も幅広い層の人々のための設計である" と述べられている。

答2 AR ▶ P.145 ··· **ウ**

AR（Augmented Reality：拡張現実）とは，現実の情報に仮想現実の情報を加えて（重ねて）合成する技術である。全てをコンピュータグラフィックスで模倣する仮想現実（バーチャルリアリティ）とは異なり，実写と重ね合わせて補足的に情報を表示する。ARを活用した例としては，「スマートフォンに内蔵されたデジタルカメラで建物を撮影すると，GPS情報などを用いてその建物の情報を取得し，写真内の建物に重ねて表示する」などが挙げられる。

ア　ウォークスルーなどと呼ばれる，CGにおける視点移動技術の活用例である。
イ　仮想現実（バーチャルリアリティ）や仮想空間と呼ばれる技術の活用例である。
エ　アミューズメント機器に用いられる大画面や振動などの機能要素の活用例である。

問3 ☑☐ バーチャルリアリティに関する記述のうち，レンダリングの説明はど
☐☐ れか。

（R5F問8，H30F問8）

ア　ウェアラブルカメラ，慣性センサーなどを用いて非言語情報を認識する処理

イ　仮想世界の情報をディスプレイに描画可能な形式の画像に変換する処理

ウ　視覚的に現実世界と仮想世界を融合させるために，それぞれの世界の中に定義さ
れた3次元座標を一致させる処理

エ　時間経過とともに生じる物の移動などの変化について，モデル化したものを物理
法則などに当てはめて変化させる処理

答3 AR ▶ P.145 CG ▶ P.146 ·· イ

　レンダリング（rendering）は，CGデータとして記述された情報（数値データ・数式・描画ルールなど）をもとに，画面上に描画する（画像を生成する）処理のことである。画像のほか，音声や動画を生成する場合もレンダリングと呼ぶことがある。

　具体的なレンダリング手法には，物体の枠組みを線で表現するワイヤフレームや，特定視点から見えなくなる部分を消去する隠線消去などがある。

ア　ノンバーバルコミュニケーション（非言語コミュニケーション）のための要素技術に関する記述である。

ウ　AR（Augmented Reality：拡張現実）において用いられる位置合わせ処理に関する記述である。

エ　物理演算，及びそれを用いたシミュレーションに関する記述である。

8 データベース

8.1 データベースのモデル

❏ データモデル

　データベースは，実際に行われている業務（現実世界）を抽象化し，表現した情報に基づいてDBMS上に実装される。この現実世界を抽象化し，表現したもの（あるいはその表現方法）を**データモデル**といい，現実世界をデータモデルとして表現することを**データモデリング**という。次図のように，段階的に詳細化する。

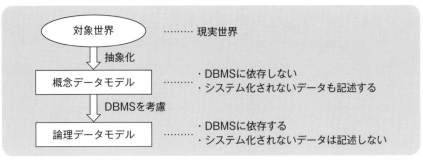

▶データモデルの作成手順

❏ 概念データモデル

　対象世界のデータやその関連を表現したデータモデルである。**E-Rモデル**が用いられ，**E-R図**（ERD：Entity-Relationship Diagram）などによって表現する。主に全体的なデータの整理や理解を目的に作成するため，システム化領域に限定しない，DBMSに依存しない，主キーを洗い出す必要がある，全てのデータ項目（属性）までは洗い出す必要はないといった特徴を持つ。

8.2 関係データモデル

❏関係データモデル

データを2次元の表（関係表）によって表現する。複数の**属性**によって構成され，各属性の実現値（実際のデータ）を組み合わせたものを組あるいは**タプル**という。列が属性に，行がタプルに該当する。関係名とそれを構成する属性名の組合せによって定義したものを**関係スキーマ**（リレーションスキーマ）という。関係表はタプルの集合であり，時間とともに変化するが，関係スキーマは時間に対して不変である。また，関係スキーマを構成する各属性のとり得る範囲を**定義域**（**ドメイン**）という。

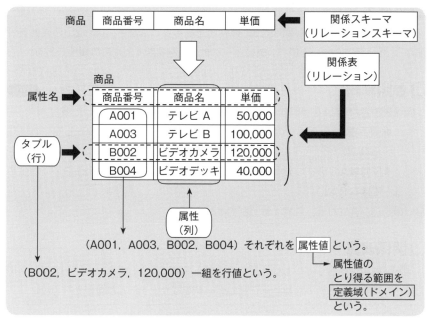

▶関係データモデルと表構造

❏候補キー　　　　　　　　　　　　　　　　　　　　　　　　　問2

関係表のタプル（行）を一意に識別できる属性集合のうち，必要最小限の属性で構成される属性集合のことである。一つの関係表の中に複数の候補キーが存在することもある。

❏ 主キー

　候補キーが関係表に複数ある場合，候補キーのうちの一つを主キー（primary key）とする。二つ以上の属性によって主キーが構成されている場合，複合キーともいう。主キーは一つの関係表に一つだけ存在し，一意性制約，非ナル制約などの制約を持つ。

- **一意性制約**…主キーは，必ず一意（ユニーク）となり，主キーの値が同じであるタプルが複数存在することはない。
- **非ナル制約**…主キーの値が空値（ナル値，NULL）のタプルは存在しない。

❏ 外部キー

　関係表Aの主キーの値が関係表Bの属性値となるような場合，関係表Bの属性を外部キー（foreign key）という。外部キーは他の表を参照するための属性である。

❏ 参照制約　　　　　　　　　　　　　　　　　　　　　　　　　　　　問3

　関係表Bが関係表Aを参照するために，関係表Bに外部キーを設定した場合，

- ●関係表Bの外部キーの値は，必ず表Aの主キーの値として存在しなければならない。
- ●関係表Aのタプルを削除又は更新する際に，表Bとの参照関係に矛盾が生じてはならない。

などの制約が課される。これを参照制約と呼ぶ。

❏ 関係演算

　選択，射影，結合などがあり，これらの操作を用いることにより，データベースに格納されたデータを組み合わせ，任意のデータを取り出すことが可能となる。

- **選択**…表から，条件に合致するタプル（行）を取り出す演算である。
- **射影**…表から指定された属性（列）を取り出す演算である。
- **結合**…複数の表を組み合わせて一つの表を導出する演算である。

8.3 データベース設計

❑ データベースの設計工程

　一般的に，データベース設計はプログラム設計と並行して行われる。しかし，「業務プロセスは変わりやすいが扱うデータは変わりにくい」というデータの安定性に着目し，プログラム設計よりも先にデータベース設計を行うことも多い。このような手法を**DOA**（Data Oriented Approach：**データ中心アプローチ**）という。一般的なデータベース設計は，次のような流れで行う。

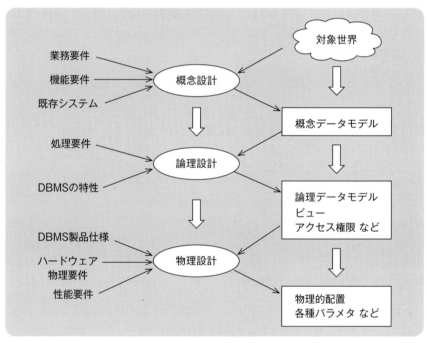

▶設計工程の流れ

8.4 E-Rモデル

❑ E-Rモデル

　対象世界におけるデータをエンティティ（実体）とリレーションシップ（関連）に分けて表したものである。概念データモデルや論理データモデルの表現に用いられる。

- **エンティティ**…現実世界に存在する物体（リソース）や物事（イベント）など。矩形（長方形）で表す。
- **リレーションシップ**…エンティティ間の関連。エンティティ間に線を引いて表す。

❑ カーディナリティ（多重度） ━━━━━━━━━━━━━━ 問1

　エンティティのある**インスタンス**（実現値）に対し，関連するエンティティのインスタンスがいくつ対応し得るかという数の対応関係である。1対1，1対多（又は多対1），多対多がある。「多」側のエンティティのリレーションシップの端に矢印を付けて表現することが多い。

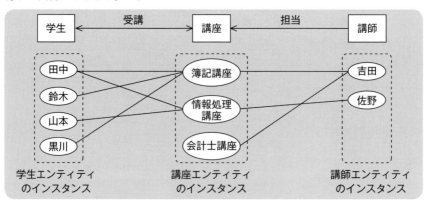

▶多重度の例

　また，エンティティの横にカーディナリティを具体的な数値で表現する方法が用いられることもある。対応するインスタンスの数が不定の場合は，「下限値..上限値」という形で範囲を表現したり，「＊」を用いて上限がないことを表現したりする。

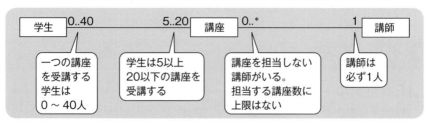

▶カーディナリティの表現方法

❏ 汎化と特化 ━━━━━━━━━━━━━━━ 問4

E-Rモデルでは，複数のエンティティが共通の性質を持つとき，

- ●共通する性質（属性）のみを持つエンティティ
- ●個別の性質（属性）のみを持つエンティティ

に分割し，エンティティ間の関係を整理する。このような関係を汎化－特化（is-a）関係といい，共通する性質を持つエンティティを**スーパータイプ**，個別の性質のみを持つエンティティを**サブタイプ**という。スーパータイプとサブタイプの主キーは同じである。

8.5 正規化理論

❏ 第1正規形 ━━━━━━━━━━━━━━━━━━━

関係表に含まれるどの属性も一つの値のみを持ち，それ以上の分割が不可能な関係表である。非正規形から繰返し項目や複数の値を持つ属性を排除した関係表といえる。非正規形を第1正規形に正規化するときは，

- ●複数の値を持つ属性を複数の属性に分割する。
- ●繰返し項目を一つずつの行として分割する。
- ●繰返しでない項目は，各繰返し項目ごと（各行）に重複して持たせる。

という手順で行う。なお，繰返し項目を分割した場合は，行を一意に識別するために主キーを設定する。

❏ 関数従属性 ━━━━━━━━━━━━━━━ 問2

ある属性集合Aと別の属性集合Bの間に，「Aの値が定まれば，Bの値が一意に定まる」という関係がある場合，「BはAに関数従属している」といい，「A→B」と表す。

❏ 部分関数従属性 ━━━━━━━━━━━━━━━━

関係表Rにおいて，属性Cが属性集合（A＋B）及び属性Aに関数従属しているとき，Cは（A＋B）の真部分集合であるA，B，空集合のうち，Aにも関数従属しているので，Cは（A＋B）に部分関数従属しているという。

❏ 推移的関数従属性 ━━━━━━━━━━━━━━

関係表Rを構成する属性集合A，B，Cにおいて，

A→Bが成立

B→Cが成立

B→Aが不成立

C→Aが不成立

という関数従属性が成立するとき，CはAに推移的関数従属するという。

❏ 第2正規形

　第1正規形の条件を満たし，主キー以外の全ての属性（非キー属性）が主キーに完全関数従属する関係表である。

❏ 第3正規形

　第2正規形の条件を満たし，いかなる非キー属性も主キーに対して推移的関数従属しない関係表である。

8.6　SQL

❏ SELECT文（問合せ文） ──────────────── 問6

　データベースから，参照，削除，更新の対象となるデータを抽出するデータ操作演算である。

　　　<例>　SELECT 氏名，住所，電話 FROM 名簿

　　　　　　"名簿"表の各行から，氏名と住所と電話の列のみを抽出する。

　SELECT文を用いてデータを取り出すことを問合せ（クエリ）という。SELECT文の基本的な構文は次のとおりである。

```
SELECT [DISTINCT] {*|<列名>[,<列名>…]}
      FROM   {<表名>[,<表名>…]}
      [WHERE  {<条件式>}]
      [GROUP BY {<列名>[,<列名>…]}]
      [HAVING  {<条件式>}]
      [ORDER BY {<列名> {ASC|DESC} [,<列名> {ASC|DESC}…]}]    ASCは省略可
```

▶SELECT文の構文

❏ INSERT文

データベースにおいて，行を追加するデータ操作演算である。挿入する値をカンマで区切って列挙したもの（値リスト）を指定して１行単位で挿入する方法と，問合せ文で得られた結果を１行以上挿入する方法がある。

・社員番号が"108"の"田中"というデータを挿入する場合（部門IDはNULLとする）

```
INSERT INTO 社員 (社員番号,氏名,部門ID) VALUES ('108','田中',NULL)
```

表名に続く列名リストを省略した場合は，値リストの列数が表の列数と一致する必要がある。

・社員表から性別が"M"の社員を抽出して，男性社員表に挿入する場合

```
INSERT INTO 男性社員 SELECT * FROM 社員 WHERE 性別='M'
```

男性社員表とSELECT文の結果（社員表）の列数やデータ型は一致している必要がある。

❏ UPDATE文

条件式（WHERE句）に合致する全ての行の列値を指定された値（あるいは式の結果）に更新するデータ操作演算である。WHERE句がない場合は全ての行が更新される。また，複数の列値を更新する場合は，列名 ＝ 値式 をカンマで区切って複数指定する。

・社員番号が46の社員の給与を現状の1.1倍にする場合

```
UPDATE 社員 SET 給与 ＝ 給与 ＊ 1.1 WHERE 社員番号 ＝ 46
```

❏ DELETE文

条件式（WHERE句）に合致する全ての行を削除するデータ操作演算である。WHEREがない場合は全ての行が削除される。

・社員番号が46の社員の行を削除する場合

```
DELETE FROM 社員 WHERE 社員番号 ＝ 46
```

❏ CREATE TABLE文

表を定義するデータ定義演算である。表名と表に含まれる列の名前，データ型，列制約を定義する（列定義）。また，表自体に制約を設ける場合は，表制約を定義する（表制約定義）ことも可能である。

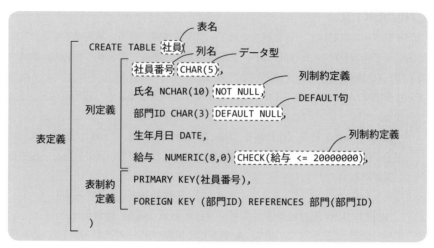

▶**CREATE TABLE文**

❏ 埋込みSQL

　親（ホスト）言語となるプログラム中にSQL文を埋め込み，実行する方式である。埋込みSQLでは，SQL文中で，プログラム側で宣言された変数（**埋込み変数，ホスト変数**という）を利用することも可能である。

　埋込みSQLには，静的SQLと動的SQLがある。**静的SQL**とは，プログラム作成時にSQL文を埋め込む方法であり，**動的SQL**とは，実行時にSQL文を与え，その時点で動的に解釈して実行する方法である。動的SQLを利用することによって，プログラム中でSQL文を生成し，実行するといった制御が可能となる。

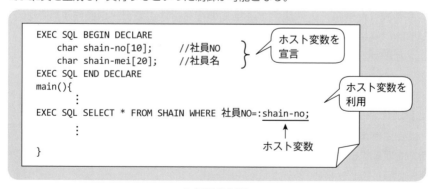

▶**埋込みSQL**

　親言語は，一つの命令で行集合全体を扱うことができないため，SQL文の結果をそのまま処理することはできない。

　そこで，行集合を1行ずつ処理するために**カーソル**（CURSOR）が用いられる。カーソルは，SQL文によって得られた導出表（作業表）を1行ずつ親言語に引き渡す機能を持つ。

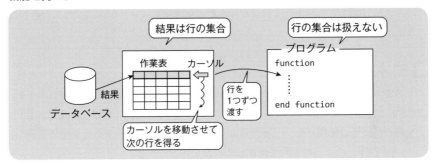

▶カーソル

8.7 データベース管理システム（DBMS）

❏ DBMSの機能

　データベースを構築・管理し，データに対するアクセス手段を提供するミドルウェアである。DBMSは次のような機能を持ち，開発や保守などに利用する。

▶DBMSの機能

データベース定義機能	データ定義言語（DDL）を用いてスキーマを定義し，データベースを生成する機能
データベース操作機能	データ操作言語（DML）を用いてデータにアクセスし，データをデータベースに格納したり，データベースからデータを取り出す機能
同時実行制御機能	複数の利用者が同時に同じ情報にアクセスする場合の制御手順（排他制御など）を提供し，矛盾の発生を防ぐ
障害回復機能	障害発生時に，障害の種類に応じた回復方法を選択し，データベースを障害発生前の状態に回復させる機能
データ機密保護	データの不当な漏洩や改ざんを未然に防ぐためのアクセス制御機能

8.8　データ操作

❏索引検索

　キー値とデータの格納位置を対応付けたものを索引（**インデックス**）という。索引を用いた検索では，索引から目的のデータが格納された位置を得るため，データを全て読み込んで条件に合致するデータを抽出する全件検索よりも物理アクセス回数を減らすことができる。

❏B⁺木索引

　B⁺木を用いた索引検索で，多くのDBMSで採用されている。B⁺木の根（ルート）から順に節（ノード）をたどり，葉に格納されたキー値と格納位置から，目的のデータを得る。列値の種類が多い（多重度が高い）列に索引を付与すると効果的であり，「○以上○以下」のような範囲を指定した検索も可能である。

8.9　トランザクション処理

❏ACID特性　　　　　　　　　　　　　　　　　　　　　　　　　　問7

　トランザクション（transaction）とは，不可分な一連の処理単位であり，通常は複数の処理から構成される。トランザクションが備えるべき四つの特性を，ACID特性という。

▶ACID特性

特性	意　味
Atomicity（原子性）	トランザクションは「全て実行される」か「まったく実行されない」かのいずれかの状態である。
Consistency（一貫性）	トランザクションは，データベースの内容を矛盾させない。
Isolation（独立性，隔離性）	トランザクションは他のトランザクションの影響を受けない。
Durability（耐久性，永続性）	正常終了したトランザクションの実行結果が失われることはない。

8.10 同時実行制御

□ 同時実行制御

　複数のトランザクションを同時に処理する場合に，トランザクションの処理内容が相互に影響を及ぼさないように制御することである。各トランザクションを一つずつ直列に実行した場合と同じ結果を得られる（**直列可能**）ように制御する。

□ ロック

　データベースや表，行といった資源に対して，同時に実行している他のトランザクションが更新や参照をできないよう制御することである。目的の資源がロックされている場合は，ロックが解除（アンロック）されるまで待機する。

　ロックする資源の単位（表や行など）を**ロックの粒度**という。ロックの粒度を大きくするほどロックの解除を待つトランザクションが多くなり，スループットは低下する。一方，ロックの粒度を小さくすると，同時に実行できるトランザクション数は増えるが，ロックを管理するオーバーヘッドが大きくなる。

□ ロックの種類

　共有ロックと**専有ロック**がある。共有ロックは参照処理に用いられ，専有ロックは更新処理に用いられる。それぞれの特徴は次のとおりである。

▶ロックの種類と性質

ロックの種類	性質	他のトランザクションに対する制御	
		共有ロック	専有ロック
共有ロック	データ資源の参照を複数のトランザクションが共有する。	○	×
専有ロック	データ資源を専有し他のトランザクションが使用することを禁止する。	×	×

（○ 許可　× 不許可）

□ デッドロック　　　　　　　　　　　　　　　　　　　　　　問8　問9

　複数のトランザクションが必要な資源をロックした結果，相互にロックが解除されるのを待つ膠着状態である。デッドロックが発生する原因としては，資源の獲得順序が異なることが挙げられる。例えば，トランザクションT 1 が資源X→Y，トランザクションT 2 が資源Y→Xの順序で次のようにロックすると，デッドロックが生じる。

知識編

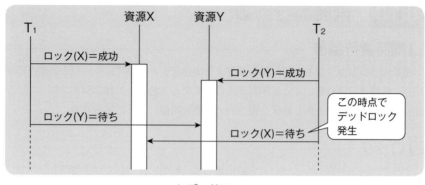

▶デッドロック

　一般的に，DBMSは，デッドロックを検出すると，原因となっているトランザクションをロールバック（又はアボート）する。デッドロックを「発生させない」ためには資源の獲得順序を同じにすることが重要になる。

8.11　障害回復制御

❏ 障害回復制御 ─────────────────── 問10 問11

　障害が発生した場合に，矛盾を発生させずに，データを障害発生前の状態に戻すDBMSの持つ機能である。障害回復制御においては，**バックアップデータ**や**ログファイル**（ジャーナルファイル）などの情報が必要となる。

❏ トランザクション障害 ─────────────── 問10 問11

　トランザクションの異常終了や0除算，デッドロックなどによって発生する障害(論理障害) である。トランザクション障害が発生した場合，ログファイルの更新前情報を利用して**ロールバック**（後退回復，**UNDO**ともいう）処理を行い，トランザクション開始前の状態に戻す。

❏ 媒体障害 ────────────────────── 問10 問11

　ディスククラッシュなどの媒体に発生する障害（物理障害）である。媒体障害が発生した場合，媒体を交換してバックアップデータをロード（リストア）した後，ログファイルの更新後情報を利用して**ロールフォワード**（前進復帰，**REDO**ともいう）処

理を行い，障害発生前の状態に戻す。

❏ システム障害 ───────── 問10 問11 問12

システムダウンや電源断といったシステムに発生する障害である。システム障害が発生した場合，再起動したシステムは「バッファの情報は失われているがデータベースには一部の処理結果が反映（コミット）された状態」となる。そこで，データベースを最新のチェックポイントまで戻してから，次のような処理を行う。

● ロールフォワード

チェックポイントから障害発生までの間にコミットされたトランザクションについては，チェックポイントからロールフォワード（REDO）を行い，処理を完了させる。

● ロールバック

チェックポイント以前に開始され，障害発生までの間にコミットされていないトランザクションについては，チェックポイントからさらにロールバック（UNDO）し，処理開始前の状態に戻す。

❏ 整合性制約 ───────────

データベースに格納される情報の論理的な矛盾を排除するために，DBMSが設ける制約である。インテグリティ制約ともいう。

▶整合性制約

検査制約	属性値が定義された範囲内であるかを検証する。
形式制約	属性値が明示されたデータ型に合致するかを検証する。
参照制約	他のデータを参照するデータがあるときに，被参照データが存在するかを検証する。
一意性制約	同一の属性値を持つデータが存在しないかを検証する。
非ナル制約	属性値がナル値（空値）となっていないかを検証する。
主キー制約	一意性制約と非ナル制約をともに満たすかを検証する。

8.12　分散データベース

❏ 分散データベース

　物理的に異なる場所に配置された複数のデータベースを，論理的に一つのデータベースとして扱う仕組みである。障害の局所化や通信費用の削減などが期待できる。分散データベースの実現方式は，**水平分散**と**垂直分散**に大別できる。分散データベースのデータやシステムが分散していることを利用者に意識させない性質を**透過性**といい，特にデータベースがどこにあるかを意識しない性質を**位置透過性**という。

❏ 2相コミットメント制御

　分散データベースの更新処理を実現する方式の一つである。コミットなどの指示を出す**主サイト**（調停者）と，指示に従ってコミットなどを行う**従サイト**（参加者）から構成される。主サイトは，各従サイトをコミットもロールバックも可能な中間状態（セキュア）に設定し，全ての従サイトがコミット可能であればコミットを指示して更新内容を確定する。一つでもコミット不可能な従サイトがあれば，ロールバックを指示する。

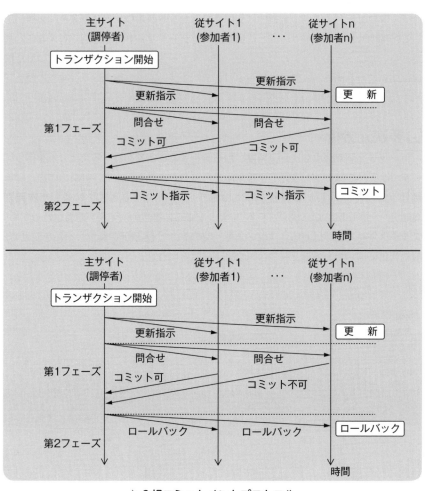

▶2相コミットメントプロトコル

8.13 データウェアハウス

❏データウェアハウス ──────────────── 問13

意思決定支援を目的に，情報を蓄積したデータベースで，次のような特徴を持つ。

- 全ての基幹系システムのデータを統合し，集積する。
- データを時系列に蓄積し，一度蓄積されたデータは，通常更新しない。

データウェアハウスは，全社的に利用される**セントラルウェアハウス**と，必要に応じて各部門やエンドユーザーごとに構築された**データマート**の2階層で考えることができる。セントラルウェアハウスのみ，データマートのみ，両者の組合せといった構成にすることもある。一般的にデータウェアハウスといった場合，セントラルウェアハウスを指すことが多い。

❏ 多次元分析

データウェアを様々な次元（角度）から分析することである。多次元分析を行うデータウェアハウスでは，次元モデルが用いられる。次元モデルは，分析の中核となる数値データを格納した**事実表**（fact table）と，各次元の属性を格納した**次元表**（dimension table）から構成される。事実表を中心に複数の次元表が配置されるため，**スタースキーマ**と呼ばれる。スタースキーマの先端を（各次元の集計レベルを変えて）放射状に伸ばした形をスノーフレークスキーマという。

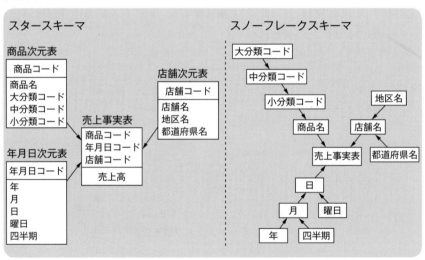

▶データウェアハウスのスキーマ構成

❏ スライシング，ダイシング，ドリリング ───── 問13

次元モデルの次元は，キューブ（立方体）で表現することができ，次元軸や集計レベルを変えることによってデータベースの多彩な分析ができる。次元軸を変える操作にスライシングやダイシングがあり，集計レベルを変える操作にドリリングがある。ドリリングにおいて，詳細なデータを得ることを**ドリルダウン**，集約したデータを得

ることを**ドリルアップ**（ロールアップ）といい，集計のもととなるデータを参照することを**ドリルスルー**という。

❏ データマイニング ─────────────────── 問13

　データウェアハウスに蓄積された膨大なデータの中から，未知の規則性や事実関係を得る技法である。データマイニングの手法には，アソシエーションルール（データの中から相関関係を見つける手法），クラス分類（蓄積されたデータをクラスに分類する手法），クラスタリング（異なる性質を持つデータから，類似した性質を持つクラスタを見つける技法）などがある。

❏ NoSQL ──────────────────────────

　関係データベース（RDB）以外の形で実装したデータベース。大量のデータ処理が考えられるシステムでは，関係データベースを用いると性能（処理速度など）が低下する可能性があるため，NoSQLをデータベースシステムとして採用することが少なくない。NoSQLは，クラウドサービスなどで用いられている。

問1 ☑□
□□
UMLを用いて表した図のデータモデルから，"部品"表，"納入"表及び"メーカ"表を関係データベース上に定義するときの解釈のうち，適切なものはどれか。
(R2F問9)

ア　同一の部品を同一のメーカから複数回納入することは許されない。

イ　"納入"表に外部キーは必要ない。

ウ　部品番号とメーカ番号の組みを"納入"表の候補キーの一部にできる。

エ　"メーカ"表は，外部キーとして部品番号をもつことになる。

答1 カーディナリティ ▶ P.156　クラス図 ▶ P.269 ‥‥‥‥‥‥‥‥‥‥‥‥‥‥‥‥ **ウ**

　データモデルより，部品：納入は 1：多，納入：メーカは多：1 の関係にあることが分かる。この場合，"納入"の各データは，「どの部品がどのメーカから，いつ何個納入されたか」という情報を表すことになる。

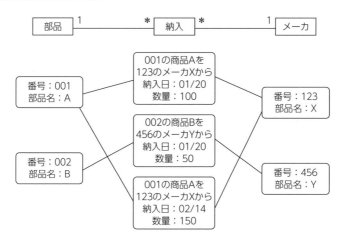

　部品番号とメーカ番号と納入日を組み合わせて候補キーにすることができる。したがって，部品番号とメーカ番号の組合せは，"納入"表の候補キーの一部とすることができる。

問2 ☑□ □□ 　関係R（A, B, C, D, E, F）において，関数従属A→B，C→D，C→E，{A, C} →Fが成立するとき，関係Rの候補キーはどれか。

（H26F問9）

ア　A　　イ　C　　ウ　{A, C}　　エ　{A, C, E}

問3 ☑□ □□ 　次の表において，"在庫"表の製品番号に定義された参照制約によって拒否される可能性がある操作はどれか。ここで，実線の下線は主キーを，破線の下線は外部キーを表す。（H28S問9，H22F問11）

在庫（在庫管理番号，製品番号，在庫量）

製品（製品番号，製品名，型，単価）

ア　"在庫"表の行削除　　イ　"在庫"表の表削除
ウ　"在庫"表への行追加　　エ　"製品"表への行追加

問4 ☑□ □□ 　汎化の適切な例はどれか。

（H29S問16）

ア

イ

ウ

エ

答2　候補キー ▶ P.153　関数従属性 ▶ P.157 ……………………………………………… **ウ**

　候補キーは「関係における組（行，全属性値の組合せ）を一意に特定することができる属性，及び属性の組合せ」である。まず，関係Rには {A，C} → Fという関数従属がある。これは「属性Aと属性Cの値の組合せが決まれば，属性Fの値を一意に特定できる」ことを意味するので，属性Aや属性Cが単独で候補キーになることはできない。また，属性AとCの組合せが決定すれば，そこから，

　　　Aを用いて　A → B

　　　Cを用いて　C → D，C → E

というように，関数従属から属性B，D，Eの値を一意に特定できる。以上より，

　　　　{A，C}

が関係Rの候補キーとなる。

答3　参照制約 ▶ P.154 ……………………………………………………………………… **ウ**

　本問のような参照制約が定義された場合，「参照する側である"在庫"表の製品番号は，必ず"製品"表に存在していること」という条件が課される。そのため，次のような操作は，実行すると条件を満たさなくなるため，DBMSによって制限を受ける。

　　　① "製品"表から，"在庫"表に存在している製品番号と同じ製品番号の行を削除する

　　　② "製品"表に存在しない製品番号を持つ行を，"在庫"表に追加する

　　　③ "在庫"表中の行の製品番号を，"製品"表に存在しない値に変更する

　選択肢の中では，"ウ"が②に該当する。

答4　汎化と特化 ▶ P.157 ……………………………………………………………………… **ア**

　汎化（is-a関係）は，複数のクラスで共通する概念を抜き出して上位クラス（スーパークラス）を導出することである。人，犬，猫に共通していることは「哺乳類」ということである。したがって，「哺乳類」は，人，犬，猫の上位クラスであると考えられる。

　なお，"イ"では，アクセル，ブレーキ，ハンドルは，「自動車」の部品と考えることができる。このような「全体と部品」に該当する関係のことを，集約（part-of関係）という。

　　関係データベースのテーブルにレコードを1件追加したところ，インデックスとして使う，図のB⁺木のリーフノードCがノードC1とC2に分割された。ノード分割後のB⁺木構造はどれか。ここで，矢印はノードへのポインタとする。また，中間ノードAには十分な空きがあるものとする。

（H30S問8）

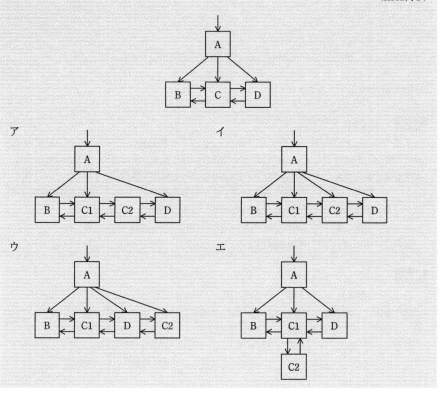

　B⁺木を構成するノード（図中の矩形"□"に該当）には，

　　・最下層の葉となるリーフノード
　　・最上位の根となるルートノード
　　・中間の枝に位置するブランチノード

がある。リーフノード部分は複数のデータが整列して格納されるとともに，お互いがポインタによってリスト状につながる構造をとる。一方，ルートノードとブランチノードは，リーフノードに至るまでの探索経路を構成するものであり，複数の子ノードへのポインタと，大小判断のためのキー値情報で構成される。

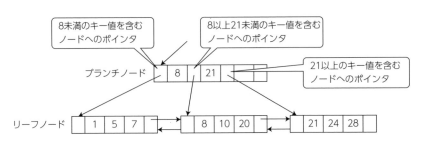

データ追加は序列を保つようにノードを選んで行われるが，該当ノード内に格納できる場所がない場合は，ノードが分割される。その際，分割された二つのノードは分割前のノードと同じ階層に位置し，それぞれ親となるノードから個別にポインタで参照される。

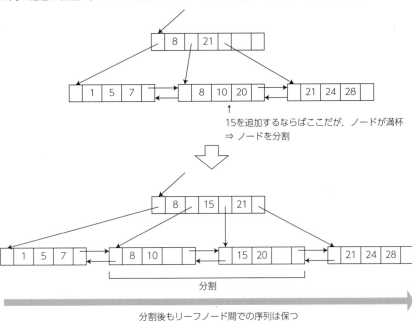

ア　AからC2へのポインタ参照が表現されていない。

ウ　リーフノード間の並びは序列を保つように行われるので，もともとCの一部であったC2がDよりも後ろになることはない。

エ　C1もC2も分割前のCと同じ階層となる。片方が1階層下に下がるようなことはない。

問6 ☑☐
☐☐ 関係R（ID，A，B，C）のA，Cへの射影の結果とSQL文で求めた結果が同じになるように，aに入れるべき字句はどれか。ここで，関係Rを表Tで実現し，表Tに各行を格納したものを次に示す。 （H29F問9）

T

ID	A	B	C
001	a1	b1	c1
002	a1	b1	c2
003	a1	b2	c1
004	a2	b1	c2
005	a2	b2	c2

〔SQL文〕

SELECT ☐ a ☐ A, C FROM T

ア ALL　　　　　　イ DISTINCT
ウ ORDER BY　　エ REFERENCES

問7 ☑☐
☐☐ ACID特性の四つの性質に含まれないものはどれか。 （R4F問10）

ア 一貫性　　イ 可用性　　ウ 原子性　　エ 耐久性

答6 SELECT文 ▶ P.158 ··· イ

"関係R（ID，A，B，C）のA，Cへの射影"とは，

　　「属性Aの値と属性Cの値の組合せのうち，

　　　その組合せが関係R内のタプル（行）のいずれかに含まれているようなもの」

の集合である。関係Rが表Tで表されるような内容であった場合，

　　（a1，c1）　…　1行目，3行目に含まれている

　　（a1，c2）　…　2行目に含まれている

　　（a2，c2）　…　4行目，5行目に含まれている

という三つの要素からなる集合が，射影の結果となる。

　これをSQL文（SELECT文）の内容と照らし合わせて考えると，

　　①表Tの各行から列Aと列Cの部分を抽出し，

　　②内容が重複しているものがあれば一つにまとめる

という処理を行えばよい。②において「重複した結果を一つにまとめる」効果があるのは，

「DISTINCT」である。

　なお，"ア"のように「ALL」を指定するか，又は省略すると，重複した結果をまとめな

いため，

　　（a1，c1）

　　（a1，c2）

　　（a1，c1）

　　（a2，c2）

　　（a2，c2）

という5行が得られる。

答7 ACID特性 ▶ P.162 ··· イ

　トランザクションのACID特性とは，トランザクションが備えるべき四つの基本的な性質

で，"ACID"はそれらの頭文字である。

- 原子性（Atomicity）…トランザクションは完全に実行されるか，全く実行されない

　　かのいずれかで終了する。

- 一貫性（Consistency）…トランザクション処理の終了状態にかかわらず，データベ

　　ースの内容は矛盾のない状態である。

- 独立性（Isolation）…複数のトランザクションを同時に実行した場合と，順番に実

　　行した場合との処理結果が一致する。

- 耐久性（Durability）…トランザクションが完了すれば，その後に障害などが発生し

　　ても，更新結果が失われることがない。

　可用性（Availability）は，システムやサービスが使いたいときに使える度合いを表すも

のであり，評価指標としては稼働率などが用いられる。

問8 ☑□ 二つのタスクが共用する二つの資源を排他的に使用するとき，デッド
□□ ロックが発生するおそれがある。このデッドロックの発生を防ぐ方法は
どれか。 (R4F問6，H31S問6)

ア 一方のタスクの優先度を高くする。

イ 資源獲得の順序を両方のタスクで同じにする。

ウ 資源獲得の順序を両方のタスクで逆にする。

エ 両方のタスクの優先度を同じにする。

問9 ☑□ トランザクションAとBが，共通の資源であるテーブルaとbを表に示
□□ すように更新するとき，デッドロックとなるのはどの時点か。ここで，
表中の①〜⑧は処理の実行順序を示す。また，ロックはテーブルの更新直前
にテーブル単位で行い，アンロックはトランザクション終了時に行うものと
する。 (H29S問8)

トランザクションA	トランザクションB
① トランザクション開始	
	② トランザクション開始
③ テーブル a 更新	
	④ テーブル b 更新
⑤ テーブル b 更新	
	⑥ テーブル a 更新
⑦ トランザクション終了	
	⑧ トランザクション終了

時間 ↓

ア ③　　イ ④　　ウ ⑤　　エ ⑥

問10 ☑□ データベースに媒体障害が発生したときのデータベースの回復法はど
□□ れか。 (R元F問9，H24S問11)

ア 障害発生時，異常終了したトランザクションをロールバックする。

イ 障害発生時点でコミットしていたがデータベースの実更新がされていないトラン
ザクションをロールフォワードする。

ウ 障害発生時点でまだコミットもアボートもしていなかった全てのトランザクショ
ンをロールバックする。

エ バックアップコピーでデータベースを復元し，バックアップ取得以降にコミット
した全てのトランザクションをロールフォワードする。

答8　デッドロック ▶ P.163 ·· **イ**

　デッドロックは，複数のプロセスが資源のロック解除を同時に待ちあう状況であり，プロセスの資源獲得順序が同一でない場合に発生する。例えば，資源Aと資源Bがあり，これらの資源をロックするタスクTaとTbが実行されたとする。

　タスクTaが資源A，タスクTbが資源Bをロックした状態で，タスクTaが資源B，タスクTbが資源Aを要求すると，タスクTaはタスクTbが資源Bを解放するのを待ち，タスクTbはタスクTaが資源Aを解放するのを待つ。すなわち，デッドロックが発生する。

　これに対して，TaとTbが，必ず資源A，資源Bの順で資源を獲得するようにすれば，タスク同士で互いの解放を待つ状態は生じない。

　　ア，エ　タスクの優先順位とデッドロックには直接的な関係はなく，資源をロックする順
　　　　序が異なるタスクがあれば，デッドロックが生じる可能性がある。
　　ウ　資源の獲得順序が逆の場合，デッドロックが発生する可能性がある。

答9　デッドロック ▶ P.163 ·· **エ**

　デッドロックとは，複数のトランザクションが資源のロックをした結果，相互に他方のロック解除を待ち合い，どのトランザクションも処理を進められない状態になることである。

　「ロックはテーブルの更新直前にテーブル単位で行い」という条件を考慮しながら処理をトレースしてみると，
　　　③トランザクションAがテーブルaをロック
　　　④トランザクションBがテーブルbをロック
　　　⑤トランザクションAがテーブルbのロック解除待ち
　　　⑥トランザクションBがテーブルaのロック解除待ち
となり，⑥の段階で，互いのロック解除を待ち合うデッドロックが発生する。

答10　障害回復制御 ▶ P.164　トランザクション障害 ▶ P.164　媒体障害 ▶ P.164
　　　　システム障害 ▶ P.165 ·· **エ**

　媒体（磁気ディスク装置など）に障害が発生した場合は，その媒体に記録されているデータベースが使用できなくなる。よって，あらかじめ取得しておいたバックアップを用いた回復措置を行う必要がある。具体的には，"エ"のように
　　　①バックアップを用いてデータベースを復元（リストア）する
　　　②ログ（ジャーナル）の情報を用いて，バックアップ以降にコミットしているトランザ
　　　　クションをロールフォワードする
という手順を実施する。これにより，コミット済みのトランザクションの結果を失うことなく，媒体障害直前の状態にデータベースを戻すことができる。

　　ア　トランザクション障害の回復法である。
　　イ，ウ　システム障害の回復法である。

問11 ☑□□□ データベースの障害回復処理に関する記述として，適切なものはどれか。

(R3F問9，H21F問12)

ア　異なるトランザクション処理プログラムが，同一データベースを同時更新することによって生じる論理的な矛盾を防ぐために，データのブロック化が必要となる。

イ　システムが媒体障害以外のハードウェア障害によって停止した場合，チェックポイントの取得以前に終了したトランザクションについての回復作業は不要である。

ウ　データベースの媒体障害に対して，バックアップファイルをリストアした後，ログファイルの更新前情報を使用してデータの回復処理を行う。

エ　トランザクション処理プログラムがデータベースの更新中に異常終了した場合には，ログファイルの更新後情報を使用してデータの回復処理を行う。

問12 ☑□□□ チェックポイントを取得するDBMSにおいて，図のような時間経過でシステム障害が発生した。前進復帰（ロールフォワード）によって障害回復できるトランザクションだけを全て挙げたものはどれか。

(R4F問9，H27F問10)

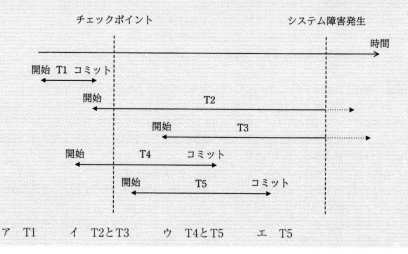

ア　T1　　　イ　T2とT3　　　ウ　T4とT5　　　エ　T5

答11 障害回復制御 ▶ P.164　トランザクション障害 ▶ P.164　媒体障害 ▶ P.164
システム障害 ▶ P.165 ………………………………………………………… **イ**

　チェックポイントでは，主記憶上のデータベースバッファの内容を媒体に書き出し，両者の内容を一致させる。これにより，チェックポイント以前にコミット（終了）しているトランザクションについては障害時に回復作業を行う必要がなくなり（媒体そのものに障害が発生した場合を除く），障害回復時の手間を削減することができる。

　ア　同時更新における論理矛盾に対応するのは，ブロック化ではなく，ロック法などによる排他制御機能である。
　ウ　媒体障害に対応する回復処理は，バックアップのリストアとロールフォワードによる前進復帰処理である。ロールフォワードでは，ログファイルの更新「後」情報を使用し，バックアップのリストア時点から障害発生直前までの状態にデータベースを回復させる。
　エ　異常終了したトランザクションについては，ログファイルの更新「前」情報を使用し，トランザクション処理開始前の状態に後退復帰（ロールバック）させるべきである。

答12　システム障害 ▶ P.165 ……………………………………………………… **ウ**

　ロールフォワードは，コミット済みのトランザクションの結果を確実に反映する作業である。そのため，最後のチェックポイント以降でコミットしたトランザクションが，ロールフォワードの対象となる。

　　・T1…チェックポイント以前に処理が完了しており，結果がデータベースに反映されているので，障害回復は不要である。
　　・T2とT3…システム障害発生時に処理が完了していないため，ロールバックによって，処理開始前の状態に戻す必要がある。
　　・T4とT5…システム障害発生時に処理が完了しているので，ロールフォワードが必要である。

問13 ☑□ データマイニングの説明として，最も適切なものはどれか。
　　　 □□

(H29F問10)

ア　基幹業務のデータベースとは別に作成され，更新処理をしない集計データの分析を主目的とする。

イ　個人別データ，部門別データ，サマリデータなど，分析の目的別に切り出され，カスタマイズされたデータを分析する。

ウ　スライシング，ダイシング，ドリルダウンなどのインタラクティブな操作によって多次元分析を行い，意思決定を支援する。

エ　ニューラルネットワークや統計解析などの手法を使って，大量に蓄積されているデータから，特徴あるパターンを探し出す。

答13 データウェアハウス ▶ P.167　スライシング，ダイシング，ドリリング ▶ P.168
データマイニング ▶ P.169 ⋯⋯⋯⋯⋯⋯⋯⋯⋯⋯⋯⋯⋯⋯⋯⋯⋯⋯⋯⋯⋯⋯ **エ**

　データウェアハウスに蓄積された膨大な時系列データを分析するツールとして，OLAP
（OnLine Analytical Processing）やデータマイニングがある。データマイニングは，デー
タ解析技法を用いて，データから意味のある規則を発見する行為である。「アメリカでは，
スーパーマーケットで紙オムツを購入する客がビールも購入することが多い」という法則は
有名である。

　ア　データウェアハウスの説明である。

　イ　データマートを利用したデータ分析の説明である。データマートとは，大規模なデー
　　　タウェアハウスから，部署別や地域別のように，使用目的に応じて抽出したデータであ
　　　る。

　ウ　スライシング，ダイシング，ドリリング（ドリルアップやドリルダウン）は，データ
　　　ウェアハウスに格納された多次元データを目的別に切り出す手法で，OLAPに含まれる
　　　機能である。OLAPは，エンドユーザーがデータウェアハウスに蓄積されたデータを直
　　　接操作することによって，オンラインでデータ分析を行う。

9 ネットワーク

9.1 ネットワークアーキテクチャとプロトコル

❏ コネクション型とコネクションレス型

通信プロトコルには，通信に先立って論理的な通信路を確立してからデータを送信するコネクション型と，論理的な通信路を確立せずにデータを送信するコネクションレス型の概念がある。

これらはプロトコルの特性や用途などに応じて，プロトコルごとに決められている。

❏ 物理層

ネットワークの物理的な接続・伝送方式を定めた層である。伝送路には，電気的あるいは機械的に仕様が異なる様々なインタフェースがあり，これらを規定するのが物理層の役割といえる。具体的には，電圧波形やその大きさ，コネクタの形状やピンの数，通信ケーブルの規格などを規定する。主な伝送媒体（通信ケーブル）には，次のようなものがある。

▶通信ケーブルの種類

光ファイバーケーブル	光信号を伝送するためのケーブルで，高速・長距離の伝送が可能。電磁誘導（ノイズ）の影響を受けないため，広域網などを中心に利用されている。反面，他のケーブルと比べて高価であり，最小曲げ半径が大きく施工性が低い。
同軸ケーブル	芯線をメッシュ上の外部導体で覆ったケーブルで，比較的ノイズに強い半面，折り曲げに弱く，配線の自由度は高くない。
ツイストペアケーブル	撚り合わせた2本の芯線を，さらに数対より合わせたケーブルである。ノイズには強くないが取り回しが容易なため，主に構内のネットワークなどで広く利用されている。

これらのほかにも，無線通信として，電波（電磁波）や赤外線などが用いられる。

❏ データリンク層

伝送路上において，隣接するノード間でフレームを誤りなく伝送する機能を実現す

る層である。WANやLANにおける媒体アクセス制御方式など，論理的な通信路であるデータリンクの確立方法，データフォーマット，通信手順，同期制御，誤り制御，通信方式などを定める。通信方式にはデータを送る方向が固定されている単方向通信，同時に双方向の通信が可能な全二重通信，切り替えて双方向通信が可能だが同時には片方向の通信のみ可能な半二重通信がある。

❏ ネットワーク層

　一つ又は複数の伝送媒体を介して，エンドノード（通信を行うコンピュータ）間のデータ伝送を実現する層である。下位の層の違い（伝送制御などの違いなど）を吸収し，上位の層に対して"エンドツーエンド"の通信路を提供することを目的としている。ネットワーク層の主要な機能に通信データの中継や経路の選択があり，具体的なプロトコルとしてIP（Internet Protocol）がある。

9.2　LAN

❏ MACアドレス

　LANにおいて用いられる，ノードを識別するための48ビットのアドレスである。ハードウェア固有の「物理アドレス」であり，通常**NIC**（Network Interface Card）と呼ばれるLANカードやLANボードのROMに記録されている。前の24ビットはベンダーの番号，後の24ビットはベンダーごとの一意な番号が割り当てられる。そのため，重複することなく，LAN中のノードを一意に識別することができる。「00：10：38：0F：73：CA」のように，8ビットごとにコロン（：）で区切り，各フィールドを2桁の16進数で表記する。

❏ CSMA/CD方式　　　　　　　　　　　　　　問1

　送信要求の生じたノードが伝送路の状態を調べ，伝送路が空いていればフレームを送出する方法である。ほぼ同時に複数のノードが「伝送路が空いている」と判断した場合は，伝送路上でフレームの衝突（**コリジョン**）が発生する。コリジョンを検知したノードは，フレームの送出を停止するとともに，他のノードにコリジョンの発生を通知する信号（**ジャム信号**）を送出する。ジャム信号を受信したノードはランダムな時間待機した後にフレームを再送する。

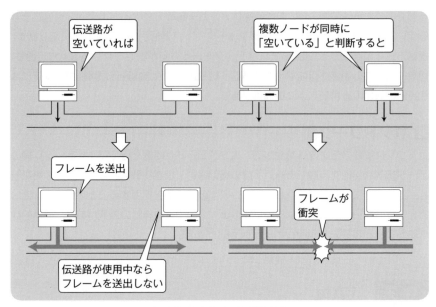

▶**CSMA/CD方式の概念図**

❏ ブリッジ ──────────────────────────── 問1

　LANをデータリンク層で接続する装置で，伝送速度や媒体アクセス制御の異なる
LANを相互に接続することができる。ブリッジが受信したフレームは，通常「バッ
ファ」と呼ばれる記憶領域に格納されてから，伝送路に送出される。このため，複数
フレームを同時に受信しても，伝送路が空くのを待って中継でき，コリジョンの波及
範囲（**コリジョンドメイン**）を分割することが可能である。無線LANのアクセスポ
イントも，ブリッジの一種である。

❏ スイッチングハブ（レイヤー2スイッチ）────── 問1

　ブリッジの機能を持った集線装置であり，ブリッジと同様にコリジョンドメインを
分割し，フレームを遮断する機能を持つ。空いているポート間であれば，複数の1対
1の通信を同時に行うことができる。

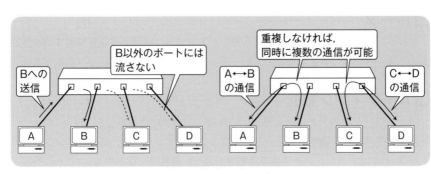

▶スイッチングハブ

❏ VLAN（Virtual LAN）

　スイッチングハブのポートや接続される端末などをグループ化することによって，物理的な接続形態に依存しない論理的なネットワーク（仮想的なLAN）を構築する技術である。VLANを用いると**ブロードキャストドメイン**も分割できるため，通信量の削減が期待できる。ポートベースVLANは，スイッチングハブのポートをグループ化し，各グループをそれぞれ異なるLANとして扱う技術である。例えば，次図のようなネットワークにおいて，ポート１とポート２をVLAN-A，ポート３とポート４をVLAN-Bとした場合，VLAN-AとVLAN-Bは同じスイッチングハブ上でも異なるLANとみなされる。

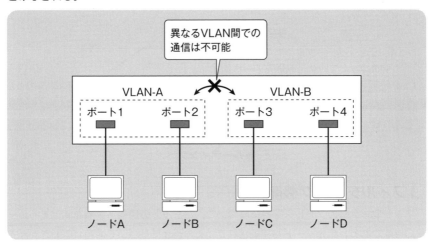

▶ポートベースVLAN

❏ ルータ

　ネットワークをネットワーク層で接続し，エンドノード間の通信を実現する装置である。ルータの持つ主要な機能に，ルーティング機能とフィルタリング機能がある。

❏ ルーティング機能

　ネットワーク層のアドレスに基づいて経路（ルート）を選択しパケット（データ）を中継するルータの機能である。ネットワーク層のアドレスは，データリンク層のアドレス（MACアドレス）とは異なる概念であり，通常はソフトウェア（OS）で設定し，「ネットワークを特定するアドレス（ネットワークアドレス）」と「ノードを特定するアドレス（ホストアドレス）」から構成される。TCP/IPであれば，IPアドレスがネットワーク層のアドレスに該当する。

　ルータは，パケットに含まれる宛先情報（ネットワーク層のアドレス）をもとに，ルータに設定された**ルーティングテーブル**から次に中継すべきルータ（又は宛先ノード）を特定し，データを転送する。

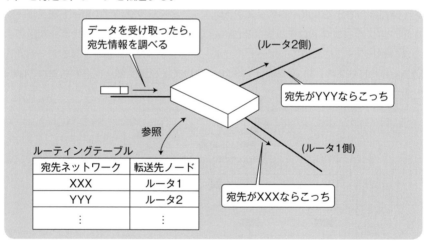

▶ルーティング

❏ フィルタリング機能

　ネットワーク層のアドレスなどに基づいて，パケットの通過／遮断を制御するルータの機能である。宛先ノードが接続されているか否かに基づいて通過／遮断を判断するブリッジに対し，ルータはどのようなパケットを中継／遮断（廃棄）するかを明示的に指定できる。

9.3 ネットワークの性能

❑ 伝送時間 ━━━━━━━━━━━━━━━━━━━━━ 問2

データを宛先ノードに伝送するのにかかる時間で，ネットワークの性能指標である。

伝送時間＝伝送データ量÷伝送速度

伝送効率を考慮した実効的な伝送速度を使用することも多く，実効的な伝送速度には，プロトコルなどによるオーバーヘッドなどが含まれる場合もある。

❑ 伝送遅延 ━━━━━━━━━━━━━━━━━━━━━━━

中継機器が受信したパケットは，バッファに格納され，順次転送されるのを待つため伝送遅延が生じる。待ち行列モデルなどを適用した処理待ち時間を算出し，伝送時間と併せて中継機器の伝送遅延を考慮する必要がある。

❑ 誤り率 ━━━━━━━━━━━━━━━━━━━━━━━ 問3

通信回線における平均ビット誤り率と電文長（ビット数）が与えられている場合，1電文に誤りが含まれる期待値は平均ビット誤り率と電文長の積によって求められる。

1電文に発生する誤りの平均ビット数＝電文長×平均ビット誤り率

平均ビット誤り率が 1×10^{-5} の通信回線を用いて，400,000バイトのデータを200バイトの電文に分けて送信する際に，誤りの発生する電文数を求める。

まず，1電文に発生する誤りの平均ビット数は，

$200 \times 8 \times 1 \times 10^{-5} = 16 \times 10^{-3}$

となる。送信する電文数は2,000（400,000÷200）である。

1電文に発生する誤りの平均ビット数が0.5ビットの場合，2電文ごとに1電文の誤りが発生することになり，0.1ビットの場合，10電文ごとに1電文の誤りが発生することになる。つまり，1電文に発生する誤りの平均ビット数と電文数を用いると，送信する電文の中に誤りが発生する電文数は，

誤りが発生する電文数＝送信する電文数×電文に発生する誤りの平均ビット数

で求めることができる。送信する電文数は2,000なので，

$2,000 \times 16 \times 10^{-3} = 32$

となる。

平均ビット誤り率が 1×10^{-5} の通信回線で400,000バイトのデータを200バイトの電文に分けて送信する際には，平均で32の電文に誤りが発生することになる。

❑ IP

ネットワーク層の機能（エンドノード間のデータ伝送）を実現する**コネクションレス型**のプロトコル。送信元ノードがルータにデータの中継を依頼すると，データはルータからルータへと中継され宛先ノードに届く。つまり，各ノードは隣接する（同じデータリンクに存在する）ルータにデータを渡すだけで，それ以降の経路を知る必要がない。

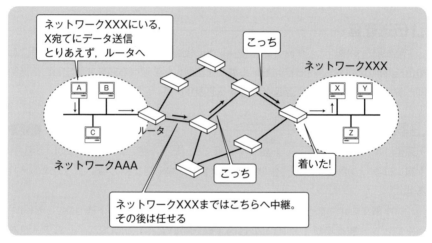

ネットワークXXXにいる，X宛てにデータ送信とりあえず，ルータへ

こっち

ネットワークXXX

ルータ

ネットワークAAA

こっち

着いた！

ネットワークXXXまではこちらへ中継。その後は任せる

▶**IPにおけるルーティング**

IPにおける伝送単位を**データグラム**や**IPパケット**という。

❑ IPアドレス　　　　　　　　　　　　問4 問5 問8 問10

ノードを一意に識別する32ビットのアドレスで，各ノードのインタフェースに付与される。8ビットごとにピリオド (.) で区切り，各フィールドを10進数で表記する。

IPアドレス `10101100` `00010000` `00000010` `00110101`
　　　　　172　・　16　・　2　・　53

▶**IPアドレスの表記**

「**ネットワーク部**」と「**ホスト部**」に分けられており，「どのネットワークのどのノ

ードか」を識別できる。同じネットワークに接続されるノードのIPアドレスのネットワーク部は全て同じである。

　従来，ネットワーク部とホスト部は「クラス」という概念で区切られていた。クラスはIPアドレスの用途を表す概念であり，クラスA〜Cがネットワークの規模を表す。IPアドレスがどのクラスに属するか（何ビットがネットワーク部か）は，上位の数ビットによって判断できる。ただし，最近では**サブネットマスク**が用いられることが多く，クラスA〜Cは大きな意味を持たなくなっている。なお，クラスDはマルチキャスト通信に用いられる。

> ・マルチキャスト通信…任意の複数ホストと通信する。無関係のホストにまでデータを送信することがない。
> ・ブロードキャスト通信…全てのホストと通信する。

❏ ブロードキャストアドレス ──────── 問5
　ホスト部が「全て0」のIPアドレスは，そのネットワーク自身を示す**ネットワークアドレス**となる。また，ホスト部が「全て1」のIPアドレスは，全てのホストを通信対象とするブロードキャストアドレスとなる。例えば，ネットワーク（172.16.0.0）において，172.16.255.255を指定すれば，そのネットワークに存在する全てのホストに通信が送られる。

❏ ネットワークの分割 ──────── 問4 問5
　ネットワークを複数のサブネットワーク（サブネット）に分割することで，IPアドレス空間の有効利用や運用負荷の分散を図る。**サブネットマスク**を用いて，ホスト部の一部をネットワーク部の一部（サブネットの識別子）として扱うことで実現する。サブネットマスクは32ビットで，ネットワーク部に該当する部分には"1"を，ホスト部に該当する部分には"0"を設定する。IPアドレスと同様に，8ビットごとにピリオド（.）で区切り，各フィールドを10進数で表記する。

❏ IPv6 ──────── 問6
　従来のIPアドレス（IPv4）の枯渇問題を解決する規格として策定されたIPアドレスである。IPv6は，次のようなIPv4の弱点を補う特徴を持っている。

- IPアドレスの長さが128ビット（表現できるアドレス数がIPv4の2^{96}倍）
- ルータから通知される情報と自身が生成する情報からアドレスを自動生成す

る，プラグアンドプレイの実現

●IPsecを標準機能とすることによるセキュリティ機能の充実

16ビットごとにコロン（：）で区切り，各フィールドを4桁の16進数で表記する。

2001:0200:0012:0000:0225:64FF:FEB5:0E64

4桁の16進数の先頭から連続する0は省略することができるので，

2001:200:12:0:225:64FF:FEB5:E64

と表現してもよい。また，

2001:0000:0000:0000:0225:0000:0000:0E64

(2001:0:0:0:225:0:0:E64)

のように，4桁の16進数が全て0のフィールドが連続する場合，0の並びを省略して "::" と表すことができる。ただし，0のフィールドが連続する箇所が複数ある場合，省略できるのは1か所だけである。

2001::225:0:0:E64　　（一つ目を省略）　又は，

2001:0:0:0:225::E64　　（二つ目を省略）

❏ ルーティング（経路制御）

IPパケットを適切な経路を選択して宛先まで届けることである。コンピュータやルータは，**ルーティングテーブル**と呼ばれる経路情報に基づいて経路を選択する。ルーティングテーブルは，宛先ネットワーク，データを送出するインタフェース，中継先となるルータ（ゲートウェイともいう）などのアドレスから構成され，「目的のネットワークまでデータを届けるためには，どのインタフェースから，どのルータに対して中継を依頼すればよいか」を判断できるようになっている。

他のネットワークへの出口であるルータが一つしかない場合（主にパソコンなどの中継を行わないエンドノード）では，**デフォルトゲートウェイ**を設定することが多い。デフォルトゲートウェイは，既定の中継先（ルータ）を意味し，ルーティングテーブルに合致するエントリーがない場合はデフォルトゲートウェイに中継を依頼する。この経路をデフォルトルートという。

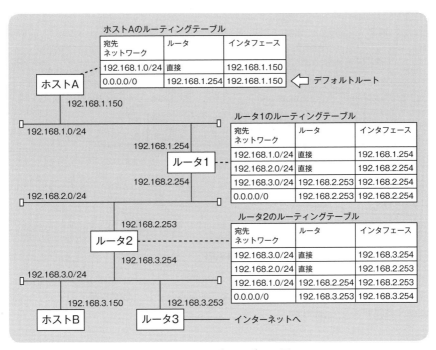

▶ルーティングテーブルの例

❏ ARP（Address Resolution Protocol）── 問7 問8

　データリンク層では，宛先（又は中継先）までデータを届けるために，宛先MACアドレスが必要となる。IPアドレスからMACアドレスを得るプロトコルがARPである。

　ブロードキャスト（宛先MACアドレスはFF：FF：FF：FF：FF：FF）を利用して問合せ（**ARPリクエスト**）をネットワーク中の全ノードに対して行うと，目的のIPアドレスを持つノードのみがMACアドレスを回答（**ARPレスポンス**）する。

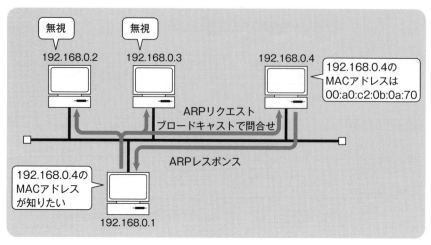

▶ARP

　ARPによって得られたMACアドレスは"キャッシュ"として保持されるが，一定時間が経過すると消去される。

9.5 TCPとUDP

❏TCP（Transmission Control Protocol）

　コネクションを確立して確認応答やフロー制御などの機能を提供する，**コネクション型**のトランスポート層のプロトコルである。信頼性が要求される通信に多く用いられる。通信に先立ってTCPコネクションと呼ばれる論理的な通信路を確立し，通信終了時に解放する。コネクション確立のためにTCPヘッダーの**SYNフラグ**と**ACKフラグ**が用いられ，コネクション解放のために**FINフラグ**とACKフラグが用いられる。

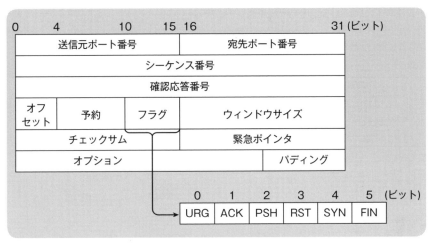

▶TCPのヘッダーフォーマット

TCPにおけるデータの伝送単位を**セグメント**という。

❑UDP（User Datagram Protocol）

エンドシステムのアプリケーション間で**コネクションレス型**の通信サービスを提供するデータ転送プロトコルである。通信に先立ってコネクションを確立しないため，信頼性を確保する機能を持たず，パケット（データグラム）の欠落などが生じてもそれを回復しない。しかし，プロトコルによるオーバーヘッドが軽減され，TCPと比較して高速な通信を実現することができる。

❑NAT（Network Address Translation） 問9

グローバルIPアドレスとプライベートIPアドレスを1対1に対応付けるIPアドレスの変換技術である。同時に通信できるホスト数はグローバルIPアドレス数が上限となる。

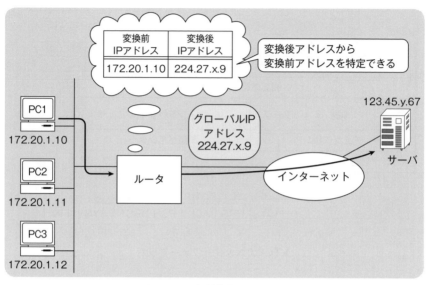

変換前IPアドレス | 変換後IPアドレス
172.20.1.10 | 224.27.x.9

変換後アドレスから変換前アドレスを特定できる

PC1
172.20.1.10

PC2
172.20.1.11

PC3
172.20.1.12

ルータ

グローバルIP
アドレス
224.27.x.9

インターネット

123.45.y.67

サーバ

▶NAT

<h2>9.6   DNS</h2>

❏ DNS（Domain Name System）

　ホストにつけられたドメイン名と呼ばれる名前（文字列）とIPアドレスを相互に変換（名前解決）するアプリケーションプロトコルである。DNSによって，利用者はIPアドレスを意識することなく，ドメイン名でインターネット上のコンピュータを利用することができる。

❏ DNSサーバとDNSクライアント

　DNSは，DNSサーバ（**ネームサーバ**）とDNSクライアント（**リゾルバ**）が連携して処理を行う。リゾルバの名前解決要求（問合せ）に応じてDNSサーバが検索し応答する。DNSサーバは，ドメインごとに少なくとも1台存在し，

- サブドメインを管理するDNSサーバのIPアドレス
- 自ドメインに属するホストのIPアドレス
- 最上位のDNSサーバのIPアドレス

といった情報（**ゾーン情報**）を管理する。最上位のDNSサーバを**ルートサーバ**といい，現在，世界には13台（クラスタ）のルートサーバが存在する。

9.7 WWW

❏ HTTP（Hypertext Transfer Protocol）

クライアントの資源（リソース）要求に基づいてWebサーバがリソースを送信するプロトコルである。リソースには，HTMLファイルだけでなく，画像ファイルや実行ファイル，音楽ファイルなども含まれる。また，受信したハイパーテキストの解析や表示（レンダリング）といった処理はアプリケーションプログラムであるブラウザが担当し，リンクされたオブジェクト（画像など）があれば，新たにHTTPによる要求を発行することになる。

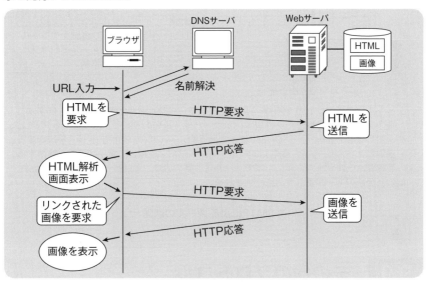

▶HTTPの通信

9.8 電子メール

❏ SMTP（Simple Mail Transfer Protocol） 問8 問10

電子メールの転送を実現するクライアントサーバ型のプロトコルである。メールサーバ間における電子メールの転送や，利用者（メールソフト）からの電子メール送信要求を処理する際に用いられる。利用者が送信した電子メールは，次のような手順で届けられる。

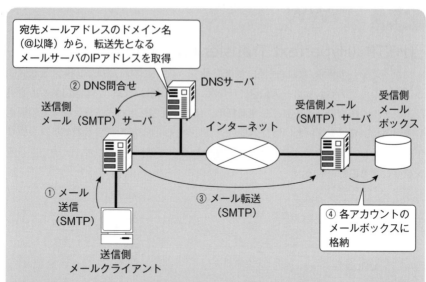

① メールクライアントが，SMTPを用いて送信側メールサーバに電子メールを送信する。
② 電子メールを受け取った送信側メールサーバは，宛先のドメイン名（メールアドレスの@より後ろの部分）から，DNSによって受信側メールサーバのIPアドレスを取得する。
③ 送信側メールサーバは，受信側メールサーバへSMTPを用いて電子メールを転送する。
④ 受信側メールサーバに届いた電子メールは，各アカウント（メールアドレスの@より前の部分）のメールボックスに配信される。

▶SMTPによるメールの送信

9.9 その他のプロトコル

❏ DHCP(Dynamic Host Configuration Protocol) － 問7 問8 問11

　IPアドレス，サブネットマスク，デフォルトゲートウェイ，DNSサーバといったネットワーク接続に必要な設定を自動化するプロトコルである。DHCPを利用することによって，管理者の設定負荷の軽減や設定情報の一元管理などが可能となる。DHCPでは，コンピュータが起動すると，ブロードキャストを用いて設定情報を要求する。要求を受け取ったDHCPサーバはコンピュータに設定情報を返す。

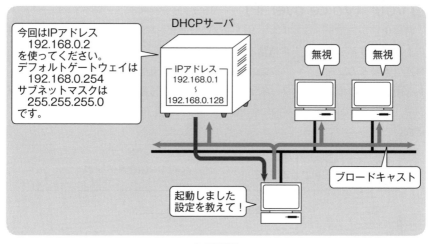

▶DHCP

❏ SNMP（Simple Network Management Protocol）

TCP/IPにおける通信機器（ルータやコンピュータなど）を管理するためのプロトコルである。管理する側を「**マネージャ**」，管理される側を「**エージェント**」といい，クライアントやサーバとはいわない。

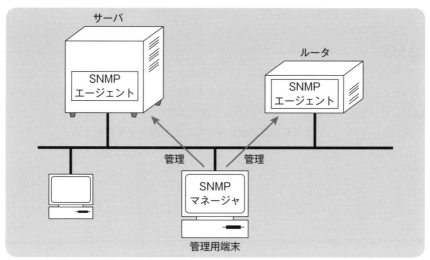

▶マネージャとエージェント

❏ VoIP（Voice over IP）

　符号化した音声データをIPネットワークで伝送する技術である。VoIPを用いて音声を送受信するシステムを**IP電話**といい，加入者回線（外線）にVoIPを利用した電気通信事業者のサービスも（狭義の）IP電話という。また，通信経路にインターネットを用いたものを特にインターネット電話ということもある。符号化された音声データは，RTP（Real-time Transport Protocol），UDP，IPによってカプセル化され，送受信される。

IP ヘッダー	UDP ヘッダー	RTP ヘッダー	ペイロード(音声データ)

▶VoIPのパケット

9.10 　無線通信

❏ LTE（Long Term Evolution）

　携帯電話の通信規格の一つである。３Ｇ（第三世代通信規格）の拡張規格であるため当初は3.9Ｇと呼ばれていたが，現在では４Ｇ（第四世代通信規格）に含めることが多い。３Ｇから通信の大幅な高速化と低遅延化を達成している。

❏ 5G

　携帯電話の第五世代通信規格を指す。4Gからさらに通信が高速化及び低遅延化している。また，IoT技術などによって急増する端末数に対応するため，同時接続数も増加している。長距離通信には不向きな高周波数帯を利用しているため，4Gに比べて同じエリアをカバーするために必要な基地局の数が多く必要である。

・・・・・・・・・・・・・・・・・・・・・ MEMO ・・・・・・・・・・・・・・・・・・・・・

問1 ☑□
□□
CSMA/CD方式のLANで使用されるスイッチングハブ（レイヤ2スイッチ）は，フレームの蓄積機能，速度変換機能や交換機能をもっている。このようなスイッチングハブと同等の機能をもち，同じプロトコル階層で動作する装置はどれか。　　　　　　　(H30F問11，H28S問11，H24S問12)

ア　ゲートウェイ　　　イ　ブリッジ　　　ウ　リピータ　　　エ　ルータ

問2 ☑□
□□
図のようなネットワーク構成のシステムにおいて，同じメッセージ長のデータをホストコンピュータとの間で送受信した場合のターンアラウンドタイムは，端末Aでは100ミリ秒，端末Bでは820ミリ秒であった。上り，下りのメッセージ長は同じ長さで，ホストコンピュータでの処理時間は端末A，端末Bのどちらから利用しても同じとするとき，端末Aからホストコンピュータへの片道の伝送時間は何ミリ秒か。ここで，ターンアラウンドタイムは，端末がデータを回線に送信し始めてから応答データを受信し終わるまでの時間とし，伝送時間は回線速度だけに依存するものとする。

(R2F問10，H27F問11)

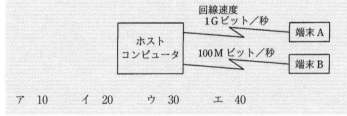

ア　10　　　イ　20　　　ウ　30　　　エ　40

答1　CSMA/CD方式 ▶ P.185　ブリッジ ▶ P.186　スイッチングハブ ▶ P.186 …… **イ**

スイッチングハブ（レイヤ2スイッチ）は，複数のLANをデータリンク層で接続する装置であり，ブリッジと同様の機能を実現する。スイッチングハブやブリッジにはバッファと呼ばれる記憶領域があり，受信したフレームをいったんバッファに格納し，適切な伝送路にデータを伝送する（フォワーディング）。この機能によって，伝送速度の異なるLANを相互に接続することが可能となる。

- ゲートウェイ…アプリケーション層までを含む全ての層で，ネットワークを相互に接続する装置。プロトコル変換や異機種間接続などが実現できる
- リピータ…複数のLANを物理層で接続する装置。電気信号の整形や増幅を行い，主に伝送路長の延長などに用いられる
- ルータ…ネットワーク層で，ネットワークを相互に接続する装置。ルーティング機能やフィルタリング機能を有し，エンドシステム間の通信を実現するために用いられる

答2　性能評価指標 ▶ P.88　伝送時間 ▶ P.189 …………………………………… **エ**

ターンアラウンドタイムは，ホストコンピュータによる処理時間と，往復の伝送時間（＝片道の伝送時間×2）の和として求められる。

両端末が扱うメッセージ長は同じなので，ホストコンピュータの処理時間は等しくなる。一方，回線速度は端末A側（1Gビット／秒）が端末B側（100Mビット／秒）の10倍なので，端末Bは端末Aに比べて10倍の伝送時間が必要である。ホストコンピュータによる処理時間をTH，端末Aとホストコンピュータの間での片道の伝送時間をTCとした場合，端末A，端末Bのターンアラウンドタイムについて次のような式が成り立つ。

端末A：TH＋2×TC＝100［ミリ秒］
端末B：TH＋20×TC＝820［ミリ秒］

ここで下の式から上の式を引くと，

18×TC＝720［ミリ秒］

となり，これを解いて

TC＝40［ミリ秒］

が得られる。

問3 ☑☐
☐☐
伝送速度30Mビット／秒の回線を使ってデータを連続送信したとき，平均して100秒に1回の1ビット誤りが発生した。この回線のビット誤り率は幾らか。 (H30S問11，㊹H27S問11)

ア 4.17×10^{-11} イ 3.33×10^{-10} ウ 4.17×10^{-5} エ 3.33×10^{-4}

問4 ☑☐
☐☐
サブネットマスクが255.255.252.0のとき，IPアドレス172.30.123.45のホストが属するサブネットワークのアドレスはどれか。

(R5F問10，H26F問11)

ア 172.30.3.0   イ 172.30.120.0   ウ 172.30.123.0   エ 172.30.252.0

問5 ☑☐
☐☐
IPv4ネットワークにおいて，あるホストが属するサブネットのブロードキャストアドレスを，そのホストのIPアドレスとサブネットマスクから計算する方法として，適切なものはどれか。ここで，論理和，論理積はビットごとの演算とする。 (R3F問11)

ア IPアドレスの各ビットを反転したものとサブネットマスクとの論理積を取る。
イ IPアドレスの各ビットを反転したものとサブネットマスクとの論理和を取る。
ウ サブネットマスクの各ビットを反転したものとIPアドレスとの論理積を取る。
エ サブネットマスクの各ビットを反転したものとIPアドレスとの論理和を取る。

答3 誤り率 ▶ P.189 ‥‥‥‥‥‥‥‥‥‥‥‥‥‥‥‥‥‥‥‥‥‥‥‥‥‥‥‥**イ**

　ビット誤り率は，単位時間内に送信したビット数のうち，誤りが発生したビットの割合であり，

　　　ビット誤り率＝誤りビット数÷送信ビット数

として求められる。

　単位時間を100秒として考えると，30Mビット／秒の回線を使って100秒間に送信したビット数は，

　　　$30 \times 10^6 \times 100 = 3 \times 10^9$ ビット

であり，誤っていたビット数は 1 なので，

　　　　$1 \div (3 \times 10^9) = 0.33 \cdots \times 10^{-9} = 3.33 \cdots \times 10^{-10}$

となる。

答4 IPアドレス ▶ P.190　ネットワークの分割 ▶ P.191 ‥‥‥‥‥‥‥‥‥‥‥**イ**

　サブネットマスクは，IPアドレスのうち，

　　　サブネットワークを表す部分　　→ 1

　　　ホストを表す部分　　　　　　　→ 0

を設定したものである。サブネットワークを求めるためには， 2 進数で表現したIPアドレスとサブネットマスクについて，ビットごとの論理積を求めればよい。

　　　IPアドレス：　　　　　10101100 00011110 01111011 00101101

　　　サブネットマスク：11111111 11111111 11111100 00000000

　　　結果（論理積）：　　　10101100 00011110 01111000 00000000

　結果として得られた32ビットを， 8 ビットごとに区切って10進数で表記すると，172.30.120.0が得られる。

答5 IPアドレス ▶ P.190　ブロードキャストアドレス ▶ P.191
　　　ネットワークの分割 ▶ P.191 ‥‥‥‥‥‥‥‥‥‥‥‥‥‥‥‥‥‥‥‥‥‥**エ**

　IPv4アドレスのブロードキャストアドレスを計算するためには，ホストのIPアドレスをもとに

　　　ネットワークアドレス部はそのままにする

　　　ホストアドレス部は強制的に全ビット 1 にする

という処理を行えばよい。論理和（OR）演算は，0 と演算する場合は必ずもとの内容が残り，1 と演算する場合は必ず結果が 1 となるので，

　　　ネットワークアドレス部に該当する部分は 0

　　　ホストアドレス部に該当する部分は 1

と設定したビット列と論理和演算を行えば，ブロードキャストアドレスが得られる。このビット列は，ちょうどサブネットマスク（ネットワークアドレス部に 1，ホストアドレス部に 0 を設定したビット列）の各ビットを反転したものである。

問6 ☑☐ ☐☐ IPv6において，拡張ヘッダを利用することによって実現できるセキュリティ機能はどれか。 (H28F問12)

ア　URLフィルタリング機能　　イ　暗号化機能

ウ　ウイルス検疫機能　　　　　エ　情報漏えい検知機能

問7 ☑☐ ☐☐ TCP/IPネットワークにおけるARPの説明として，適切なものはどれか。 (R3F問10，H28F問11，H24S問13)

ア　IPアドレスからMACアドレスを得るプロトコルである。

イ　IPネットワークにおける誤り制御のためのプロトコルである。

ウ　ゲートウェイ間のホップ数によって経路を制御するプロトコルである。

エ　端末に対して動的にIPアドレスを割り当てるためのプロトコルである。

問8 ☑☐ ☐☐ IPv4ネットワークにおけるマルチキャストの使用例に関する記述として，適切なものはどれか。 (R5F問11)

ア　LANに初めて接続するPCが，DHCPプロトコルを使用して，自分自身に割り当てられるIPアドレスを取得する際に使用する。

イ　ネットワーク機器が，ARPプロトコルを使用して，宛先IPアドレスからMACアドレスを得るためのリクエストを送信する際に使用する。

ウ　メーリングリストの利用者が，SMTPプロトコルを使用して，メンバー全員に対し，同一内容の電子メールを一斉送信する際に使用する。

エ　ルータがRIP-2プロトコルを使用して，隣接するルータのグループに，経路の更新情報を送信する際に使用する。

答6 IPv6 ▶ P.191 ·· **イ**

IPv6は，IPの拡張機能として策定されたセキュリティプロトコルのIPsecが標準装備となっている。具体的には，暗号化ペイロード（ESP：Encapsulating Security Payload）や認証ヘッダー（AH：Authentication Header）を拡張ヘッダーとして設定することによって，パケットを暗号化したり，送信元を認証したりすることが可能になる。

答7 ARP ▶ P.193　DHCP ▶ P.198 ··· **ア**

ARP（Address Resolution Protocol）は，ホストやルータがIPアドレスからMACアドレスを取得するときに使用するアドレス解決プロトコルである。ARPリクエストパケットをブロードキャストして，同一ネットワーク内の機器からのARPレスポンスパケットを受信し，あて先MACアドレスを取得する。

　イ　IP自体はコネクションレス型であり，誤り制御は行わない。データの誤り制御は，
　　　TCPなどの上位レイヤプロトコルに任せることになる。
　ウ　RIP（Routing Information Protocol）の説明である。
　エ　DHCP（Dynamic Host Configuration Protocol）の説明である。

答8 IPアドレス ▶ P.190　ARP ▶ P.193　SMTP ▶ P.197　DHCP ▶ P.198 ······· **エ**

マルチキャストは，同一セグメント内で特定のノードを複数指定し，それらのノードだけに対して同時にデータを送信する仕組みである。

RIP（Routing Information Protocol）は，ホップ数を基準に最適経路を選択するディスタンスベクタ型のルーティングプロトコルである。経路の更新情報を他ルータに通知する際に，バージョン1ではブロードキャストが採用されていたが，バージョン2（RIP-2）ではマルチキャストが採用されている。

　ア，イ　ブロードキャストの使用例である。
　ウ　メーリングリストの一斉送信はメールサーバやアプリケーションの機能によって実現
　　　しており，マルチキャストやブロードキャストの使用例には該当しない。

問9 ☑□ TCP，UDPのポート番号を識別し，プライベートIPアドレスとグ
□□ ローバルIPアドレスとの対応関係を管理することによって，プライベート
IPアドレスを使用するLAN上の複数の端末が，一つのグローバルIPアドレ
スを共有してインターネットにアクセスする仕組みはどれか。 (R2F問11)

ア　IPスプーフィング　　　イ　IPマルチキャスト

ウ　NAPT　　　　　　　　エ　NTP

問10 ☑□ 自社の中継用メールサーバで，接続元IPアドレス，電子メールの送信
□□ 者のメールアドレスのドメイン名，及び電子メールの受信者のメールア
ドレスのドメイン名から成るログを取得するとき，外部ネットワークからの
第三者中継と判断できるログはどれか。ここで，AAA.168.1.5とAAA.168.1.10
は自社のグローバルIPアドレスとし，BBB.45.67.89とBBB.45.67.90は社外の
グローバルIPアドレスとする。a.b.cは自社のドメイン名とし，a.b.dとa.b.eは
他社のドメイン名とする。また，IPアドレスとドメイン名は詐称されていな
いものとする。 (R5F問13)

	接続元 IP アドレス	電子メールの送信者の メールアドレスの ドメイン名	電子メールの受信者の メールアドレスの ドメイン名
ア	AAA.168.1.5	a.b.c	a.b.d
イ	AAA.168.1.10	a.b.c	a.b.c
ウ	BBB.45.67.89	a.b.d	a.b.e
エ	BBB.45.67.90	a.b.d	a.b.c

答9　NAT ▶ P.195 ··· **ウ**

　インターネットにアクセスする端末には，グローバルIPアドレスと呼ばれるアドレスが必要である。しかし，グローバルIPアドレスの数には限りがあり，組織内の全端末にグローバルIPアドレスを割り当てることは現実的ではない。このため，プライベートIPアドレスを使用する複数の端末で，一つのグローバルIPアドレスを共用する機能が用いられる。このような機能を，NAPT（IPマスカレード）と呼ぶ。

> ・IPスプーフィング…送信元のIPアドレスを偽装したパケットを作成すること，及びそのような技術を用いた侵入の手法
> ・IPマルチキャスト…複数の相手に同じデータを送信すること。通信経路上のルータがマルチキャストに対応していれば，あて先に応じて自動的にデータを複製して送信するため，複数回にわたり同一データを送信することなく，効率の良いデータ送信を可能にする
> ・NTP（Network Time Protocol）…ホストの時刻を同期させるためのプロトコル

答10　IPアドレス ▶ P.190　SMTP ▶ P.197 ································· **ウ**

　第三者中継とは，ある組織のメールサーバが

　　　　組織外の第三者 → メールサーバ → 別の第三者

というように，本来は転送する必要のないメールを中継することである。第三者中継を許可しているメールサーバは，スパムメールの踏み台などに悪用されるおそれがある。

　第三者中継の対象となるメールは，送信元と宛先の両方が組織外ドメインとなる。本問の場合，第三者中継に該当するメールは，

　　　　接続元IPアドレス：社外のグローバルIPアドレス
　　　　送信者のドメイン名：他社のドメイン名
　　　　受信者のドメイン名：他社のドメイン名

となる。よって，"ウ"が該当する。

　　ア　自社内から他社へのメールと判断できる。
　　イ　自社内でのメールと判断できる。
　　エ　他社から自社内へのメールと判断できる。

問11 ☑☐
☐☐
IPアドレスの自動設定をするためにDHCPサーバが設置されたLAN環境の説明のうち，適切なものはどれか。 (R4F問11)

ア　DHCPによる自動設定を行うPCでは，IPアドレスは自動設定できるが，サブネットマスクやデフォルトゲートウェイアドレスは自動設定できない。

イ　DHCPによる自動設定を行うPCと，IPアドレスが固定のPCを混在させることはできない。

ウ　DHCPによる自動設定を行うPCに，DHCPサーバのアドレスを設定しておく必要はない。

エ　一度IPアドレスを割り当てられたPCは，その後電源が切られた期間があっても必ず同じIPアドレスを割り当てられる。

答11 DHCP ▶ P.198 ……………………………………………………… **ウ**

　DHCP（Dynamic Host Configuration Protocol）は，IPアドレスなどの設定を動的に割り当てるプロトコルである。各クライアントPCが割当てを要求する場合，まずブロードキャスト（同報）の仕組みを用いて要求を行い，DHCPサーバがそれに反応・返答することで通信が進行する。したがって，PCには「DHCPを使用する」ことだけ設定しておけばよく，DHCPサーバのアドレスを設定しておく必要はない。

10　セキュリティ

知識編

10.1　セキュリティの基礎

❏ 情報セキュリティポリシーの階層モデル

　情報セキュリティポリシーは，階層構造で考えることが多い。階層構造にはいくつかのモデルがあり，その一つとして2階層ポリシーモデルがある。

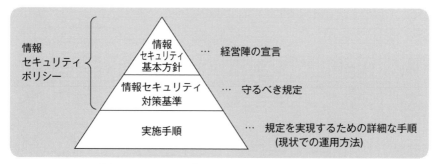

▶情報セキュリティポリシーの2階層ポリシーモデル

❏ 情報セキュリティの用語　　　　　　　　　　　　　　　　　　問1

　JIS Q 27000では情報セキュリティについて，「**真正性，責任追跡性，否認防止，信頼性**などの特性を維持することを含めることもある」と規定されている。これらの用語は，次のような意味を持つ。なお，ここでのエンティティ（実体）とは，情報を扱う組織，人，設備，ソフトウェアなどが該当する。

▶情報セキュリティの各用語

特性	意味
真正性	エンティティは，それが主張するとおりのものであるという特性
責任追跡性	あるエンティティの動作が，その動作から動作主のエンティティまで一意に追跡できることを確実にする特性
否認防止	主張された事象又は処置の発生，及びそれを引き起こしたエンティティを証明する能力
信頼性	意図する行動と結果とが一貫しているという特性

❏ リスク分析手法とリスク評価

　資産目録に基づいて，事業上の損害，脅威，脆弱性を評価する。リスク分析の手法には，定性的リスク分析と定量的リスク分析がある。

● 定量的リスク分析手法

　識別された資産価値，脅威，脆弱性を評価したうえで，金額などの絶対的な指標を用いてリスク値を評価する。例えば，

　　　年間予想損失額＝予想損失額（円／回）×発生確率（回数／年）

のように，年間予想損失額でリスク値を表す。

● 定性的リスク分析手法

　過去のデータが十分にそろっていないなど，絶対的な評価が難しい場合に有効である。資産価値，脅威，脆弱性を価値や発生確率，管理策の実施度合いなどに基づいて，点数あるいは「高」「中」「低」などの相対的な指標で評価する。そして，これらの指標を用いて，例えば，

　　　リスク値＝資産価値×脅威×脆弱性

のように，リスク値を算出する。この場合，資産価値が1〜5，脅威が1〜3，脆弱性が1〜3の点数で評価されるのであれば，リスク値は1〜45で評価されることになる。算出されたリスク値は，経営陣によって承認されたリスク評価基準（受容可能なリスクの水準）と比較し，受容できる範囲内にないリスクについて対応を検討する。

❏ リスク対応　　　　　　　　　　　　　　　　　問2

　JIS Q 27001では，リスク対応とは「リスクを変更させるための方策を選択及び実施するプロセス」と定義されている。リスクを変更させるための方策は，リスクが顕在化する確率や顕在化したときの損害を最小限に抑えるリスクコントロールと，リスクが顕在化した場合の資金的な対策を行うリスクファイナンスに大別される。具体的には，次のようなものがある。

▶リスクを変更させるための方策

方策	内容	例
リスク低減	適切な管理策(コントロール)を採用することにより，リスクが顕在化する可能性やリスクが顕在化した場合の影響度を低減する。	セキュリティ技術の導入，入口の施錠，スプリンクラーの設置など
リスク回避	リスクと資産価値を比較した結果，コストに見合う利益が得られない場合などに，資産ごと回避する。	業務の廃止，資産の廃棄など
リスク移転	資産の運用やセキュリティ対策の委託，情報化保険など，リスクを他者に移転する。	ハウジングサービスの利用，情報化保険の加入など
リスク受容	識別されており，受容可能なリスクを意識的，客観的に受容する。リスクが顕在化したときは，その損害を受け入れる。	会社が損失額を負担するなど

　最もよく用いられるリスク低減では，適用後のリスク値は受容できる範囲内に収まることが前提となり，残留リスクとして受容される。

❏ 共通鍵暗号方式 —————————————— 問4 問5 問7

　暗号化と復号に同じ鍵を用いる暗号方式で，**秘密鍵暗号方式**，**対称鍵暗号方式**などとも呼ばれる。共通鍵暗号方式では，任意のビット列を共通鍵とし，通信を行う送信者と受信者で共有する。共通鍵を用いてビットの入替えや排他的論理和の演算などを繰り返し，暗号化と復号を行う。代表的な共通鍵暗号規格として，56ビットの共通鍵を用いるブロック暗号の**DES**（Data Encryption Standard），DESの後継規格である**AES**（AdvancedEncryption Standard），ストリーム暗号の**RC**（RC4，RC5，RC6など）などがある。暗号化の対象となるデータを一定長のブロックに区切り，ブロック単位に暗号化する方式を**ブロック暗号**といい，ビット単位あるいはバイト単位に暗号化する方式を**ストリーム暗号**という。

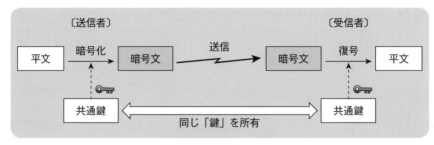

▶共通鍵暗号方式の概念

　共通鍵暗号方式は，暗号化や復号に要する処理時間が短い。このため，大量のデータを暗号化する用途に適している。しかし，共通鍵をネットワークを用いて通信相手に配送する場合，盗聴されるリスクがある。また，通信相手ごとに共通鍵を用意する必要があるため，システム内でn人の利用者が相互に通信を行う場合，各利用者は（n－1）個の鍵を管理しなければならず，システム内に存在する鍵の種類は$\frac{n(n-1)}{2}$個となる。したがって，利用者が多くなるほど鍵の種類が増え，鍵の管理が煩雑になる。

❑ 公開鍵暗号方式 ──────────── 問4 問6 問7

　対となる二つの鍵（鍵ペア）を利用する暗号方式で，鍵ペアには，

- ●一方の鍵で暗号化したデータは，対となる鍵でなければ復号できない。
- ●一方の鍵から，もう一方の鍵を推測できない。

という特徴がある。このため，一方の鍵を**秘密鍵**（Private Key）として他者に知られないように厳重に管理すれば，もう一方の鍵は**公開鍵**（Public Key）として配布しても問題がない。この鍵ペアを用いて，受信者だけが暗号文を復号できるようにするには，受信者が秘密鍵を持ち，送信者は受信者の秘密鍵と対となる受信者の公開鍵で暗号化を行えばよい。公開鍵暗号規格の代表的なものには，素因数分解の複雑さを利用した**RSA**，**離散対数暗号**，**楕円曲線暗号**などがある。

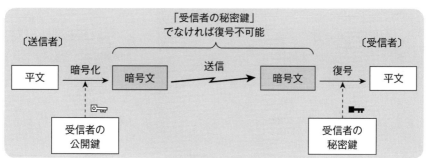

▶**公開鍵暗号方式の概念**

　公開鍵暗号方式では，共通鍵暗号方式の課題であった鍵の盗聴リスクがない。また，一つの公開鍵で複数の通信相手との通信が可能であるため，システム内でn人の利用者が相互に通信を行う場合，各利用者は二つの鍵（秘密鍵と公開鍵）だけを管理すればよく，システム内に存在する鍵の種類は，2n個となる。このような特徴から，公開鍵暗号方式は，不特定多数との通信に適している。しかし，暗号化や復号に要する処理時間が長いため，大量のデータを暗号化する用途には適さない。

❏ セッション鍵暗号方式 ──────────────────── 問7

　共通鍵暗号方式と公開鍵暗号方式は，次のような相反する特徴を持つ。

▶公開鍵暗号方式と共通鍵暗号方式の特徴

	処理時間	鍵の安全な配送
公開鍵暗号方式	長い	容易
共通鍵暗号方式	短い	困難

　共通鍵暗号方式と公開鍵暗号方式を組み合わせた方式をセッション鍵暗号方式（**ハイブリッド暗号方式**）という。処理時間の短い共通鍵暗号方式をデータの暗号化に，鍵の配送が安全な公開鍵暗号方式を共通鍵の暗号化に用いる。共通鍵は，その通信（セッション）のみで有効なものとして使い捨ててしまうため**セッション鍵**とも呼ばれる。セッション鍵暗号方式の処理は次のような流れになる。

①通信に先立ち，送信者側が「使い捨て」の共通鍵を生成する。

②送信者側は共通鍵を「受信者側の公開鍵」を用いて暗号化し，受信者側に送信する。

③受信者側が暗号化された共通鍵を受け取り，自身の秘密鍵で復号して共通鍵を得る。

④以降，その共通鍵を用いてメッセージをやりとりする。

⑤通信が終了したら，双方で共通鍵を廃棄する。

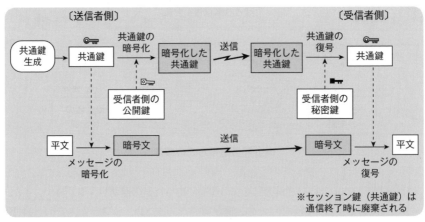

▶セッション鍵暗号方式

❏ パスワード認証 ――――――――――――――――――――― 問10

ユーザーIDなどの識別符号と本人しか知り得ない情報（文字列）であるパスワードをシステムに登録し，ユーザーが入力したパスワードと登録されたパスワードを比較して本人を認証する方法である。パスワードが一致するだけで本人と認証されることから，パスワードの管理には次のような注意が必要である。

- ●パスワードを他人に教えない。
- ●パスワードを紙に記録して保管しない。
- ●極端に短いパスワードは使用しない。
- ●「良質な」パスワードを使用する。
- ●パスワードは定期的に変更し，使い回さない。
- ●初回アクセス用に仮のパスワードを発行し，利用者が変更する。
- ●パスワードを共有しない。

なお，「良質な」パスワードとは，次のようなものである。

- ●覚えやすい。
- ●利用者情報（氏名，電話番号，誕生日など）とは無関係で，推測が難しい。
- ●アルファベットの大文字・小文字，数字などが混在している。
- ●同じ文字を繰り返していない。
- ●辞書に掲載されているような単語ではない。

❏ バイオメトリクス認証（生体認証）――――――――― 問12 問13

指紋，静脈パターン，虹彩，声紋，顔（顔面），網膜といった身体的特徴によって本人を確認する技術である。忘却や紛失によって認証できなくなることがない反面，経年変化や外的要因（外傷，健康状態など）によって認証できなくなる可能性がある。しかし，本人であるにも関わらず拒否される確率（**本人拒否率**）を低くするために基準を緩くすると，他人が本人と誤認識される確率（**他人受入率**）が高くなる。このため，パスワードや所有物などによる認証と組み合わせて利用することが多い。

❏ 所有物を用いた認証 ―――――――――――――――――― 問13

磁気カードやICカード，USBトークン（認証を補助する装置）などの所有物を用いた認証方式である。建物への入退室管理やシステムの利用などに多く利用されている。所有物を手に入れた人間によって不正にアクセスされるおそれがあるので，紛失や盗難には十分に留意する必要がある。

❏ 多要素認証

　複数の異なる認証方式を組み合わせて行う認証である。二つの認証方式を組み合わせたものを二要素認証という。具体的には，セキュリティトークンとパスワードを組み合わせる，ICカードと暗証番号（PIN：Personal Identification Number）を組み合わせる，などが該当する。

❏ チャレンジレスポンス方式 ───────────── 問14

　ソフトウェアによってワンタイムパスワードを実現する方式の一つである。チャレンジレスポンス方式では，次のように認証を行う。

①　認証サーバが**チャレンジ**（要求文字列）を生成してクライアントに送る。

②　クライアントはハッシュ関数などを用いて，チャレンジとパスワードから**レスポンス**（応答文字列）を生成して認証サーバに送る。

③　認証サーバも生成したチャレンジと登録されているパスワードからレスポンスを生成する。

④　認証サーバは，生成したレスポンスとクライアントから送られてきたレスポンスと比較し，両者が一致すれば認証に成功する。

　チャレンジレスポンス方式では，パスワードそのものがネットワークを流れない（ゼロ知識証明という）ため，安全性に優れる。

　なお，ポイントツーポイント接続を行うPPPでは，パスワードを平文で送る認証プロトコルのPAP（Password Authentication Protocol ）に加え，チャレンジレスポンスによる認証プロトコルであるCHAP（Challenge Handshake Authentication Protocol）を利用できる。

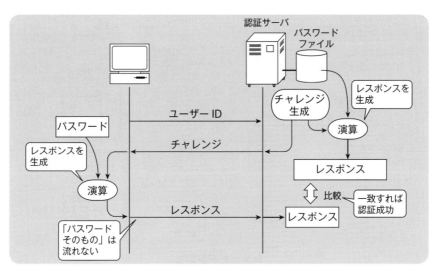

▶チャレンジレスポンス

❏ メッセージ認証

　ハッシュ関数を利用して改ざんを検査することによって，メッセージ（データ）の完全性を保証する技術である。ハッシュ関数は，次のような特徴を持つ。

- どのような入力値でも出力値のサイズは同じである。
- 出力値から入力値を求めることが困難である。
- 入力値が少しでも異なれば，出力値は大きく異なる。
- 異なる入力値から同じ出力値を得ることが困難である（シノニムが発生しにくい）。

　ハッシュ関数の出力値となるビット列をハッシュ値又はを**メッセージダイジェスト**という。ハッシュ関数の特徴から，ハッシュ値が同じであれば元のデータも同じであり，ハッシュ値が異なれば元のデータは異なると判断できる。

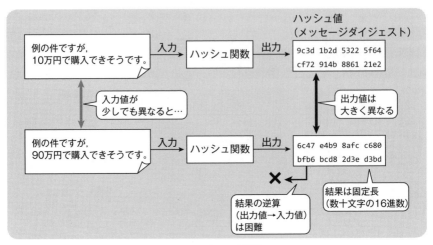

▶メッセージ認証

❏ パスワードの解析手法 ━━━━━━━━━━━━━━ 問11

パスワードを解析する手法として，辞書に載っている単語を試行する辞書攻撃，全ての文字を組み合わせて試行する総当たり攻撃（**ブルートフォース攻撃**）などがある。意味のある単語や短いパスワードは，解析される可能性が高く危険である。対策としては，良質なパスワードを用いることであるが，一定回数パスワード認証に失敗したユーザー IDは，一定期間使用できなくする機能が有効である。

❏ デジタル署名 ━━━━━━━━━━━━━ 問4 問15 問16

データの正当性を保証するための情報（データ）であり，データの作成者を証明し，データが改ざんされていないことを保証するものである。電子署名法（電子署名及び認証業務に関する法律）において，現実世界の署名と同様の効力を持つことが定められている。

デジタル署名は公開鍵暗号方式を用いて実現する。

① 送信者は，送信するデータのメッセージダイジェスト（ダイジェスト1）を生成する。

② 送信者は，送信者の秘密鍵を用いてダイジェスト1を暗号化する。これがデジタル署名となる。

③ デジタル署名をデータに付加して受信者に送信する。

④ 受信者は，受信したデータに付加されているデジタル署名（暗号化されたダイジ

ェスト1）を，送信者の公開鍵を用いて復号し，ダイジェスト1を得る。

⑤　受信者は,受信したデータからメッセージダイジェスト(ダイジェスト2)を生成する。

⑥　受信者は,ダイジェスト1とダイジェスト2を比較する。両者が一致していれば，
データは送信者本人が送信し，かつ，改ざんされていないことが証明できる。

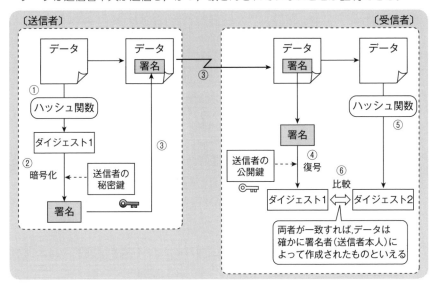

▶デジタル署名

　送信者の公開鍵で復号できるということは，送信者の秘密鍵で暗号化されたことを
裏付ける。これによって,**メッセージ認証**（データの完全性）と**エンティティ認証**（送
信者の真正性）が同時に実現でき，否認防止にも有効である。ただし，データの秘匿
目的には使用できない。

❏ PKI（Public Key Infrastructure） 〔問9〕

　公開鍵基盤のことである。**認証局**（**CA**：Certificate Authority）と呼ばれる第三
者機関が**デジタル証明書**を発行することによって，「この鍵は間違いなくXさんの公
開鍵である」という公開鍵の正当性を証明する技術である。PKIは公開鍵の正当性を
保証するための基盤（インフラ）を提供する手段にすぎないため，PKIを用いたシス
テム（アプリケーション）を利用しなければならない。PKIを用いたアプリケーショ
ンプロトコルとして，SSL（Secure Socket Layer）やS/MIME（Secure MIME），
インターネット経由でクレジットカード決済を行う仕組みのSET（Secure

ElectronicTransaction）などがある。

　PKIでは，受け取ったデジタル証明書が，間違いなくCAによって発行されたデジタル証明書であると判断できれば，デジタル証明書に含まれている公開鍵を正当なものとして認める。デジタル証明書の発行から検証までの流れは次のようになる。

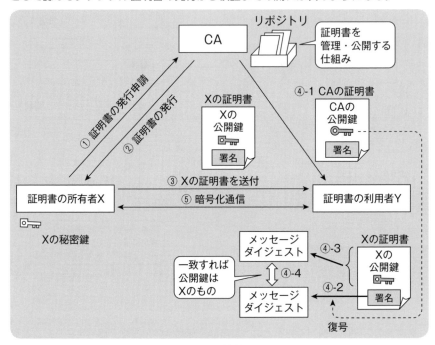

▶PKIの仕組み

①　所有者XがCAに対してデジタル証明書の発行を申請する。

②　CAはXにデジタル証明書を発行する。

③　Xと信頼のおける通信を行いたい利用者Yは，Xのデジタル証明書を入手する。

④　Yは，次の手順でXのデジタル証明書を検証する。

④-1　Xのデジタル証明書に含まれているCAのデジタル署名を検証するために，CAのデジタル証明書を入手する。

④-2　CAのデジタル証明書に含まれているCAの公開鍵を用いて，CAのデジタル署名を復号し，メッセージダイジェストを得る。

④-3　Xのデジタル証明書からメッセージダイジェストを生成する。

④-4　④-2で復号したメッセージダイジェストと④-3で得たメッセージダイジェスト

を比較する。一致すれば，Xのデジタル証明書に含まれている公開鍵がXのもので
あることが証明できる。
⑤　Yは，Xのデジタル証明書に含まれているXの公開鍵を用いて，暗号化通信を行う。
　なお，③におけるデジタル証明書の入手方法には，次のようなものがある。

- フロッピーディスクや電子メールなどで相手から入手する。
- 通信に先立ち，通信に用いるプロトコル（SSLやS/MIMEなど）を用いて
  相手から入手する。
- リポジトリを検索して入手する。

リポジトリとは，デジタル証明書やCRL（Certificate Revocation List：証明書失
効リスト）を集中管理し，公開する仕組みであり，ディレクトリサーバ（LDAPや
X.500のサーバ）が利用されることが多い。CRLは，デジタル証明書の誤発行や秘密
鍵の漏洩といった事由によって効力を失った，信頼できないデジタル証明書のリスト
である。

10.2　セキュリティの技術

❏ソーシャルエンジニアリング ———————————— 問11

　技術的な技法を用いないで不正に情報を入手する手口の総称で，人間の不注意や誤
認などを利用している。

- **スキャベンジング**…ごみ箱などの廃棄物の中から情報を入手する手口。トラッシングともいう。
- **ショルダーハッキング**…ディスプレイに向かっている利用者の肩越しに情報を盗み見る手口。
- 詐欺行為…電話や電子メールなどで顧客や組織の上層部，管理者などになりすまし，情報を入手する手口。

　ソーシャルエンジニアリングに対しては，重要書類はシュレッダーにかけて廃棄す
る，記憶媒体は破壊して廃棄する，重要書類や記憶媒体はキャビネットや引出しに保
管し施錠する，クリアデスク・クリアスクリーン方針を徹底するといった，情報セキ
ュリティポリシーに基づいた適切な行動が重要である。

❏ マルウェア

マルウェアは，悪意を持って作成された不正なプログラムを指す。以前は**コンピュータウイルス**とも呼ばれていた。

▶マルウェアの種類と特徴

種類	特徴
マクロウイルス	ワープロや表計算といったアプリケーションのマクロ機能を利用し，データファイルに感染する不正プログラム。データファイル経由で感染するため，実行されるプラットフォームには依存しない。
ワーム	単体での動作が可能であり，システム上で自身を複製し，自己増殖する機能を持つ不正プログラム。現在では，OSやアプリケーションの脆弱性を利用してネットワークを介して増殖を繰り返すものが多い。
トロイの木馬	単体での動作が可能であり，有用なプログラム（ユーティリティやゲームなど）を装って実行されるのを待つ不正プログラム。
スパイウェア	ユーザーの行動履歴や個人情報を収集するプログラム。有用なプログラムの一機能として含まれる場合もあり，利用許諾にて個人情報の収集を明示している場合は，不正プログラムとはみなされない場合もある。
ボット	他のコンピュータを遠隔操作することを目的とした不正プログラム。ボットに感染したコンピュータは攻撃指示用のコンピュータと通信を行い，攻撃者の指示に従って動作することによって踏み台として利用される。
ランサムウェア	システムのハードディスクドライブを暗号化するなど，システムを使用を不可能あるいは制限し，利用者に身代金を支払うよう促すメッセージを表示する不正プログラム。
ダウンローダ	別の不正プログラムなどをダウンロードすることによって自身の変化や機能拡張などを行う不正プログラム。

❏ クラッキング

情報システムへの侵入，情報の不正な閲覧・改ざん・破壊，ソフトウェアの改変，システムの破壊，資源の不正利用といった不正行為の総称である。クラッキングは次のようにして行われる。

①侵入対象となるサーバの調査

最初に，侵入対象となるサーバのIPアドレスやポート番号（提供しているサービス）を調査する。この行為を**ポートスキャン**という。この結果，侵入に利用できるサービスがあればそのサービスを提供するプログラムの種類やバージョンを調査し，既知の脆弱性を探す。

②管理者権限の奪取

サーバの調査が終了すると，管理者（rootなど）権限を取得するための攻撃を行う。

一般的には，攻撃ツール（侵入を目的としたプログラム）が用いられることが多く，これらのツールはOSやサーバプログラムなどの既知の脆弱性を利用するものが多い。

③システムの不正利用

　　管理者権限を奪取すると，その管理者権限を用いてシステムに侵入し，情報の不正な閲覧・改ざん・破壊，ソフトウェアの改変，システムの破壊，資源の不正利用（踏み台など）といった不正行為を行う。

④証拠の隠滅

　　不正行為の最後に，ログの消去，改ざんといった証拠の隠滅を行う。さらに，次回の侵入に備えて，バックドア（侵入経路を提供するためのプログラム）の設置などを行うこともある。

☐ ゼロデイ攻撃

　脆弱性が発見されてから**セキュリティパッチ**が提供されるまでの間に攻撃する手法や，ベンダーも知らない未知の脆弱性を発見して攻撃する手法である。ゼロデイ攻撃を防御することは困難であるため，ベンダーが一時的な回避策を提示していれば，回避策の導入を検討する。

☐ ガンブラー

　Webサイトの改ざんとウイルスを組み合わせ，Webサイトを閲覧した不特定多数のコンピュータをウイルスに感染させる手法の総称である。正規のWebサイトを改ざんして攻撃用サイトに誘導し，OSやアプリケーションソフトの脆弱性を突いて攻撃するようなウイルス（攻撃コード）をダウンロードさせる。閲覧者のコンピュータに脆弱性が存在すれば，そのコンピュータはウイルスの侵入を許してしまい，ウイルスに感染する。このようなWebサイトを閲覧しただけでウイルスに感染するような手法をドライブバイダウンロードという。

☐ パケットフィルタリング型ファイアウォール

　パケットに含まれるIPアドレスとポート番号を**フィルタリングテーブル**と照合し，要求パケットと応答パケットの通過（フォワーディング）や遮断（フィルタリング）を判断してアクセス制御を行う。例えば，「内部のWebサーバへのHTTP通信のみを許可」する場合，内部のWebサーバへのHTTP要求と，内部のWebサーバからのHTTP応答のみを許可すればよい。WebサーバのIPアドレスが123.45.67.89とすると，次のようなイメージとなる。通常，HTTPのポート番号は80番である。

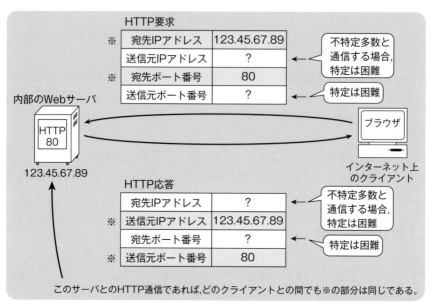

▶HTTP通信におけるヘッダー情報

これをフィルタリングテーブルにルールとして設定すると，次のようになる。

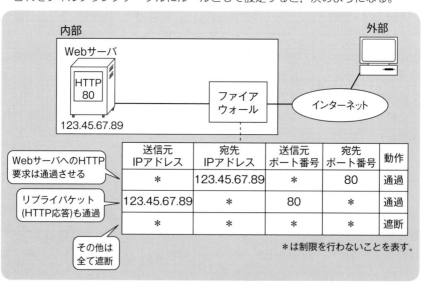

▶フィルタリングテーブルの設定例

フィルタリングテーブルは上の行から順番に検査し，条件に合致する行が見つかった時点で対応する動作を行う。フィルタリングテーブルのことを**アクセス制御リスト**（ACL：Access Control List）ともいう。

❏ アプリケーションゲートウェイ

プロキシサーバの機能を利用したファイアウォールである。クライアントから通信要求を受けると，それが許可された通信であれば，通信を代替することによってアクセス制御を行う。

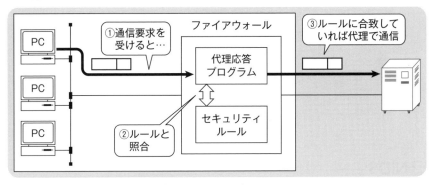

▶アプリケーションゲートウェイ

アプリケーション層の情報を参照・解析してアクセス制御を行うことができるため，HTTPのパケットに含まれるURLを検査して特定のURLへの接続を禁止する，特定のコマンド（操作）を禁止する，といったパケットフィルタリングでは不可能な制御が可能である。

❏ IDS（侵入検知システム）

ネットワークを流れるパケットやサーバに対するアクセスなどを監視し，不正と疑われるアクセスを検出した場合に管理者に警告を発する仕組みである。IDSは，監視対象によって，**NIDS**（ネットワーク型IDS）と**HIDS**（ホスト型IDS）に大別される。用途に適したIDSを導入するが，必要に応じて両者を組み合わせて導入することもある。

また，正常アクセスを不正アクセスとみなすフォールスポジティブ（偽陽性），不正アクセスを正常アクセスとみなすフォールスネガティブ（偽陰性），といった誤りが発生する可能性がある。

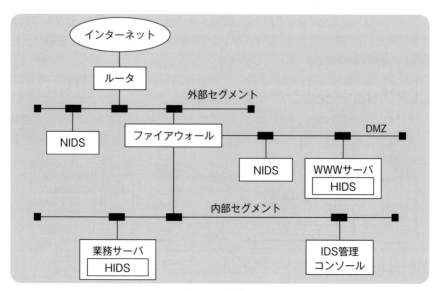

▶IDSの配置

❏NIDS

　ネットワークを流れるパケットが監視対象である。設置場所はネットワーク回線上であるが，監視する攻撃によって設置場所が異なる。

▶IDSの設置場所と監視対象の例

IDSの設置場所	監視対象
ファイアウォールの外側	ファイアウォールがブロックする攻撃を含んだ全ての攻撃
ファイアウォールの内側	内部の利用者が行う攻撃
DMZ	ファイアウォールを通過した，公開サーバをターゲットとした攻撃

　パケットをリアルタイムで受信・解析・記録するために高い性能が要求される。そのため，監視する攻撃の絞込みや設置場所の検討が重要になる。

❏HIDS

　ホストが受信したパケットやホストに対する操作などが監視対象である。監視対象のホストにインストールする。ログの内容，ファイルの変更，システムコールなどに基づいた制御や暗号化通信への対応も可能である。ホストの負荷が高くなる可能性も

ある。

❏ ペネトレーションテスト —————————————— 問17

ファイアウォールやIDSといったセキュリティシステムに対して行う，弱点の発見や実際に機能するかの確認を目的とした擬似侵入テストである。

10.3 インターネットセキュリティ

❏ TLS (Transport Layer Security) /SSL (Secure Sockets Layer) —————————— 問18 問19 問20

TCP/IPモデルにおけるアプリケーション層とトランスポート層の間に位置し，アプリケーションプロトコルに対して次のような機能を提供するセキュリティプロトコルである。

- サーバ認証とクライアント認証…サーバ又はクライアントが提示する証明書を検証し，通信相手を認証する。どちらか一方の認証も可能であり，Webにおいてはサーバの認証が行われることが多い。
- 暗号化…アプリケーションプロトコルのデータを暗号化する。
- メッセージ認証…メッセージ認証符号を用いて，改ざんを検出する。

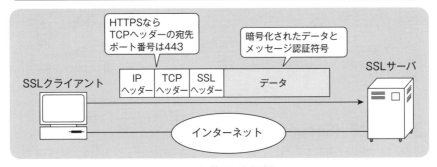

▶SSLを利用した通信

SSLはトランスポート層にTCPを用いる様々なアプリケーションプロトコルの下位層として利用することができる。Webにおいては，上位層にHTTPを利用するHTTPS (HTTP over SSL) が主に用いられ，ウェルノウンポート番号として443番

が用いられる。TLSはSSLの後継規格である。

❏ SSL通信 ━━━━━━━━━━━━━━━━━━━━━━━━━━ 問18

SSL通信は，暗号化通信に先立って証明書をやりとりし，相手を認証する。認証ができたら，**セッション鍵**（使い捨ての共通鍵）を生成し，セッション鍵を用いて暗号化通信を開始する。

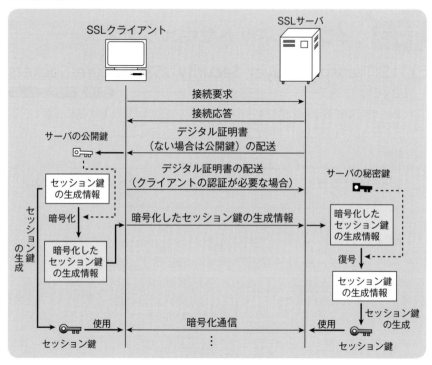

▶SSL通信のシーケンス

❏ S/MIME（Secure MIME）━━━━━━━━━━━━━━━━━━━━━

PKIとMIMEの仕組みを利用して電子メールに暗号化とデジタル署名の機能を提供するプロトコルである。セッション鍵方式でメッセージの暗号化を行う。

暗号化されたメッセージや署名，暗号化された公開鍵などは，MIMEの機能を用いて添付ファイルの形で送受信される。なお，送信者と受信者の双方が電子メールを復号できるようにするために，送信者の公開鍵で暗号化された共通鍵と受信者の公開鍵で暗号化された共通鍵の両方が格納される。

❏SMTP-AUTH（SMTP AUTHentication）── 問16 問19

　SMTP（Simple Mail Transfer Protocol）に認証機能を追加したSMTPの拡張仕様である。ユーザーは認証できた場合のみ，電子メールを送信できる。SMTP-AUTHを併用するメール送信用ポートであるサブミッションポート（587番ポート）は，OP25Bでブロックされない。

> • **OP25B**（Outbound Port25 Blocking）…自ドメインから迷惑メールが送信されるのを防ぐ対策。メールサーバを経由せずにインターネットに送り出されるSMTP通信（25番ポート）を遮断する。

❏DNSキャッシュポイズニング

　キャッシュサーバに，DNS問合せをすると同時に不正なIPアドレスを回答として送りつけ，キャッシュに偽りの情報を埋め込む攻撃である。キャッシュサーバは，問合せを受けたドメイン名がキャッシュに保持されていれば，キャッシュの内容を回答する。そのため，DNSキャッシュポイズニングを受けたキャッシュサーバは，利用者のDNS問合せに対して，不正なIPアドレスを回答してしまうことになる。

> • **キャッシュサーバ**…クライアントからDNS問合せを受け付けて，ゾーン情報を保持するDNSサーバ（コンテンツサーバ）に問合せを行い，クライアントに回答するDNSサーバ。

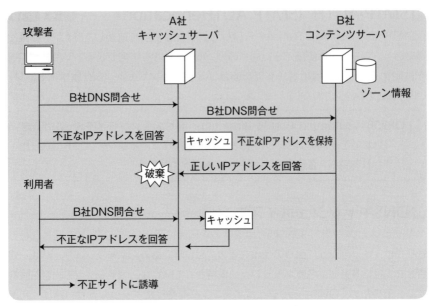

▶DNSキャッシュポイズニング

DNSキャッシュポイズニング対策としては，外部からのDNS再帰問合せには応答しないような設定や，DNSとデジタル署名の仕組みを組み合わせたDNSSEC（DNS Security Extensions）の利用などが効果的である。

❏ VPN（Virtual Private Network）

暗号技術や認証技術，トンネリング技術などを用いて，複数の利用者が存在するネットワーク上に仮想的な専用ネットワーク（Private Network）を構築し，安全に通信を行う技術の総称である。インターネット上でVPNを利用することによって，コストを低減して安全な通信を実現することができる。

トンネリングとは，仮想的な通信路（トンネル）を構築する技術であり，あるプロトコルを別のプロトコルでカプセル化することで実現する。カプセル化したプロトコルの通信路の内部で，カプセル化されたプロトコルのデータが送受信される。VPNでは，セキュリティプロトコルでカプセル化するため，通信路を使って送受信されるデータは完全に隠蔽されることになる。VPNの構築に用いるセキュリティプロトコルには，IPsec，SSL，L2TPなどがある。

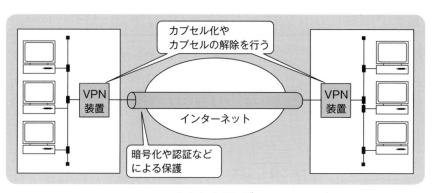

▶トンネリング

❏IPsec ——————————————————————— 問20

IPにセキュリティ機能を提供するためのプロトコルであり，次のような複数のプロトコルで構成される。

> **認証ヘッダー**（**AH**：Authentication Header）：メッセージ認証の機能を実現
>
> **暗号化ペイロード**（**ESP**：Encapsulating Security Payload）：メッセージ認証と暗号化の機能を実現
>
> **IKE**（Internet Key Exchange）：自動的な鍵交換（鍵の自動生成と共有）を実現

IPsecでは，これらの機能を組み合わせてなりすましや改ざん，盗聴などを防止する。なお，認証ヘッダーと暗号化ペイロードはどちらもメッセージ認証の機能を持つが，メッセージ認証の対象となる範囲が異なるため，両者を併用することもできる。

❏SQLインジェクション ———————————— 問21 問24

入力データにSQL文の一部を埋め込んで，任意のSQL文を実行させる攻撃である。データの不正閲覧やWebサイトの改ざんなどに用いられる。

次図の例では，パスワードに「' OR ' 1 '=' 1」を入力することで，本来のSQL文の働きを変えて，パスワードチェックを無意味なものにしている。セミコロン（;）を使用すれば，任意のSQL文を実行することもできる。

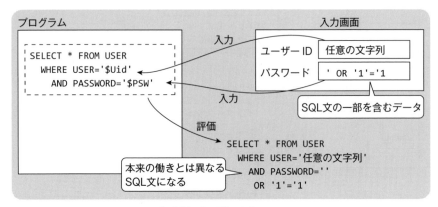

▶SQLインジェクション

　SQLインジェクションを防ぐには，入力データを厳密にチェックし，所定の形式でなければSQL文として処理しないようにすればよい。さらに，チェックした入力データは，**プリペアドステートメント**（準備された文）を用いてSQL文に埋め込む。プリペアドステートメントは，プレースホルダー（値を埋め込む場所）と値を埋め込むためのAPIによって構成される解析済みのSQL文である。内部で**バインド機構**（プレースホルダーに入力データを埋め込む機能）による処理が行われ，入力データは数値又は文字列の定数として組み込まれるため，入力データを文字列連結で処理するよりも高い安全性を確保できる。プリペアドステートメントが使用できない場合，シングルクォーテーション（'）やバックスラッシュ（\）といった特殊記号を**エスケープ処理**する。

❑ クロスサイトスクリプティング（XSS） ── 問21 問22

　入力データをそのまま出力してしまう脆弱サイトを利用し，標的となる利用者のWebブラウザ上で悪意のスクリプトを実行させる攻撃である。クロスサイトスクリプティングは次のような手順で行われる。

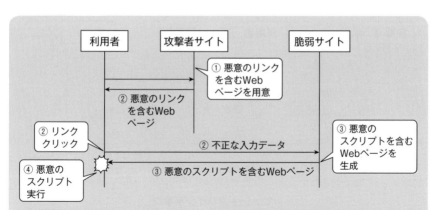

① 攻撃者は,「脆弱サイトにスクリプトを含む不正な入力データを送信する」といった悪意のハイパーリンクを含むWebページ（又はメール）を用意する。
② 利用者がそのWebページを閲覧し,ハイパーリンクをクリックすると,スクリプトを含む不正な入力データが脆弱サイトに送信される。
③ 脆弱サイトによって悪意のスクリプトを含んだWebページが生成され,利用者に返される。
④ Webブラウザは,受信したWebページに含まれる悪意のスクリプトを実行する。クロスサイトスクリプティングの結果,クッキーを盗まれることによるセッションの乗っ取り（なりすまし）や偽のWebページの表示（フィッシング）といった被害が発生する。

▶クロスサイトスクリプティング

　入力データに含まれるHTMLのタグを,そのままHTMLに埋め込んでしまうことでクロスサイトスクリプティングを許してしまう。具体的には,入力データに<script>タグなどを含めることによって,任意のスクリプトを含んだWebページを生成させてしまう。そのため,「<」や「>」といった制御文字をエスケープ処理する**サニタイジング**（無害化）が有効である。例えば,「<script>」という文字列を「<script>」にすれば,<script>タグとはみなされず,HTML上で「<script>」という文字が表示されるだけである。

❏ セッションハイジャック ─────────── 問21 問23

　Webアプリケーションがセッションを識別するために用いるセッションIDを攻撃者が入手し,攻撃者が利用者になりすます攻撃である。

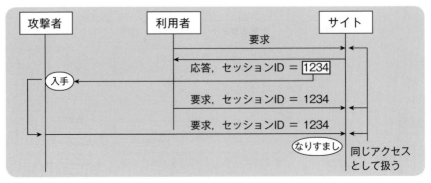

▶セッションハイジャック

❑ ディレクトリトラバーサル ──────── 問24

　ファイル名をパラメータで受け取るプログラムに，「../../etc/passwd」のような**相対パス**を指定して任意のファイルにアクセスする攻撃である。ディレクトリトラバーサルの対処方法としては，パラメータを用いてファイルを指定する必要性や他の手段を設計段階から検討することが重要である。ファイルをパラメータで指定せざるを得ない場合は，ディレクトリ名を固定し，パラメータに相対パスが含まれていないことをチェックする。

❑ WAF（Web Application Firewall） ──────── 問25

　Webアプリケーションの脆弱性を悪用した攻撃を検出し，それらの攻撃からWebアプリケーションを保護する仕組みであり，攻撃による影響を低減する。WAFには次のような機能がある。

- 検査機能：HTTP要求及びHTTP応答を検査し，攻撃を検出する機能である。HTTP要求にSQL文の一部が含まれていることやHTTP応答に個人情報が含まれていることなどを検査する。
- 処理機能：検査機能によって検出された攻撃を処理する機能である。通信の遮断，エラーページの送信，不正部分の書換えなどの処理をする。
- ログ機能：WAFの動作や検査結果を記録する機能である。

　WAFでは定義されたパターンを用いて機械的に通信内容を検査する。このため，正常な通信を防御する（偽陽性：false positive），攻撃を正常な通信とみなす（偽陰性：false negative），といった誤りがある点に注意が必要である。

10.4　セキュリティの新しいトピック

❏ AIを悪用した攻撃

　AI技術の急速な発展とともに，AIを悪用した攻撃が急増している。他人の音声や映像からフェイク動画を作成し，誤った情報を拡散するというのは有名な事例である。

　既存の攻撃がAIによって脅威を増す事例もある。AIを用いることで，フィッシング詐欺やソーシャルエンジニアリングに利用される電子メールの文面はより自然なものとなり，マルウェアは進化してセキュリティ対策をすり抜けやすくなっている。

❏ パスワードレス認証

　ユーザーが所持する認証端末（スマートフォンなど）の**指紋認証機能**や**顔認証機能**を用いて行う認証である。個人の認証情報が認証端末に保持され，外部に出ることがない。パスワード認証では，サービスを提供するサーバ側でユーザーの認証情報を保持する必要があったため情報の管理に課題を抱えていたが，パスワードレス認証で解決された。

❏ エシカルハッカー

　エシカル（ethical）とは道徳的な・倫理的なという意味である。倫理的なハッカーということで，法律の範囲内でハッキング活動を行う。企業や組織のセキュリティチームとして活動し，脆弱性を発見し報酬を受け取るセキュリティの専門家である。日本ではホワイトハッカーと呼ばれることが多い。

❏ ランサムウェア対策

　ランサムとは身代金の意味である。重要なデータを暗号化して人質とし，復号と引き換えに身代金を要求するマルウェアがランサムウェアである。ランサムウェアによる被害は年々増加している。

　ランサムウェアの内部ネットワークへの侵入を完全に防ぐことは難しい。内部からの通信であっても無条件には信用しないゼロトラストネットワークの構築や，PCのログを収集・監視するシステムの導入などが必要となる。また，重要なデータを暗号化されても復旧できるように，日々バックアップを取得しておくこと，バックアップごと暗号化されることがないよう管理する対策も重要である。

❏ 認証認可技術

　認証されたユーザーに対して，適切な権限を付与（認可）してアクセス制御を行う
セキュリティ技術である。

> - 認証…本人しか知り得ない情報（パスワードなど），本人しか持ち得ないモノ（本
>   人のスマートフォンなど），本人の生体情報によって利用者の真正性を確
>   かめること
> - 認可…システムやネットワーク，リソースなどへのアクセス権限を付与するこ
>   と

❏ コンテナセキュリティ

　コンテナ（container）とは，アプリケーションや実行環境などを一つの**コンテナ
イメージ**にまとめ，独立して実行する仮想化技術の一つである。その利便性から現在
では広く利用されており，コンテナセキュリティの重要性も増している。

　脆弱性や悪意のあるアプリケーションが潜むコンテナイメージを利用しないことが
前提である。さらに，コンテナ内のプロセス権限を必要最小限とすること，コンテナ
からのネットワーク接続に際しては適切なファイアウォール設定をすることなどが求
められる。

.... MEMO ....

問1 ☑□
□□
JIS Q 27000：2019（情報セキュリティマネジメントシステム－用語）において定義されている情報セキュリティの特性に関する説明のうち，否認防止の特性に関するものはどれか。 (R3F問13)

ア　ある利用者があるシステムを利用したという事実が証明可能である。

イ　認可された利用者が要求したときにアクセスが可能である。

ウ　認可された利用者に対してだけ，情報を使用させる又は開示する。

エ　利用者の行動と意図した結果とが一貫性をもつ。

問2 ☑□
□□
JIS Q 31000：2019（リスクマネジメント－指針）におけるリスクアセスメントを構成するプロセスの組合せはどれか。 (R4F問13)

ア　リスク特定，リスク評価，リスク受容

イ　リスク特定，リスク分析，リスク評価

ウ　リスク分析，リスク対応，リスク受容

エ　リスク分析，リスク評価，リスク対応

答1 情報セキュリティの用語 ▶ P.212 ··· **ア**

JIS Q 27000 では，否認防止について

> 主張された事象又は処置の発生，及びそれを引き起こしたエンティティを証明する能力。

という定義を行っている。すなわち，ある事象（出来事）が起きたこと，及びその事象が誰によって引き起こされたのかを証明できるということが，否認防止の特性に該当する。

"ア"は，「ある利用者があるシステムを利用した」という事実について証明することを述べているので，否認防止に該当する。

- イ 可用性に関する説明である。
- ウ 機密性に関する説明である。
- エ 信頼性に関する説明である。

答2 リスク対応 ▶ P.213 ·· **イ**

リスクアセスメントは，ISMSのPDCAモデルにおけるPlanの段階である"ISMSの確立"で実施される要素の一つである。リスクアセスメントは，JIS Q 27000において，「リスク特定，リスク分析，及びリスク評価のプロセス全体」と定義されている。すなわち，リスクの特定から評価までに至る一連の活動をまとめてリスクアセスメントと考えている。

> - リスク特定…リスクを発見，認識及び記述する
> - リスク分析…リスクの特質を理解し，リスクレベルを決定する
> - リスク評価…リスク及びその大きさが，受容可能か又は許容可能かを決定するために，リスク分析の結果をリスク基準（リスクの重大性を評価するための目安とする条件）と比較する

| 問3 | ☑□
□□ | JPCERTコーディネーションセンター"CSIRTガイド（2021年11月30日）"では，CSIRTを機能とサービス対象によって六つに分類しており，その一つにコーディネーションセンターがある。コーディネーションセンターの機能とサービス対象の組合せとして，適切なものはどれか。　(R5F問14) |

	機能	サービス対象
ア	インシデント対応の中で，CSIRT 間の情報連携，調整を行う。	他の CSIRT
イ	インシデントの傾向分析やマルウェアの解析，攻撃の痕跡の分析を行い，必要に応じて注意を喚起する。	関係組織，国又は地域
ウ	自社製品の脆弱性に対応し，パッチ作成や注意喚起を行う。	自社製品の利用者
エ	組織内 CSIRT の機能の一部又は全部をサービスプロバイダとして，有償で請け負う。	顧客

| 問4 | ☑□
□□ | 暗号方式に関する記述のうち，適切なものはどれか。 |

(R2F問14，H29F問13，H24F問14)

ア　AESは公開鍵暗号方式，RSAは共通鍵暗号方式の一種である。

イ　共通鍵暗号方式では，暗号化及び復号に同一の鍵を使用する。

ウ　公開鍵暗号方式を通信内容の秘匿に使用する場合は，暗号化に使用する鍵を秘密にして，復号に使用する鍵を公開する。

エ　ディジタル署名に公開鍵暗号方式が使用されることはなく，共通鍵暗号方式が使用される。

答3 ・・ ア

　JPCERTコーディネーションセンター（JPCERT/CC）の"CSIRT ガイド"では，CSIRT
をサービス対象によって次表のように分類している。

分類	活動	サービス対象
組織内CSIRT	企業組織内のCSIRT。組織にかかわるインシデントに対応する。	CSIRTが属する組織の人, システム, ネットワークなど
国際連携CSIRT	国を代表するインシデント対応のための連絡窓口として活動する。	国や地域
コーディネーションセンター（CC）	インシデント対応においてCSIRT間の情報連携，調整を行う。	協力関係にある他のCSIRT
分析センター	インシデントの傾向分析やマルウェアの解析，侵入等攻撃の痕跡の分析を行ない，必要に応じて注意喚起を行う。	親組織又は国や地域
ベンダーチーム	自社製品の脆弱性に対応し，パッチを作成したり，注意喚起をしたりする。	組織及び自社製品の利用者
インシデントレスポンスプロバイダ	組織内CSIRTの機能（の一部）を有償で請け負うサービスプロバイダ。	顧客

　これらと各選択肢の内容を照らし合わせると，"ア"がコーディネーションセンター，"イ"
が分析センター，"ウ"がベンダーチーム，"エ"がインシデントレスポンスプロバイダとな
る。

答4　共通鍵暗号方式 ▶ P.214　公開鍵暗号方式 ▶ P.215　デジタル署名 ▶ P.220
・・・ イ

　共通鍵暗号方式は，暗号化と復号に同じ鍵を用いるのが特徴である。鍵の管理が煩わしい
のが欠点であるが，公開鍵暗号方式と比較して暗号化や復号の処理が高速であるという利点
がある。

　ア　AESはDESの後継として位置付けられる共通鍵暗号方式の標準暗号規格であり，RSA
　　　は公開鍵暗号方式の暗号規格の代表例である。
　ウ　公開鍵暗号方式を通信内容の秘匿に使用する場合，暗号化鍵を公開して復号鍵を秘密
　　　にする。
　エ　デジタル署名は，公開鍵暗号方式を利用して実現されていることが多い。

問5 ☑☐
☐☐
暗号方式のうち，共通鍵暗号方式はどれか。

（H28S問12）

ア　AES　　　イ　ElGamal暗号　　　ウ　RSA　　　エ　楕円曲線暗号

問6 ☑☐
☐☐
公開鍵暗号方式の暗号アルゴリズムはどれか。

（H27F問12）

ア　AES　　　イ　KCipher-2　　　ウ　RSA　　　エ　SHA-256

答5 共通鍵暗号方式 ▶ P.214 ·· **ア**

暗号化と復号に共通の鍵を用いる共通鍵暗号方式の代表的な暗号規格として，DES（Data Encryption Standard），トリプルDES，AES（Advanced Encryption Standard）などがある。AESは，DESに続く米国政府の標準暗号規格である。AESでは，Rijndaelと呼ばれる共通鍵暗号アルゴリズムを採用している。

一方，暗号化と復号に異なる鍵を用いる公開鍵暗号方式の代表的な暗号規格として，離散対数暗号，RSA，楕円曲線暗号などがある。

- ElGamal（エルガマル）暗号…離散対数暗号（素数nの離散対数問題を応用した暗号化アルゴリズム）を用いた公開鍵暗号方式
- RSA…非常に大きな二つの素数の積の素因数分解が難解であることを暗号化アルゴリズムに用いた公開鍵暗号方式。RSAは，開発者Ronald Rivest，Adi Shamir，Leonard Adlemanの3氏の頭文字である
- 楕円曲線暗号…楕円曲線上の特殊な演算を用いて暗号化する公開鍵暗号方式

答6 公開鍵暗号方式 ▶ P.215 ·· **ウ**

公開鍵暗号方式は，一対の鍵ペアを用意して暗号化と復号にペアとなる鍵を使用する方式である。代表的な暗号アルゴリズムには，素因数分解の複雑さを利用したRSAや楕円曲線暗号などがある。

- AES（Advanced Encryption Standard）…セキュリティ強度が低下したDESに代わって米国商務省標準技術局（NIST）によって制定された共通鍵暗号方式の暗号アルゴリズム
- KCipher-2…KDDI社によって開発された共通鍵暗号方式の暗号アルゴリズム
- SHA-256…256ビットのハッシュ値を生成するハッシュ関数（メッセージダイジェスト関数）

問7 ☑□ OpenPGPやS/MIMEにおいて用いられるハイブリッド暗号方式の特
□□ 徴はどれか。 (H28F問15)

ア 暗号通信方式としてIPsecとTLSを選択可能にすることによって利用者の利便性
を高める。

イ 公開鍵暗号方式と共通鍵暗号方式を組み合わせることによって鍵管理コストと処
理性能の両立を図る。

ウ 複数の異なる共通鍵暗号方式を組み合わせることによって処理性能を高める。

エ 複数の異なる公開鍵暗号方式を組み合わせることによって安全性を高める。

問8 ☑□ パスワードに使用できる文字の種類の数をM，パスワードの文字数
□□ をnとするとき，設定できるパスワードの理論的な総数を求める数式は
どれか。 (H27S問12)

ア M^n

イ $\dfrac{M!}{(M-n)!}$

ウ $\dfrac{M!}{n!(M-n)!}$

エ $\dfrac{(M+n-1)!}{n!(M-1)!}$

問9 ☑□ デジタル証明書が失効しているかどうかをオンラインで確認するため
□□ のプロトコルはどれか。 (R4F問12)

ア CHAP イ LDAP ウ OCSP エ SNMP

答7 　共通鍵暗号方式 ▶ P.214　公開鍵暗号方式 ▶ P.215

　　　　セッション鍵暗号方式 ▶ P.216 ⋯⋯⋯⋯⋯⋯⋯⋯⋯⋯⋯⋯⋯⋯⋯⋯⋯⋯⋯⋯⋯⋯ **イ**

　ハイブリッド暗号方式は，公開鍵暗号方式と共通鍵暗号方式の長所を組み合わせたもので，本文の暗号化／復号には処理時間の短い共通鍵暗号方式を用い，暗号化／復号に用いる共通鍵の生成情報を安全に送受信するのに，公開鍵暗号方式を用いる。ハイブリッド暗号方式で使用される共通鍵は，「使い捨て」の鍵であり，セッション鍵とも呼ばれる。

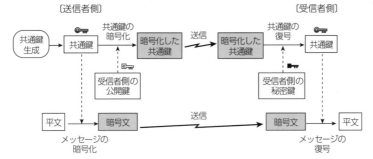

※セッション鍵（共通鍵）は通信終了時に破棄される

答8 ⋯⋯⋯⋯⋯⋯⋯⋯⋯⋯⋯⋯⋯⋯⋯⋯⋯⋯⋯⋯⋯⋯⋯⋯⋯⋯⋯⋯⋯⋯⋯⋯⋯⋯⋯⋯⋯ **ア**

　2種類の文字を3個並べて作られるパスワードの個数は，

　　　$2 \times 2 \times 2$　　←　2を3回掛ける

と求められる。

　よって，M種類の文字をn個並べて作られるパスワードの個数は，

　　　$M \times M \times \cdots \times M$　　←Mをn回掛ける

　　　$= M^n$

となる。

答9 　PKI ▶ P.221 ⋯⋯⋯⋯⋯⋯⋯⋯⋯⋯⋯⋯⋯⋯⋯⋯⋯⋯⋯⋯⋯⋯⋯⋯⋯⋯⋯⋯⋯⋯⋯ **ウ**

　OCSP（Online Certificate Status Protocol）は，証明書の失効情報問合せに用いるプロトコルである。OCSPを用いることで，各クライアントがCRL（失効リスト）を保持・検索する方法と比べ，リアルタイム性の向上，クライアント負荷の軽減などが期待できる。

> ・CHAP（Challenge Handshake Authentication Protocol）…PPP接続で用いられるユーザー認証方式の一つ
> ・LDAP（Lightweight Directory Access Protocol）…X.500に対応したディレクトリサービスにアクセスするためのプロトコル
> ・SNMP（Simple Network Management Protocol）…ネットワーク上の機器を管理するためのプロトコル

⑩ セキュリティ

問題編

247

問10 ☑□ 　Webアプリケーションのセッションが攻撃者に乗っ取られ，攻撃者
□□ が乗っ取ったセッションを利用してアクセスした場合でも，個人情報の
漏えいなどの被害が拡大しないようにするために，Webアプリケーション
が重要な情報をWebブラウザに送信する直前に行う対策として，最も適切
なものはどれか。 (H28S問14)

ア　Webブラウザとの間の通信を暗号化する。

イ　発行済セッションIDをCookieに格納する。

ウ　発行済セッションIDをURLに設定する。

エ　パスワードによる利用者認証を行う。

問11 ☑□ 　パスワードクラック手法の一種である，レインボーテーブル攻撃に該
□□ 当するものはどれか。 (R5F問12)

ア　何らかの方法で事前に利用者IDと平文のパスワードのリストを入手しておき，
複数のシステム間で使い回されている利用者IDとパスワードの組みを狙って，ロ
グインを試行する。

イ　パスワードに成り得る文字列の全てを用いて，総当たりでログインを試行する。

ウ　平文のパスワードとハッシュ値をチェーンによって管理するテーブルを準備して
おき，それを用いて，不正に入手したハッシュ値からパスワードを解読する。

エ　利用者の誕生日，電話番号などの個人情報を言葉巧みに聞き出して，パスワード
を類推する。

問12 ☑□ 　虹彩認証に関する記述のうち，最も適切なものはどれか。
□□ 　　　　　　　　　　　　　　　　　　　　　　　　　　　(R元F問15)

ア　経年変化による認証精度の低下を防止するために，利用者の虹彩情報を定期的に
登録し直さなければならない。

イ　赤外線カメラを用いると，照度を高くするほど，目に負担を掛けることなく認証
精度を向上させることができる。

ウ　他人受入率を顔認証と比べて低くすることが可能である。

エ　本人が装置に接触したあとに残された遺留物を採取し，それを加工することによ
って認証データを偽造し，本人になりすますことが可能である。

答10 パスワード認証 ▶ P.217 ‥‥‥‥‥‥‥‥‥‥‥‥‥‥‥‥‥‥‥‥‥ **エ**

　WebアプリケーションはHTTP通信におけるセッションIDをもとにして通信が適正なものかを判断するため，攻撃者にセッションIDを推測又は不正入手されると，正常な利用者のように振る舞う「乗っ取り」が可能となる。"エ"のように，直前にパスワード認証を行うようにすれば，セッションIDによる乗っ取りが行われていた場合でも，攻撃者が同時にパスワードも入手できていない限り，正当な利用者かどうかを判定できる。

　ア　乗っ取りが成功した場合のWebアプリサーバ側は，攻撃者を正当な利用者と信頼してしまう。そのような状況で暗号化通信を行っても意味がない。

　イ，ウ　乗っ取りが成功したということは攻撃者は発行済みセッションIDを知ってしまっているので，その状況でセッションIDを確認するための仕組みを導入しても意味がない。

答11 パスワードの解析手法 ▶ P.220　ソーシャルエンジニアリング ▶ P.223 ‥‥‥ **ウ**

　レインボーテーブル攻撃は，ハッシュ値に変換して保存されたパスワードを解読する攻撃である。パスワードになりそうな文字列をあらかじめハッシュ値に変換してレインボーテーブルと呼ばれる対応表に登録しておき，入手したハッシュ値とレインボーテーブルを比較して，元のパスワードを見つけ出す。

　レインボーテーブル攻撃への対策の一つとして，登録したパスワードに"ソルト"と呼ばれるランダムな文字列を連結し，そのハッシュ値を保存する方法がある。ソルトが変わるとハッシュ値も変わるため，攻撃者はレインボーテーブルを再度作成するという，膨大な作業を行わなければならない。

　ア　パスワードリスト攻撃に関する記述である。

　イ　ブルートフォース攻撃（総当たり攻撃）に関する記述である。

　エ　ソーシャルエンジニアリングに関する記述である。

答12 バイオメトリクス認証 ▶ P.217 ‥‥‥‥‥‥‥‥‥‥‥‥‥‥‥‥‥‥‥ **ウ**

　虹彩は人の目の瞳孔の周囲にある模様のことであり，経年変化や外的要因による変化がほとんどないことが特徴として挙げられる。顔認証と比べると判定の閾値設定を厳しい方向にすることができ，他人受入率を低くできる傾向にある。

　ア　虹彩は経年変化がほとんどない。

　イ　赤外線の照度が高いと，目への負担は大きくなる。

　エ　虹彩認証は非接触で行うので，指紋認証のように遺留物が残ることはない。

問13 ☑□ □□ アクセス制御に用いる認証デバイスの特徴に関する記述のうち，適切なものはどれか。

(H28F問14)

ア　USBメモリにディジタル証明書を組み込み，認証デバイスとする場合は，利用するPCのMACアドレスを組み込む必要がある。

イ　成人には虹彩の経年変化がなく，虹彩認証では，認証デバイスでのパターン更新がほとんど不要である。

ウ　静電容量方式の指紋認証デバイスでは，LED照明を設置した室内において正常に認証できなくなる可能性がある。

エ　認証に利用する接触型ICカードは，カード内のコイルの誘導起電力を利用している。

問14 ☑□ □□ チャレンジレスポンス認証方式に該当するものはどれか。

(R元F問13，㊙H28F問13)

ア　固定パスワードをTLSによって暗号化し，クライアントからサーバに送信する。

イ　端末のシリアル番号を，クライアントで秘密鍵を使って暗号化してサーバに送信する。

ウ　トークンという装置が自動的に表示する，認証のたびに異なるデータをパスワードとしてサーバに送信する。

エ　利用者が入力したパスワードと，サーバから受け取ったランダムなデータとをクライアントで演算し，その結果をサーバに送信する。

答13 バイオメトリクス認証 ▶ P.217　所有物を用いた認証 ▶ P.217 ·················· **イ**
　認証デバイスとは, ユーザー認証を行う際に使用する機器のことである。代表的なものに, 認証用のデジタル証明書を格納したUSBトークンタイプ, ICカードタイプのものや, バイオメトリクス認証（生体認証）などがある。バイオメトリクス認証は, 個人の生体としての特徴を登録しておき, パスワードのように認証に利用する仕組みである。

- 指紋…特徴点抽出方式やパターンマッチングにより照合する
- 声紋…事前収録した音声の周波数パターンを照合する
- 虹彩（こうさい）…目を撮影し, 虹彩（瞳の模様）のパターンを照合する
- 掌静脈…手の平の静脈のパターンを照合する
- 顔…撮影した顔の画像を解析し, 目や鼻の配置を照合する

　このうち, 指紋や虹彩は経年変化耐性（年齢を重ねても変化しにくい）があり, 声紋や顔は経年変化耐性が弱いことが知られている。

　ア　USBメモリにデジタル証明書を組み込む場合, 保持者がそのUSBメモリをPCに接続しているときだけ, 認証が有効になる。認証対象にPCを含めているわけではないので, 利用するPCについてはMACアドレスなどの個別情報は組み込む必要はない。
　ウ　静電容量方式の指紋認証デバイスは, 光学式のように光によって読み取るのではなく, 半導体技術を用いるので, LED照明などの影響は受けない。
　エ　コイルの誘導起電力を利用するのは, 非接触型ICカードの特徴である。接触型ICカードでは, カード表面に配置されたICモジュール端子部分を読取り装置に接触させることで直接読取りを行う。

答14　チャレンジレスポンス方式 ▶ P.218 ································· **エ**
　チャレンジレスポンス方式は, 認証主体が作成するチャレンジコード（要求文字列）をもとに, 被認証主体が暗号技術を適用してレスポンスコードを生成し, レスポンスコードを認証主体が検証することで被認証主体の実体の真正性を認証する方式である。パスワードをそのまま通信することがないため, パスワードの漏洩を防止できる。また, チャレンジコードは毎回変わるので, リプレイアタックにも対抗できる。

問15 ☑□
□□ 送信者Aからの文書ファイルと，その文書ファイルのディジタル署名を受信者Bが受信したとき，受信者Bができることはどれか。ここで，受信者Bは送信者Aの署名検証鍵Xを保有しており，受信者Bと第三者は送信者Aの署名生成鍵Yを知らないものとする。 (R2F問13)

ア ディジタル署名，文書ファイル及び署名検証鍵Xを比較することによって，文書ファイルに改ざんがあった場合，その部分を判別できる。

イ 文書ファイルが改ざんされていないこと，及びディジタル署名が署名生成鍵Yによって生成されたことを確認できる。

ウ 文書ファイルがマルウェアに感染していないことを認証局に問い合わせて確認できる。

エ 文書ファイルとディジタル署名のどちらかが改ざんされた場合，どちらが改ざんされたかを判別できる。

問16 ☑□
□□ DKIM（DomainKeys Identified Mail）に関する記述のうち，適切なものはどれか。 (R5F問15)

ア 送信側のメールサーバで電子メールにディジタル署名を付与し，受信側のメールサーバでそのディジタル署名を検証して送信元ドメインの認証を行う。

イ 送信者が電子メールを送信するとき，送信側のメールサーバは，送信者が正規の利用者かどうかの認証を利用者IDとパスワードによって行う。

ウ 送信元ドメイン認証に失敗した際の電子メールの処理方法を記載したポリシーをDNSサーバに登録し，電子メールの認証結果を監視する。

エ 電子メールの送信元ドメインでメール送信に使うメールサーバのIPアドレスをDNSサーバに登録しておき，受信側で送信元ドメインのDNSサーバに登録されているIPアドレスと電子メールの送信元メールサーバのIPアドレスとを照合する。

答15 デジタル署名 ▶ P.220 ··· **イ**

問題文に示された手順は，デジタル署名の手順を示している。

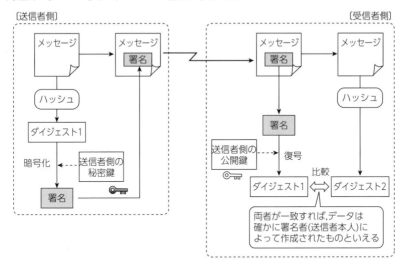

受信者Bが行う署名の検証は，署名検証鍵X（送信者Aの公開鍵）で署名を復号し，受信したメッセージから作成したダイジェストと比較照合することで行う。署名の検証に成功した（適切に復号が行え，照合結果も一致した）場合は，

- ・署名は送信者Aの秘密鍵（署名生成鍵Y）によって生成された。つまり，送信者A本人によるものである
- ・文書ファイルは送信時のものから改ざんされていない

ことが確認できる。

答16 デジタル署名 ▶ P.220 　SMTP-AUTH ▶ P.231 ···························· **ア**

DKIM（DomainKeys Identified Mail）は，デジタル証明書を用いた電子メールの送信ドメイン認証の実現方式である。送信ドメイン認証とは，電子メールの送信元アドレスや送信元アドレスのドメイン名のサーバから，間違いなく送信された電子メールであることを検証する送信者認証技術である。

送信側メールサーバではデジタル署名を作成して電子メールのヘッダーに付加し，受信側メールサーバに送信する。受信側メールサーバでは，受信した電子メールのデジタル署名を復号し，送信側ドメインの真正性を検証する。

イ　SMTP-AUTHを用いたメール送信時の送信者認証に関する記述である。

ウ　DMARC（Domain-based Message Authentication, Reporting and Conformance）と呼ばれる配送制御技術に関する記述である。

エ　SPF（Sender Policy Framework）を用いた送信ドメイン認証に関する記述である。

問17 ☑☐☐☐ ペネトレーションテストの目的はどれか。

(H27F問15)

ア　暗号化で使用している暗号方式と鍵長が，設計仕様と一致することを確認する。

イ　対象プログラムの入力に対する出力結果が，出力仕様と一致することを確認する。

ウ　ファイアウォールが単位時間当たりに処理できるセッション数を確認する。

エ　ファイアウォールや公開サーバに対して侵入できないかどうかを確認する。

問18 ☑☐☐☐ A社のWebサーバは，サーバ証明書を使ってTLS通信を行っている。PCからA社のWebサーバへのTLSを用いたアクセスにおいて，当該PCがサーバ証明書を入手した後に，認証局の公開鍵を利用して行う動作はどれか。

(H29S問12)

ア　暗号化通信に利用する共通鍵を生成し，認証局の公開鍵を使って暗号化する。

イ　暗号化通信に利用する共通鍵を，認証局の公開鍵を使って復号する。

ウ　サーバ証明書の正当性を，認証局の公開鍵を使って検証する。

エ　利用者が入力して送付する秘匿データを，認証局の公開鍵を使って暗号化する。

答17 ペネトレーションテスト ▶ P.229 ‥‥‥‥‥‥‥‥‥‥‥‥‥‥‥‥‥‥ **エ**
　ペネトレーションテストは，情報システムを実際に攻撃することによって，コンピュータ
やシステムへの侵入が可能か否かを確認する侵入テストである。ファイアウォールや公開サ
ーバなどに対して定期的にペネトレーションテストを実施することによって，セキュリティ
ソフトや機器の設定ミス，脆弱性の対応漏れなどを確認することができる。

答18 TLS/SSL ▶ P.229　SSL通信 ▶ P.230 ‥‥‥‥‥‥‥‥‥‥‥‥‥‥‥ **ウ**
　TLS/SSLを用いてWebサーバ（以下，サーバ）の認証，及び暗号化通信を行うときのお
おまかな手順は，次のとおりである。
① サーバはクライアントに対し，サーバのデジタル証明書を送信する。
② クライアントは証明書の認証局（CA）の署名を「認証局の公開鍵」で復号し，証明書
　　から得られるダイジェストと照合して，サーバの公開鍵の正当性を確認する。
③ クライアントは暗号化通信で用いる使い捨ての共通鍵（セッション鍵）を作成し，サー
　　バの公開鍵で暗号化してサーバに送信する。
④ サーバは受け取った暗号化データをサーバの秘密鍵で復号し，共通鍵を得る。
⑤ 以降は，サーバとクライアントの間で共通鍵を用いた暗号化通信を行う。

 は，その鍵で暗号化
することを表す

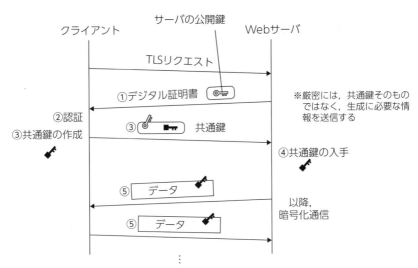

問19 ☑□ □□ 電子メールをスマートフォンで受信する際のメールサーバとスマートフォンとの間の通信をメール本文を含めて暗号化するプロトコルはどれか。 (R2F問15)

ア APOP　　イ IMAPS
ウ POP3　　エ SMTP Submission

問20 ☑□ □□ PCからサーバに対し，IPv6を利用した通信を行う場合，ネットワーク層で暗号化を行うときに利用するものはどれか。 (R6S問15，R2F問12)

ア IPsec　　イ PPP　　ウ SSH　　エ TLS

答19 TLS/SSL ▶ P.229　SMTP-AUTH ▶ P.231 ·· イ

　IMAP（Internet Message Access Protocol），メールサーバにアクセスし，メールを
サーバ上のメールボックスに置いたままの状態で閲覧や一部ダウンロードなどを行える受信
用プロトコルである。このIMAPの通信を，SSL/TLSによって安全に行うようにしたものを，
IMAPS（IMAP overSSL/TLS）という。

- APOP（Authenticated Post Office Protocol）…電子メールの受信（ダウンロード）
  用プロトコルであるPOPの拡張仕様。暗号化によってユーザー名やパスワード
  を盗聴から守ることができる
- POP3（Post Office Protocol ver.3）…メールボックスから電子メールを受信（ダ
  ウンロード）するためのプロトコル。標準で暗号化機能はもたない
- SMTP Submission…SMTP-AUTHによって送信時の利用者認証を行う際に用いるサ
  ブミッション用ポート（587番）を指す言葉

---

10 セキュリティ

答20 TLS/SSL ▶ P.229　IPsec ▶ P.233 ··· ア
IPv6は，
　　　・アドレス長を128ビットに拡大
　　　・IPsecを標準装備し，セキュリティ機能を強化
　　　・ヘッダーを簡略化し，ルーティング処理を高速化
　　　・アドレス自動設定などプラグアンドプレイに対応
などの特徴を持っている。
　IPv6で標準装備されたIPsecは，IP層（OSI基本参照モデルのネットワーク層に相当）で
の暗号化，認証，鍵交換などのセキュリティ技術からなるプロトコルであり，利用者の認証
や暗号化通信が必要なインターネットVPNなどで利用されている。

問題編

- PPP（Point to Point Protocol）…ダイヤルアップ接続用のプロトコル。暗号化機
  能は含まれていない
- SSH（Secure Shell）…リモートログインで，暗号化通信を行うためのプロトコル。
  アプリケーション層で動作する
- TLS（Transport Layer Security）…インターネット上でメッセージの暗号化や認証
  などを実現するためのセキュリティプロトコル。トランスポート層とセション
  層の間で動作する

問21 ☑□□□ Webアプリケーションにおけるセキュリティ上の脅威と対策の適切な組合せはどれか。 (H26F問14)

ア OSコマンドインジェクションを防ぐために，Webアプリケーションが発行するセッションIDを推測困難なものにする。

イ SQLインジェクションを防ぐために，Webアプリケーション内でデータベースへの問合せを作成する際にバインド機構を使用する。

ウ クロスサイトスクリプティングを防ぐために，外部から渡す入力データをWebサーバ内のファイル名として直接指定しない。

エ セッションハイジャックを防ぐために，Webアプリケーションからシェルを起動できないようにする。

問22 ☑□□□ クロスサイトスクリプティングの手口はどれか。

(H30S問12，H25F問15)

ア Webアプリケーションのフォームの入力フィールドに，悪意のあるJavaScriptコードを含んだデータを入力する。

イ インターネットなどのネットワークを通じてサーバに不正にアクセスしたり，データの改ざんや破壊を行ったりする。

ウ 大量のデータをWebアプリケーションに送ることによって，用意されたバッファ領域をあふれさせる。

エ パス名を推定することによって，本来は認証された後にしかアクセスが許可されないページに直接ジャンプする。

問23 ☑□□□ Webシステムにおいて，セッションの乗っ取りの機会を減らすために，利用者のログアウト時にWebサーバ又はWebブラウザにおいて行うべき処理はどれか。ここで，利用者は自分専用のPCにおいて，Webブラウザを利用しているものとする。 (R3S問15，H30S問15)

ア WebサーバにおいてセッションIDを内蔵ストレージに格納する。

イ WebサーバにおいてセッションIDを無効にする。

ウ WebブラウザにおいてキャッシュしているWebページをクリアする。

エ WebブラウザにおいてセッションIDを内蔵ストレージに格納する。

答21 SQLインジェクション ▶ P.233　クロスサイトスクリプティング ▶ P.234
　　　　セッションハイジャック ▶ P.235 ·· **イ**

SQLインジェクションは，アプリケーションが想定しないSQL文を実行させてデータベースを不正に操作するコンピュータ犯罪の手口である。防止策としてはバインド機構を利用するのがよい。バインド機構とは，実際の値が割り当てられていない記号文字（プレースホルダー）を使用してSQL文の雛形をあらかじめ用意し，後に実際の値（バインド値）をプレースホルダーに割り当てるデータベースの機能である。バインド値はエスケープ処理がされるため，悪意の利用者によるSQL文の実行を防ぐことができる。

ア　OSコマンドインジェクションとは，コンピュータのOSを操作するための命令を外部から実行するコンピュータ犯罪である。防止策としては，シェルを起動できる言語機能を利用しないようにすることが挙げられる。

ウ　クロスサイトスクリプティングとは，Webアプリケーションにスクリプトを埋め込める脆弱性につけ込んで，他のサイトが不正なスクリプトを埋め込み，利用者のブラウザで不正なスクリプトを実行させる手口である。対策としては，スクリプト埋め込みの原因を作らないようにエスケープ処理を施すことなどが挙げられる。

エ　セッションハイジャックとは，ログイン中の利用者のセッションIDを不正に取得し，その利用者になりすましてシステムにアクセスする手口のことである。対策としては推測困難なセッションIDを使用することが挙げられる。

答22　クロスサイトスクリプティング ▶ P.234 ·· **ア**

クロスサイトスクリプティングとは，あるサイトで動的に生成されたWebページに，悪意のあるサイトがスクリプトを埋め込む手口である。Webサーバ上で動作しているアプリケーションに用意された入力フィールドに，入力データとして悪意のあるJavaScriptコードなどを埋め込むことによって，入力データの盗聴，クッキーの横取り，表示内容の改ざんなどが可能になる。クロスサイトスクリプティングの脆弱性は，Webサーバ上で実行されるCGIなどのアプリケーションの設計ミスに起因するものである。

答23　セッションハイジャック ▶ P.235 ·· **イ**

WebアプリケーションはHTTP通信におけるセッションIDをもとにして通信が適正なものかを判断するため，攻撃者にセッションIDを推測又は入手されると，正常な利用者のように振る舞う，セッションの乗っ取り（セッションハイジャック）が可能となる。このような乗っ取りの機会を減らすためには，「不正にセッションIDを入手・利用される」機会を減らせばよい。例えば，ログアウト時には，そこまでのセッションで用いていたセッションIDを無効にし，以降は使えないようにする。この措置によって，仮にログアウト前にセッションIDが入手されていても，ログアウト後は乗っ取りができなくなる。

このほか，セッション開始時の措置としては，「セッションIDは同一値や連番ではなく，推定しにくい値をその都度ランダムに設定する」などが挙げられる。

問24 ☑☐☐☐ ディレクトリトラバーサル攻撃はどれか。

(H27S問15)

ア　OSの操作コマンドを利用するアプリケーションに対して，攻撃者が，OSのディレクトリ作成コマンドを渡して実行する。

イ　SQL文のリテラル部分の生成処理に問題があるアプリケーションに対して，攻撃者が，任意のSQL文を渡して実行する。

ウ　シングルサインオンを提供するディレクトリサービスに対して，攻撃者が，不正に入手した認証情報を用いてログインし，複数のアプリケーションを不正使用する。

エ　入力文字列からアクセスするファイル名を組み立てるアプリケーションに対して，攻撃者が，上位のディレクトリを意味する文字列を入力して，非公開のファイルにアクセスする。

問25 ☑☐☐☐ WAFによる防御が有効な攻撃として，最も適切なものはどれか。

(R4F問14)

ア　DNSサーバに対するDNSキャッシュポイズニング

イ　REST APIサービスに対するAPIの脆弱性を狙った攻撃

ウ　SMTPサーバの第三者不正中継の脆弱性を悪用したフィッシングメールの配信

エ　電子メールサービスに対する電子メール爆弾

答24 SQLインジェクション ▶ P.233　ディレクトリトラバーサル ▶ P.236 ………… **エ**
　ディレクトリトラバーサル攻撃とは，ファイル名やディレクトリ名を入力パラメタとして指定するアプリケーションに対して，相対パスなどの想定されていない文字列を入力することによって，本来はアクセスできないはずのファイルにアクセスする攻撃である。
　ディレクトリトラバーサル攻撃を避けるためには，入力パラメタでファイル名を直接指定する実装を避ける，ディレクトリ指定は固定化させてファイル名だけを入力させる，入力パラメタにディレクトリ名が含まれる場合はエラー処理や除去を行う，などが考えられる。

ア　OSコマンドインジェクションに関する記述である。
イ　SQLインジェクションに関する記述である。
ウ　認証情報の不正利用に関する記述であり，ディレクトリトラバーサル攻撃はLDAPのようなディレクトリサービスとは無関係である。

答25 WAF ▶ P.236 ……………………………………………………………………… **イ**
　WAF（Web Application Firewall）は，クロスサイトスクリプティングやバッファオーバーフロー，SQLインジェクションといったWebアプリケーションの脆弱性を利用した攻撃から，Webアプリケーションを保護するためのシステムである。
　通常のファイアウォールでは，Webアプリケーションに対する通信内容まではチェックしないため，脆弱性を利用した攻撃からWebアプリケーションを保護することは難しい。これに対して，WAFは通信するデータの中に含まれる脆弱性を利用した攻撃のパターンを検出する。これにより，攻撃を目的とした通信の遮断などの対策を行うことが可能となる。
　"イ"のREST APIサービスは，REST（Representational State Transfer）と呼ばれる設計方針に従って構築されたWebアプリケーション及びそのAPIを指す。したがって，APIの脆弱性を狙った攻撃にWAFは有効である。

システム開発

11.1 システム開発技術

❏ソフトウェアライフサイクルプロセス ── 問1

システムが生まれてから消えるまでの流れをソフトウェアライフサイクルという。ソフトウェアライフサイクルプロセス（SLCP：Software Life Cycle Process）は、システムの開発から運用までの全ての工程を指し、次図のような工程に分けられることが多い。

▶開発に関連するプロセス群

❏ソフトウェア設計

ソフトウェア要件定義の内容を受けて次の作業を行う。

①ソフトウェアの最上位レベルの構造設計

ソフトウェア（サブシステム）がどのようなコンポーネントで構成されるかという骨組みを決定する。コンポーネントは、一般でいう"プログラム"と同様の単位であり、コーディング及びコンパイルの単位となるソフトウェアユニット（モジュール）の集合である。

②コンポーネントの設計

　　ソフトウェア要件定義で洗い出された要件を各コンポーネントに割り当て，それをどのような仕組みで実現するかを明確にする。具体的には次のような作業を行う。

- ●コンポーネントの機能仕様決定
- ●コンポーネント間のインタフェース設計
- ●入出力設計　（ユーザーインタフェースなど）
- ●データ設計

③その他の作業

　　コンポーネントに関する設計作業に加え，利用者文書（暫定版）の作成や，ソフトウェア結合のためのテスト要求事項の定義などを行う。作業成果に対しては，評価と共同レビューを実施する。

❏外部設計

　　ユーザーの立場から見たシステム設計を行う。「コンピュータへの実装を意識しない設計」と考えてもよい。具体的な作業としては次のようなものが挙げられる。この段階で，試作品を評価するプロトタイピングの手法をとり入れることも多い。

①サブシステム分割

　　システムに必要な機能を洗い出し，関連性の強いものをまとめてサブシステムとして定義する（第1段階の詳細化）。

②論理データ設計

　　システムとして記録するデータを洗い出し，その属性を決定する。また，関連性の強い項目をファイルにまとめ，ファイル仕様書を作成する。

③入出力設計

　　システムに必要な画面及び報告書について，表示する項目やレイアウト，遷移に関して設計する。

④コード設計

　　データを識別するためのコードを設計する。

❏内部設計

　　システム開発者の立場から設計を行う。「コンピュータへの実装を意識した設計」と考えてもよい。具体的な作業としては次のようなものが挙げられる。

①プログラム分割

　　サブシステムが実現する機能をプログラム（連係編集した結果のロードモジュー

ルと考えればよい）に分割し，詳細化を行う。

②物理データ設計

　外部設計で行った論理データ設計の仕様を受けて，具体的なファイル編成やレコード様式などの設計を行う。

③入出力詳細設計

　外部設計で行った画面及び報告書の設計を受けて，それらの詳細な設計を行う。例えば，入力画面の詳細設計では，入力データの性質を考慮してより簡便でミスの少ない入力方法を検討する。

❏ UXを考慮した要件の定義

　UXはユーザーの期待や目的によって大きく異なる。製品やサービスは機能や価格ではなくUXで選ばれるようになってきており，ユーザーにとって価値のあるモノでなければ，売れない時代へと変わってきている。そのため，UXを考慮した要件定義は，ユーザー要求をベンダーが知識や経験をもとに機能に落とし込んでいくという従来のものとは大きく異なる。最適なUXを提供するために，要件定義においてはUXデザインを先行させ，必要な機能などを整理していく。ユーザーやベンダーという立場にこだわらず，プロジェクト参加者全員がユーザー目線に立つ。

❏ 利用者用文書類

　ソフトウェアの使い方や情報システムの運用方法などを説明，指示する文書である。システム運用マニュアル，業務運用マニュアル，利用者マニュアルなどがある。

❏ DFD（Data Flow Diagram）　　　　　　　　　問2

　データの流れに着目した図式化技法である。データの変換が生じる場合，必ず何らかのプロセスが介在する。そこに注目して，データの流れから「システムにどのような機能が必要か」を洗い出す。四つの基本要素で構成され，これらの構成要素を組み合わせてシステムをモデル（図式）化する。

記 号	呼び方	意 味
⟶	データフロー	データの流れ
○	プロセス	データに対する処理機能
═	データストア	同じ種類のデータを蓄積した論理ファイル
□	源泉／吸収	データの発生源，吸収先，外部システムなど

▶DFDの構成要素

❏ 論理モデルと物理モデル

　構造化分析では，DFD，データディクショナリ，ミニスペックを用いて，システムのモデル化を行う。DFDを用いたモデリングは，物理モデルと論理モデルの二段階に分けて進めるとよい。作業順序は，次のようになる。

① 現物理DFDの作成

　現行業務の調査・分析を行い，「データストアXXは紙媒体で保管」など，具体的な情報（物理的な属性）を含んだレベルでDFDを作成する。

② 現論理DFDの作成

　現物理DFDから物理的属性を取り除き，本質的な情報だけを残したDFDを作成する。

③ 新論理DFDの作成

　現論理DFDに対して，将来予想される変更やユーザー要求を盛り込み，新しい「あるべきDFD」を作成する。

④ 新物理DFDの作成

　新論理DFDに対し，マンマシンインタフェースも考慮しながら，システムの稼働条件などの物理的な属性を追加し，より具体的な機能仕様を表すDFDを作成する。ここでは，どの範囲をシステム化の対象とし，どの範囲を手作業にするのかなどのシステム化領域の境界が明確になる。

❏ モジュールの独立性　　　　　　　　　　　　　問3　問4

　構造化設計における評価基準である「モジュールの独立性」は，「他のモジュールに極力影響を与えない（又は影響を受けない）」という性質である。モジュールの独立性を評価する尺度として，**モジュール強度**と**モジュール結合度**がある。モジュール強度は，一つのモジュール内のまとまりの良さ（モジュール内の構成要素間の関連性

の強さ）を示す尺度である。モジュール強度の強いモジュールほど，独立性が高いことになる。

▶モジュール強度の分類

強度	種類	定義	補足	
強 ↑ ｜ ｜ ｜ ↓ 弱	機能的強度	一つの固有の機能だけを実行するために，モジュールを構成する全ての要素が関連し合っている状態	一つの機能を実現するために構成要素が一致団結	構造化設計で目標とするモジュール強度
	情報的強度	同一のデータ構造を扱う複数の機能的強度のモジュールを，それぞれに入口点と出口点を設けて，一つにパッケージ化したもの 〔操作対象となるデータに関連する情報を，特定モジュールに限定できるため，独立性が高められる〕	データと手続きを一体化させるカプセル化など	
	連絡的強度	（手順的強度＋データを通じてのかかわり合い） 一連の手順に従って逐次的に実行されること，及びデータの受渡しや同一データの参照を行うことで，モジュールを構成する要素が関連し合っている状態		
	手順的強度	一連の手順に従って，逐次的に実行することで，モジュールを構成する要素が関連し合っている状態		
	時間的強度	ある特定の時期に実行されるという観点で，モジュールを構成する要素が関連し合っている状態	初期設定モジュール，終了処理モジュールなど	
	論理的強度	論理的に関連するいくつかの機能で構成され，ある種の機能コードによって，そのうちの一つが選択され実行されるもの		
	暗合的強度	機能を定義することができない（何を行うモジュールであるかがあいまいである），構成要素間に特定の関係がない（お互い無関係に近い）状態	無関係な機能を，無秩序に寄せ集めたモジュール	

❏ データ中心アプローチ（DOA）

　企業の業務活動は環境の変化に合わせて刻々と変化しているが，情報システムで取り扱われているデータは企業の経営内容が変わらない限りほとんど変化しない。データ中心アプローチは，この安定したデータ基盤を共有資源として先に設計し，そのデータに基づいてシステム又はソフトウェアを設計するという方法論である。データ中心アプローチでは，変更に対する安定性が高く，標準プロセスを用いた効率的な開発が期待できる。

❏ エンティティ機能関連マトリックス

　エンティティのインスタンスが発生してから消滅するまでの期間を**エンティティライフサイクル**という。インスタンスの発生や更新，消滅には，そのエンティティを利

用する機能（プロセス）が必要であり，これを整理することによって，エンティティのライフサイクルに携わるプロセスを一元化することが可能となる。

　レンタルビデオショップを例にして，エンティティと機能の関連を表したエンティティ機能関連マトリックスを次に示す。エンティティ機能関連マトリックスでは，エンティティに発生するイベントを「生成（Create）」「参照（Retrieve）」「更新（Update）」「削除（Delete）」の四つに分類し，それぞれ「C」「R」「U」「D」の各記号を記入する。それぞれのエンティティにおけるインスタンスが，どの機能で生成（又は参照，更新，削除）されるのか，また，ある機能がどのエンティティを必要とするのかが分かる。

▶エンティティ機能関連マトリックス

機能（プロセス）＼エンティティ	会員	ビデオ	レンタル履歴	レンタル明細
新規会員を登録する	C			
会員登録を更新する	U			
会員登録を抹消する	D			
新規購入したビデオを登録する		C		
ビデオの料金情報などを変更する		U		
レンタル廃止のビデオを抹消する		D		
ビデオの貸出情報を記録する	R	R	C	C
ビデオの返却情報を記録する	R	R	U	U
返却遅れの会員に督促状を送付する	R	R	R	R
条件を満たした会員に割引券を送付する	R		R	R

❏オブジェクト指向

　手続きとデータを別々に扱うのではなく，それらを一体化したオブジェクトとしてとらえて分析・設計を行う方法論である。データ中心アプローチをさらに推し進めたものと考えることもできる。オブジェクト指向では，現実世界からオブジェクトを抽出する作業が重要となる。UMLの**クラス図**や**ユースケース図**などを用いて，業務（現実世界）からオブジェクトを洗い出し，関係を整理することが多い。

❏カプセル化

　オブジェクト固有のデータと，そのデータに対する手続き（メソッド）を一体化して定義することである。カプセル化されたデータに対しては，オブジェクトが公開し

ている手続きを介してのみアクセスすることができる。これを，**情報隠ぺい**という。カプセル化によって，データやメソッドなどの内部構造を変更しても，他のオブジェクトやユーザーにその影響が及びにくくなり，独立性が向上する。また，オブジェクトの再利用が可能になる。

❏ UML（Unified Modeling Language）— 問5 問6 問7

オブジェクト指向分析・設計の際に用いられる，OMG（オブジェクト指向技術の標準化団体）標準として正式に承認されているモデリング言語である。オブジェクト指向開発における，要求分析・システム分析・設計・実装・テストの工程を網羅しており，単純で分かりやすい表記法によって，統一してソフトウェア開発を行うことができる。従来の方法論に比べて厳密で正確なモデルの記述ができるので，モデルの内容を正確に伝達できる。このような特徴から，ソフトウェア開発に携わる関係者間の共通のコミュニケーション手段として幅広く利用されている。

❏ ユースケース図 ——————————— 問5 問6 第3部①問7

システムがどのように機能するかを表す図である。ユースケース図の構成要素には，システムの機能である**ユースケース**，システムの外部に存在してユースケースを起動しシステムから情報を受け取る**アクター**，システム内部とシステム外部の境界を示す**システム境界**などがある。

ユースケースは，システムの機能要求を詳細には表現していないため，ユースケースの単位ごとに，機能詳細を文章で記述することが多い。また，ユースケースを記述する際には，必要に応じて例外処理を記述する場合もある。さらに，具体的な例を記述したシナリオを作成することもある。

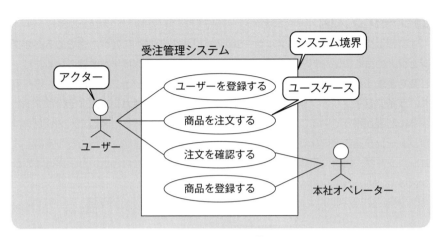

▶ユースケース図

❏ クラス図 ─── 第1部⑧問1 問5 問6 問7 第3部①問7

概念データモデルやユースケース図，シナリオなどからクラスを洗い出してクラスに必要な属性などを定義し，同時にクラス間に存在する**関連**も洗い出す。クラス図は，関連があるクラス間を線で結んで表現した図である。関連の表記においては，**多重度**を記述する。また，クラス間の**集約**関係や**汎化**関係も定義する。

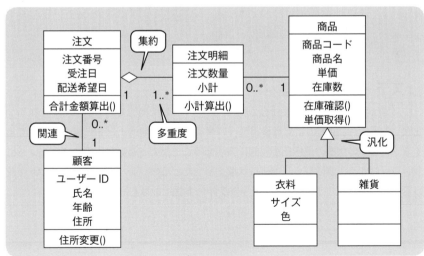

▶クラス図

❏ シーケンス図

オブジェクト間で発生する**メッセージ**のやりとりを時系列に並べた図である。**オブジェクト**の振る舞いを明らかにできるので，クラスに必要な操作が明確になる。サービスを要求するオブジェクトからサービスを提供するオブジェクトに向けて矢線を引く。**ライフライン**がオブジェクトの生存期間を表し，**実行オカレンス**はそのオブジェクトに制御が移っていることを表す。実行オカレンスが終了した時点で，メッセージがリターンすることになるが，このリターンを示す矢線は省略されることが多い。オブジェクトが，自身に定義されたメソッドを呼び出す動作を再帰という。実行オカレンスは，UML1.5までは活性区間と呼ばれていた。

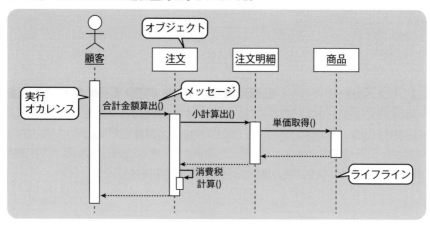

▶シーケンス図

❏ ステートマシン図

オブジェクトの状態が外部からの刺激（イベント）に対してどのように変化するかを表した図で，"UMLの状態遷移図"といえる。時間の経過とともに様々に変化するオブジェクトの状態の遷移を視覚的に表現することができる。全てのオブジェクトについて記述する必要はなく，複雑な状態遷移をたどるオブジェクトについてのみ作成してもよい。UML1.5までは，**ステートチャート図**と呼ばれていた。

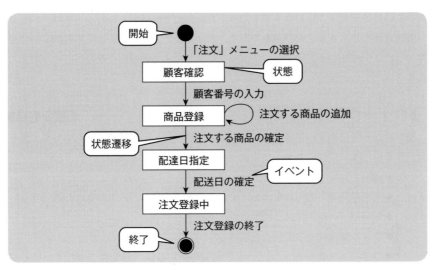

▶ステートマシン図

❏アクティビティ図 ━━━━━━━━━ 問6 問7 第3部1問7

オブジェクトの処理内容である作業プロセスを視覚的に表現した図である。"UMLのフローチャート"であり，エンドユーザーにも理解しやすい。

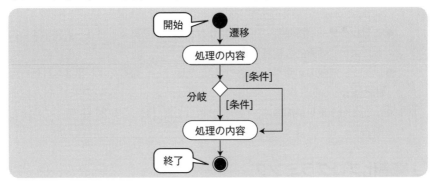

▶アクティビティ図

❏デザインレビュー ━━━━━━━━━━━━━━━━━━━━

設計工程において成果物として作成される仕様書を確認し，次工程に進んでよいレベルかどうかを評価するレビュー技法である。ソフトウェアの設計仕様をレビューして，誤りを早期に発見し，ソフトウェアの修正によるコストの増大を防ぐことを目的

としている。デザインレビューにあたっては，レビュー体制，レビュー標準，レビュー管理を明らかにすることが必要である。また，レビュー対象ごとに客観的な評価基準やレビューポイントを設定し，チェックリストによる確認などを行うことが重要である。

❏ ウォークスルー ━━━━━━━━━━━━━━━━━━ 問10 問11

　関係者が一堂に集まって成果物について机上で検討し，成果物に潜む誤りや欠陥を発見するレビュー技法である。次のような特徴が挙げられる。

- 問題の発見を目的として，その場で解決を行わない。
- 大きな問題の発見に専念し，小さな問題（誤字など）は対象から除外する。
- 短時間（一般的には2時間以内）で終了させる。
- ウォークスルー中に個人を攻撃しない。
- ウォークスルーをメンバーの評価に利用しない（管理職は参加すべきでない）。

❏ インスペクション ━━━━━━━━━━━━━━━━━ 問10

　ウォークスルーよりも厳格な運営基準を設けたレビュー技法である。設計工程からコーディングまでの幅広い工程に対応することができる。次のような特徴が挙げられる。

- **モデレーター**（調停者・司会者）が存在し，責任あるレビューを実施することによって効果的な検証作業を遂行する。
- レビュー対象の範囲やレビューの目的を限定し，資料のより迅速な評価を目的とする。
- レビュー作業を参加者メンバーに分担して割り振り，レビュー効率の向上を図る。

❏ 構造化プログラミング ━━━━━━━━━━━━━━━━━━━━

　ダイクストラ（E.W.Dijkstra）によって提案された，プログラミングの指針である。構造化プログラミングでは，順次，選択，繰返しという三つの基本制御構造のみを用いてプログラムを記述する。順次は「文の並び」，選択は「条件による分岐」，繰返しは「条件による処理の繰返し」のことである。繰返しは，繰返し構造内部の処理を実行する前に条件判断（判定）を行う前判定繰返しと，処理の実行後に条件判断を行う後判定繰返しに分けることができる。

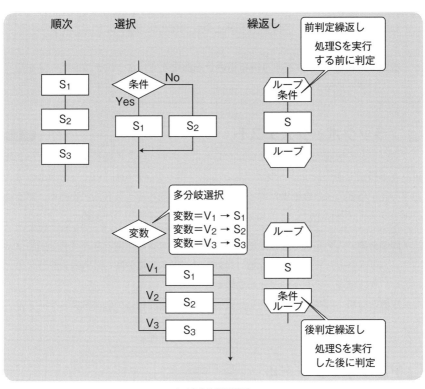

▶**基本制御構造**

❏ ホワイトボックステスト ━━━━━━━━━━━━━ 問12

　プログラム内部の制御構造（プログラムロジック）に基づいてテストケースを設計する技法であり，制御（論理）網羅法ともいう。ホワイトボックステストにおけるテストケースの設計には，次の五つがある。

- **命令網羅**…「プログラム中の全ての命令が，少なくとも１回は実行される」ようにテストケースを設計する技法
- **判定条件網羅（分岐網羅）**…「プログラムの各判定条件について，真と偽が少なくとも１回は判定される（全ての経路を少なくとも１回は通過する）」ようにテストケースを設計する技法
- **条件網羅**…「判定条件中の全ての条件が，真と偽を少なくとも１回はとる」ようにテストケースを設計する技法

- **判定条件／条件網羅**…判定条件網羅と条件網羅の両方を満たすようにテストケースを設定する技法
- **複数条件網羅**…「条件がとり得る組合せを網羅する」ようにテストケースを設計する技法

❏ ブラックボックステスト ━━━━━━━━━━━━━ 問12

　プログラムの機能仕様（外部仕様）をもとに，入力と出力に関するテストケースを設計する技法である。ソフトウェアをブラックボックスとみなして，「どのような入力を与えたらどのような結果が得られるのか」に着目したテスト技法である。ブラックボックステストにおけるテストケースの設計には，次の二つがある。

- **同値分割**…入力条件の仕様をもとに，入力領域を正常処理となる「有効同値クラス」と，異常処理となる「無効同値クラス」に分割し，各同値クラスの代表値をテストケースとして用意する手法
- **限界値分析**…同値分割で設計した同値クラスの境界付近の値をテストケースとして採用する手法

❏ デバッギングツール ━━━━━━━━━━━━━━━━━

　実際にプログラムを実行して，プログラムの欠陥の発見や修正を行うツールの総称である。言語プロセッサの機能として組み込まれることも多く，変数やレジスタに格納された内容の表示などを行う。

❏ アサーションチェック ━━━━━━━━━━━━━━━━

　実際にプログラムを実行してテストをする動的テスト手法である。プログラムの前提として真となる命題をプログラム中に設定し，プログラムの前提条件が保たれているかを確認する。

❏ トレーサ ━━━━━━━━━━━━━━━━━━━━━━

　プログラムの実行過程を時系列にモニタリングする動的テストの支援ツールである。プログラムの実行順に，命令の内容やその実行結果を順次出力する。エラーの原因が特定できないときなどに有効なツールである。

❏ ダンプ解析ツール

メモリやファイル内部の情報を表示・解析し，欠陥の発見や修正を支援する動的テストの支援ツールである。メモリ情報（レジスタ類も含む）を出力するものを，メモリダンプともいう。プログラムにチェックポイントを設けて，プログラムがチェックポイントを実行する際にダンプを行う手法をスナップショットという。

❏ カバレッジモニター

実行したテストの網羅性（カバレッジ）を計測する動的テストの支援ツールである。テストの実行されていない経路や命令を知ることができ，テストの進捗状況なども測ることができる。

❏ ドライバ

モジュール階層の最下位モジュールから順に結合を進めていくテスト技法を**ボトムアップテスト**という。ボトムアップテストにおいて，下位モジュールを結合するための"仮の上位モジュール"をドライバという。ドライバは，実際にテスト対象モジュールに引数を渡して呼び出し，戻り値を受け取る。

❏ スタブ

モジュール階層の最上位のモジュールからテストを始め，順に下位のモジュールを結合しながらテストを進める技法を**トップダウンテスト**という。トップダウンテストにおいて，上位モジュールをテストするための"仮の下位モジュール"をスタブという。スタブは本来の下位モジュールと同様のインタフェースを備え，上位からの呼出し条件に応じて適切な値を返す。

11.2 ソフトウェア開発管理技術

❏ スパイラルモデル

ベームによって提唱されたソフトウェア開発モデルで，次の四つの基本的な工程を開発サイクルとして繰り返す。

- 目的，代替案，制約の決定
- 代替案の評価，リスクの識別と解消
- 開発と検証

●次サイクルの計画

　各開発サイクルの開始時には必ずリスク分析・評価を行うなど，リスク管理に主眼を置いている点が特徴である。また，プロトタイピングが適用されることも多い。

❏ RAD（Rapid Application Development）

　「迅速なアプリケーション開発」という意味で，開発支援ツールを活用し，従来よりも少人数で早期に行うソフトウェア開発モデルである。プロトタイプモデルとスパイラルモデルを合わせたアプローチを行うことが多い。この場合，ユーザー満足を得るまでプロトタイプの作成を繰り返していると，完成時期が不明確になってしまうという欠点がある。そこで，無制限にサイクルを繰り返さないようにタイムボックスと呼ばれる期限を設け，期限内に仕様が確定しない要求については開発しない，といった方法をとることもある。

❏ アジャイル — 問14 問15 問16

　RADが「迅速性」を最重視しているのに対し，アジャイルでは「状況に応じ，その時点で最適な成果をユーザーに提供する」ことを重視した，スピードを意識したソフトウェア開発モデルである。アジャイルには，次のような特徴がある。

- ●スパイラルモデルのような開発サイクルの反復を基本とする。
- ●最終段階までの詳細な計画は立てず，1サイクル分だけの簡単な計画を立てて開始する。
- ●開発サイクルごとに，その時点での成果物をユーザーに提供する。

❏ XP（eXtreme Programming，エクストリームプログラミング），
　テスト駆動開発，ペアプログラミング，リファクタリング — 問10

　XPは，ソフトウェアを迅速に開発するアジャイル開発の考え方の一つである。XPでは，設計の厳格さよりも柔軟性やスピードを重視し，コーディング・テスト・再設計を繰り返すように開発を進めていくアプローチがとられる。

　XPでは，開発プラクティスで実践することが提唱されているものとして，次のようなものがある。

- **テスト駆動開発**：プログラムを書く（実装する，コード作成する）前にテストケースを作成し，そのテストをパスするよう実装を行う
- **ペアプログラミング**：2人1組となり，一方がドライバとしてコードを書き，

もう一方がナビゲータとなりそれをチェックする。この役割を交代しながら作業を進める

- **リファクタリング**：完成済みのコードの性能や保守性などの向上を目的として，プログラムの外部から見た動作は変えずにソースコードの内部構造を整理・改善する
- **継続的インテグレーション**：コードが完成するたびに結合テストを実施し，問題点や改善点を探す

❏ DevOps（デブオプス）

アジャイル開発の普及とともに生まれた考え方で，開発（Development）と運用（Operations）を組み合わせたものである。

ソフトウェア開発の現場では，開発担当チームと運用担当チームの間で生まれた意見の対立によって開発が停滞し，リリースが遅れるようなことがある。そこで，「チーム間の対立をなくし，協力して開発を円滑に進める」という考え方としてDevOpsが生まれた。開発担当チームと運用担当チームが連携してソフトウェアの作成とテストを迅速化できる環境を構築し，品質の良いソフトウェアを確実に早くリリースすることを目指している。

変化の激しいビジネスニーズに迅速に応えるという**アジャイル開発**を実現するにおいて，DevOpsの考え方は必然的なものであるといえる。

DevOpsを導入するメリットは，

- ●円滑な開発の実現
- ●生産性の向上
- ●リリースの迅速化

などである。

❏ ラウンドトリップ

オブジェクト指向開発において，分析，設計，プログラミングを行き来しながら，試行錯誤でシステムを完成させていくソフトウェア開発モデルである。ラウンドトリップを大規模開発に適用すると，いつまでも開発作業が収束せずに失敗することがある。

❏ クリーンルームモデル

　開発の初期段階から品質に重点を置き，レビューと検証を十分に行うことによって品質保証を重視するソフトウェア開発モデルである。システムを段階的に拡充しながら開発し，完成した順にチームによる品質のレビューと検証を行う。このようにして，欠陥を検出・修正することで，システムの品質を保証する。クリーンルームモデルの特徴として，トップダウン方式で開発を進められること，単体テストの工程がないことなどが挙げられる。

❏ JIS X 0160

　ソフトウェアライフサイクルプロセス（SLCP）に関する規格で，国際規格であるISO/IEC/IEEE 12207をもとに作成された。ソフトウェアライフサイクルプロセスにおける作業内容を可視化し，購入者と供給者に共通の尺度を提供して取引を円滑にする標準的な枠組みで，作業単位は三つの概念によって階層化されている。

> - プロセス…入力を出力に変換するもので最上位の作業単位
> - アクティビティ…プロセスの構成要素
> - タスク…アクティビティを構成する個々の作業

❏ CMMI（能力成熟度モデル統合）

　開発部門が自らの開発能力を客観的に評価・把握する際に用いる枠組みの一つである。ソフトウェア開発能力を評価するためのモデルである**CMM**を，多くのCMM事例を反映させる形で拡張・統合したものである。CMMが基本的にソフトウェアを評価対象とした開発モデルであるのに対し，CMMIはハードウェアを含む製品やサービスまでに評価対象範囲を広げている。CMMIでは，組織における開発プロセスの成熟度を5段階に分けて定義しており，レベル1が最も低く，レベル5が最も高い。

❏ 再利用

　規模が拡大化・複雑化しているソフトウェアの修正や拡張に対応するためには，できる限りソフトウェアを標準化し，再利用できるようにしておくことが重要である。ソフトウェアには，次のような再利用方法がある。

> - 移植…既存のソフトウェアを別の環境で動作するように改変する
> - 改造…既存のソフトウェアを流用し，差分だけを設計・実装する形で改造する

> ・部品化…各種機能を備えた部品を蓄積しておき，新たなソフトウェアを開発する際に利用する

❏ 部品化

　特定の機能を実現する処理（命令）の集まりを部品といい，モジュールやプログラム，ミドルウェアなどが該当する。ソフトウェアが部品化されていれば，再利用が容易になり，生産性の向上，品質や信頼性の向上，開発工数の削減などが期待できる。部品が標準に準拠していることが最も重要で，コーディング規則や他プログラムとのインタフェース，異常処理の扱い方などが標準化されている必要がある。

❏ 形式手法

　前提条件やプログラムの実行結果などを厳密に記述することによって，仕様及びモデルの品質（正確性）を高める開発手法である。カードによる決済システムやリアルタイム性の高い制御システムなどでは，仕様を決定する段階での小さな条件の見逃しが致命的な損害を引き起こしかねない。それを避けるため，仕様やモデルの記述段階で徹底的にルール化された記述を行い，作成されるソフトウェアの正しさを保証しようという考え方である。形式手法に用いられる記述言語を形式仕様記述言語といい，代表的なものには，VDM-SL（Vienna Development Method - SpecificationLanguage）やVDM＋＋などがある。

❏ マッシュアップ

　「複数のコンテンツ（サービス）を取り込み，組み合わせて利用する」手法の総称である。Webサービスで広く活用されており，検索サイトや地図情報サイトを運営する事業者には，マッシュアップ用のAPIを作成・公開しているところも多い。

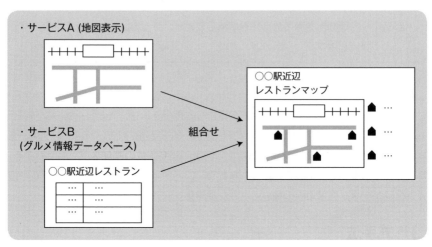

▶マッシュアップの例

❏ CASE（Computer Aided Software Engineering）

ソフトウェア開発工程をコンピュータによって支援するという考え方である。CASEのために統合化されたツール群のことを**CASEツール**という。CASEツールは，システムライフサイクル全般を支援する統合型CASEツールと，ある工程だけを支援する部分型CASEツール，要求分析工程から設計工程などを中心に支援する上流CASEツールと，製造工程からテスト工程，あるいは運用・保守工程を中心に支援する下流CASEツールに分類される。

❏ リポジトリ

開発工程における様々な情報（ソフトウェアの仕様，機能など）を管理するデータベースである。リポジトリは，各工程での成果物をその特性に応じて一元的に管理し，必要に応じて次工程に引き継ぐインタフェースの役割を持つ。

❏ リエンジニアリング

既存のソフトウェアの保守・拡張・移植を含め，新しい形式でソフトウェアを再構成するための検査と修正のプロセス及びその支援技術のことである。リエンジニアリングは，**リバースエンジニアリング**による再利用と**フォワードエンジニアリング**による再構築の循環プロセスとみなすことができる。このため，「リエンジニアリング＝リバースエンジニアリング＋フォワードエンジニアリング」などと表記されることが

多い。リエンジニアリングによって，ソフトウェアの再利用が期待できる。

11.3 システム運用

❏ バックアップ ——————————————————— 問13

ディスククラッシュなどの記憶装置（媒体）障害が発生したときに，速やかにデータを回復するためのデータのコピーである。バックアップには次のようなものがある。

- **フルバックアップ**…全てのファイルをバックアップする
- **差分バックアップ**…前回のフルバックアップ時から変更された部分のみをバックアップする
- **増分バックアップ**…（フルバックアップか否かを問わず）前回のバックアップ時から変更されたデータをバックアップする

問1 ☑□□□ ソフトウェアライフサイクルプロセスにおいてソフトウェア実装プロセスを構成するプロセスのうち，次のタスクを実施するものはどれか。

(H30S問16)

〔タスク〕
・ソフトウェア品目の外部インタフェース，及びソフトウェアコンポーネント間のインタフェースについて最上位レベルの設計を行う。
・データベースについて最上位レベルの設計を行う。
・ソフトウェア結合のために暫定的なテスト要求事項及びスケジュールを定義する。

ア　ソフトウェア結合プロセス　　　　イ　ソフトウェア構築プロセス
ウ　ソフトウェア詳細設計プロセス　　エ　ソフトウェア方式設計プロセス

問2 ☑□□□ DFDにおけるデータストアの性質として，適切なものはどれか。

(H27F問16)

ア　最終的には，開発されたシステムの物理ファイルとなる。
イ　データストア自体が，データを作成したり変更したりすることがある。
ウ　データストアに入ったデータが出て行くときは，データフロー以外のものを通ることがある。
エ　他のデータストアと直接にデータフローで結ばれることはなく，処理が介在する。

答1　ソフトウェアライフサイクルプロセス ▶ P.262 ······································ **エ**

JIS X 0160は"ソフトウェアライフサイクルプロセス（SLCP）"に関する規格である。JIS X 0160:2012ではソフトウェア固有のプロセスとして"ソフトウェア実装"や"ソフトウェア支援"を定めている。

"ソフトウェア実装"プロセスは，仕様で指定された要素（品目）を作成するためのプロセスであり，次のようなサブプロセスに分割される。

- ・ソフトウェア要求事項分析プロセス…ソフトウェアに対する要求事項を確立する
- ・ソフトウェア方式設計プロセス…要求事項を実装するための品目の上位レベルの設計を行う
- ・ソフトウェア詳細設計プロセス…コーディング・テスト可能なレベルにまでユニット単位の設計を行う
- ・ソフトウェア構築プロセス…設計を反映したユニットを構築（コーディング）する
- ・ソフトウェア結合プロセス…ユニットを組み合わせる
- ・ソフトウェア適格性確認テストプロセス…結合されたソフトウェアが要求事項を満たすことを確認する

問題で提示されている内容は，ソフトウェア品目の上位レベルでの設計に関するものなので，"ソフトウェア方式設計プロセス"に該当する。

答2　DFD ▶ P.264 ·· **エ**

DFDにおいては，データストアやターミネータ（源泉／吸収）が，プロセス（処理）を介さずに直接データフローで結ばれることはない。これは，単純にデータを受け渡すだけでも，そこには必ずプロセスが介在するためである。

- ア　データストアは，同じ種類のデータを蓄積したものであり，データストアが最終的にシステムの物理ファイルになるとは限らない。設計によってはメモリ上に一時確保するブロックとなることもあるし，関係データベースの表となることもある。
- イ　データストア自身にデータの作成や変更といった処理を行わせてはならない。そのような処理は，必ずプロセスとして表現する。
- ウ　データの流れは，必ずデータフローとして表現する。

問3 ☑□
□□
モジュール設計に関する記述のうち，モジュール強度（結束性）が最も強いものはどれか。

(H29F問16)

ア　ある木構造データを扱う機能をこのデータとともに一つにまとめ，木構造データをモジュールの外から見えないようにした。

イ　複数の機能のそれぞれに必要な初期設定の操作が，ある時点で一括して実行できるので，一つのモジュールにまとめた。

ウ　二つの機能A，Bのコードは重複する部分が多いので，A，Bを一つのモジュールにまとめ，A，Bの機能を使い分けるための引数を設けた。

エ　二つの機能A，Bは必ずA，Bの順番に実行され，しかもAで計算した結果をBで使うことがあるので，一つのモジュールにまとめた。

問4 ☑□
□□
モジュールの結合度が最も低い，データの受渡し方法はどれか。

(H28S問17)

ア　単一のデータ項目を大域的データで受け渡す。

イ　単一のデータ項目を引数で受け渡す。

ウ　データ構造を大域的データで受け渡す。

エ　データ構造を引数で受け渡す。

答3　モジュールの独立性 ▶ P.265 ⋯⋯⋯⋯⋯⋯⋯⋯⋯⋯⋯⋯⋯⋯⋯⋯⋯⋯⋯⋯⋯ **ア**

　モジュール強度とは，モジュールを構成する機能がどの程度強く関連しているかを表す尺度である。実行する機能が少ないモジュールほど，モジュール強度が強くなる。モジュール強度が強いモジュールほど，モジュールの独立性は高くなり，モジュール強度が低い場合はモジュールの分割を検討する必要がある。

　モジュール強度は強い順に，機能的強度，情報的強度，連絡的強度，手順的強度，時間的強度，論理的強度，暗合的強度に分けられる。

ア　情報的強度に該当する。
イ　時間的強度に該当する。
ウ　論理的強度に該当する。
エ　連絡的強度に該当する。

したがって，情報的強度に該当する"ア"のモジュール強度が最も高い。

答4　モジュールの独立性 ▶ P.265 ⋯⋯⋯⋯⋯⋯⋯⋯⋯⋯⋯⋯⋯⋯⋯⋯⋯⋯⋯⋯⋯ **イ**

　モジュール結合度は次のように分類できる。結合度が弱いほどモジュールの独立性が高くなり，プログラムの一部を変更しても，残りの部分への影響が少なくなる。

結合度	独立性	種類	定義
弱 ↑ ↓ 強	高 ↑ ↓ 低	データ結合	構造を持たない引数でデータを受け渡す
		スタンプ結合	構造を持つ引数でデータを受け渡す
		制御結合	制御引数を用いて他のモジュールの実行を制御する
		外部結合	構造を持たない外部データを共有する
		共通結合	構造を持つ外部データを共有する
		内容結合	他のモジュールの内容を直接参照する

"イ"はデータ結合に該当するので，最も結合度が弱く，独立性が高いといえる。

ア　外部結合に関する記述である。
ウ　共通結合に関する記述である。
エ　スタンプ結合に関する記述である。

問5 ☑□
□□
　表は，ビジネスプロセスをUMLで記述する際に使用される図法とその用途を示している。表中のbに相当する図法はどれか。ここで，ア～エは，a～dのいずれかに該当する。 (H28S問25)

図法	記述用途
a	モデル要素の型，内部構造，他のモデル要素との関連を記述する。
b	システムが提供する機能単位と利用者との関連を記述する。
c	イベントの反応としてオブジェクトの状態遷移を記述する。
d	オブジェクト間のメッセージの交信と相互作用を記述する。

ア　クラス図　　　　　　イ　コラボレーション図
ウ　ステートチャート図　　エ　ユースケース図

問6 ☑□
□□
　UMLの図のうち，業務要件定義において，業務フローを記述する際に使用する，処理の分岐や並行処理，処理の同期などを表現できる図はどれか。 (R4S問25，㊿H29S問25，㊿H25S問25)

ア　アクティビティ図　　　イ　クラス図
ウ　状態マシン図　　　　　エ　ユースケース図

答5 UML ▶ P.268　ユースケース図 ▶ P.268　クラス図 ▶ P.269 ················ **エ**
　ユースケース図は，システム外部（利用者），すなわちアクターからみて，どのような機能単位を利用するかという振舞いを表現する。

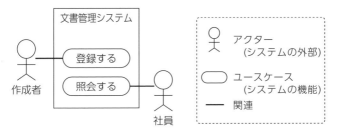

　なお，表中のaはクラス図に，cはステートチャート図に，dはコラボレーション図に相当する。

答6 UML ▶ P.268　ユースケース図 ▶ P.268　クラス図 ▶ P.269
　　　アクティビティ図 ▶ P.271 ··· **ア**
　アクティビティ図はUMLで定義されている図解技法の一つで，システムの振舞いを流れ図形式で表現する。処理の同期や，条件による分岐が表現できる。

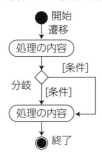

・クラス図…オブジェクトに共通する性質をクラスとして定義し，各クラス間の汎化関係や集約関係を表現する図
・状態マシン図…時間経過や状況変化によるオブジェクトの状態の変化を表す図。状態遷移図，ステートマシン図ともいわれる。リアルタイムシステムの分析などに用いられる
・ユースケース図…ユーザーや外部システムがシステムの機能をどのように利用するかをシナリオに基づいて記述する図

問7 ☑□ □□ UMLのアクティビティ図の特徴はどれか。 (R2F問16)

ア　多くの並行処理を含むシステムの，オブジェクトの振る舞いが記述できる。

イ　オブジェクト群がどのようにコラボレーションを行うか記述できる。

ウ　クラスの仕様と，クラスの間の静的な関係が記述できる。

エ　システムのコンポーネント間の物理的な関係が記述できる。

問8 ☑□ □□ コードの値からデータの対象物が連想できるものはどれか。

(H27F問8)

ア　シーケンスコード　　　イ　デシマルコード

ウ　ニモニックコード　　　エ　ブロックコード

答7　UML ▶ P.268　クラス図 ▶ P.269　アクティビティ図 ▶ P.271 ‥‥‥‥‥‥ **ア**

　アクティビティ図は，オブジェクトの振舞いを記述する図解技法で，並行処理を容易に記述することができる。

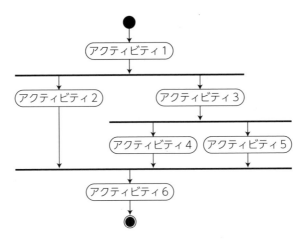

　イ　コラボレーション図の特徴である。
　ウ　クラス図の特徴である。
　エ　コンポーネント図の特徴である。

答8　‥‥‥‥‥‥‥‥‥‥‥‥‥‥‥‥‥‥‥‥‥‥‥‥‥‥‥‥‥‥‥‥‥‥‥ **ウ**

　ニモニックコードは，商品や商品グループなどの名称の一部や略称などを組み込んだコードである。そのため，コードからデータの内容が連想できるという利点がある。

- シーケンスコード…コード化対象に順番に番号を付与していくコード。顧客名簿などに用いられる
- デシマルコード…10進コードともいい，0から9までの数字を用い一桁ごとに最大10分類するコード。JANコード，ISBN（国際標準図書番号）コードなどに用いられている
- ブロックコード…区分（ブロック）を示す区分情報と，区分内連番から構成されるコード。コード化対象を区分に分類して，区分ごとに一連の番号を付与する

問9 ☑□□□ 顧客に，A 〜 Zの英大文字26種類を用いた顧客コードを割り当てたい。現在の顧客総数は8,000人であって，毎年，前年対比で2割ずつ顧客が増えていくものとする。3年後まで全顧客にコードを割り当てられるようにするためには，顧客コードは少なくとも何桁必要か。　(R4F問8，H26F問8)

ア　3　　　イ　4　　　ウ　5　　　エ　6

問10 ☑□□□ 作業成果物の作成者以外の参加者がモデレータとしてレビューを主導する役割を受け持つこと，並びに公式な記録及び分析を行うことが特徴のレビュー技法はどれか。　(R元F問16，H24S問17)

ア　インスペクション　　　　イ　ウォークスルー
ウ　パスアラウンド　　　　　エ　ペアプログラミング

問11 ☑□□□ 仕様書やソースコードといった成果物について，作成者を含めた複数人で，記述されたシステムやソフトウェアの振る舞いを机上でシミュレートして，問題点を発見する手法はどれか。　(R4F問16)

ア　ウォークスルー　　　　　イ　サンドイッチテスト
ウ　トップダウンテスト　　　エ　並行シミュレーション

答9 ········· ア

現在の顧客総数が8,000人で，新規顧客が毎年2割ずつ増えていくので，3年後の顧客総数は

8,000×1.2×1.2×1.2 ＝ 13,824 人

と見積もれる。これに対し，顧客コードは1桁当たり26種類を使用できるので，その組合せは

1桁の場合：26 種類
2桁の場合：26×26 ＝ 676 種類
3桁の場合：26×26×26 ＝ 17,576 種類

のようになり，3桁あれば13,824人分の割当てが可能になることが分かる。

答10 ウォークスルー ▶ P.272　インスペクション ▶ P.272
ペアプログラミング ▶ P.276 ········· ア

インスペクションは，訓練を受けたモデレーター（調停者）と呼ばれる第三者が実施責任者となってレビューを進める技法である。ウォークスルーと比較して公式な意味合いが強く，対象範囲を限定してより迅速に行われることが多い。

- ウォークスルー…開発メンバーを中心として行うレビュー技法。担当者自らが成果物の内容を説明して意見を求める。コード（ソースプログラム）を対象としたレビューに適している
- パスアラウンド…レビュー対象となるドキュメントなどの成果物を各レビューアに配布（もしくは回覧）し，それに対する意見を返してもらう技法。会議開催が困難な場合などに用いられる
- ペアプログラミング…プログラミングを2人1組で行い，相互チェックする手法。XP（eXtreme Programming）などのアジャイル開発においてよく採用される

答11 ウォークスルー ▶ P.272 ········· ア

ウォークスルーは，開発者自身が実施責任者となって行うレビュー手法である。成果物の開発者が入力データを仮定し，机上でシミュレーションを行うことで，プログラムの誤りや欠陥を具体的に発見する。

- サンドイッチテスト…結合テスト手法の一つ。上位から下位への結合と下位から上位への結合を並行して行う
- トップダウンテスト…結合テスト手法の一つ。上位から下位へモジュールを結合していく。仮の下位モジュールとしてスタブを用いる
- 並行シミュレーション…監査技法の一つ。プログラムの処理機能，論理などをチェックするために，監査人が用意した検証用プログラムと監査対象のプログラムに同じデータを入力し，両者の処理結果を比較する

問12 ☑□ □□ ブラックボックステストのテストデータの作成方法のうち，最も適切なものはどれか。 (H26F問16)

ア　稼働中のシステムから実データを無作為に抽出し，テストデータを作成する。

イ　機能仕様から同値クラスや限界値を識別し，テストデータを作成する。

ウ　業務で発生するデータの発生頻度を分析し，テストデータを作成する。

エ　プログラムの流れ図から，分岐条件に基づいたテストデータを作成する。

問13 ☑□ □□ フルバックアップ方式と差分バックアップ方式とを用いた運用に関する記述のうち，適切なものはどれか。 (R5F問21)

ア　障害からの復旧時に差分バックアップのデータだけ処理すればよいので，フルバックアップ方式に比べ，差分バックアップ方式は復旧時間が短い。

イ　フルバックアップのデータで復元した後に，差分バックアップのデータを反映させて復旧する。

ウ　フルバックアップ方式と差分バックアップ方式とを併用して運用することはできない。

エ　フルバックアップ方式に比べ，差分バックアップ方式はバックアップに要する時間が長い。

問14 ☑□ □□ アジャイル開発で"イテレーション"を行う目的のうち，適切なものはどれか。 (H30F問17，H29S問17)

ア　ソフトウェアに存在する顧客の要求との不一致を解消したり，要求の変化に柔軟に対応したりする。

イ　タスクの実施状況を可視化して，いつでも確認できるようにする。

ウ　ペアプログラミングのドライバとナビゲータを固定化させない。

エ　毎日決めた時刻にチームメンバが集まって開発の状況を共有し，問題が拡大したり，状況が悪化したりするのを避ける。

答12 ホワイトボックステスト ▶ P.273　ブラックボックステスト ▶ P.274 ………… **イ**

　ブラックボックステストは，テスト対象プログラムの内部構造を考慮せず，外部仕様に基づいたテストケースを設計してテストデータを作成するテスト法である。ブラックボックステストの代表的なテスト技法として，同値分割，限界値分析がある。同値分割では，有効同値クラスと無効同値クラスを識別し，そのクラスを代表する値をテストデータとして使用する。一方，限界値分析では，正常処理と異常処理の境界となる限界値を識別し，その限界値をテストデータとして使用する。

　ア　無作為に実データを抽出した場合，特定の同値クラス又は限界値がテストされない可能性があるため，適切ではない。
　ウ　同値クラスや限界値は発生頻度とは無関係であり，特定の同値クラス又は限界値がテストされない可能性があるため，適切ではない。
　エ　ホワイトボックステストのテストデータの作成方法である。

答13 バックアップ ▶ P.281 ……………………………………………………… **イ**
二つのバックアップ方式は，次のとおりである。

- フルバックアップ方式：毎回データベースの内容を全てバックアップする
- 差分バックアップ方式：直前のフルバックアップ以降の，変更部分や追加部分（差分）のみをバックアップする

　差分バックアップ方式では，週や月の終わりなどにフルバックアップを行い，他の日は直前のフルバックアップ後の差分をバックアップする。差分バックアップ方式は，フルバックアップ方式よりもバックアップに要する時間を短縮することができる。しかし，障害時に復旧する際には，まず直前のフルバックアップを用いて復旧し，続いて最新の差分バックアップを反映しなければならない。そのため，フルバックアップのみで復旧できるフルバックアップ方式よりも復旧時間は長くなる。

答14 アジャイル ▶ P.276 ………………………………………………………… **ア**

　アジャイル開発では，計画から実装・テストまでを短期間で行う開発を一つのサイクルとし，これを"イテレーション"と呼ぶ。このイテレーションを反復しながら「既存の計画に従うよりも，変化へ素早く対応すること」を重視して開発を進める。

　イ　タスクボードなどの可視化ツールの利用目的に関する記述である。
　ウ　2人一組で行うペアプログラミングにおいてドライバ（実際にコードを打ち込む側）とナビゲータ（その様子を見守る側）を固定化すると，視点が独善化して見落としなどを生むことも多い。これを避けるため，ドライバとナビゲータは適宜交替させる，"ピンポンプログラミング"と呼ばれる手法をとることが多い。
　エ　日次スクラムなどと呼ばれる定例会議の開催目的に関する記述である。

問15 ☑□ アジャイル開発などで導入されている"ペアプログラミング"の説明
□□ はどれか。　　　　　　　　　　　　　　　　　　　　　　　　（H30S問17）

ア　開発工程の初期段階に要求仕様を確認するために，プログラマと利用者がペアと
なり，試作した画面や帳票を見て，相談しながらプログラムの開発を行う。

イ　効率よく開発するために，2人のプログラマがペアとなり，メインプログラムと
サブプログラムを分担して開発を行う。

ウ　短期間で開発するために，2人のプログラマがペアとなり，交互に作業と休憩を
繰り返しながら長時間にわたって連続でプログラムの開発を行う。

エ　品質の向上や知識の共有を図るために，2人のプログラマがペアとなり，その場
で相談したりレビューしたりしながら，一つのプログラムの開発を行う。

問16 ☑□ アジャイル開発におけるプラクティスの一つであるバーンダウンチャ
□□ ートはどれか。ここで，図中の破線は予定又は予想を，実線は実績を表
す。　　　　　　　　　　　　　　　　　　　　（R3F問17，H31S問17）

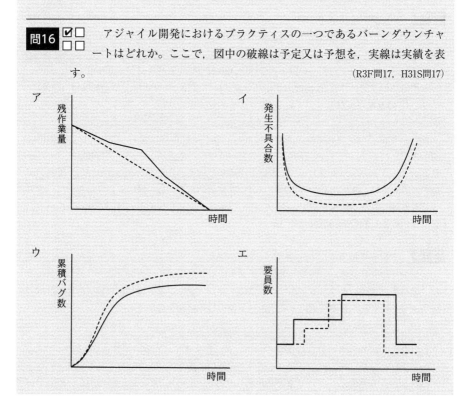

答15　アジャイル ▶ P.276 ··· **エ**

　ペアプログラミングは，2人1組で一つのプログラムを開発する手法である。コードを書く役割と，チェックし作業をガイドする役割を交替しながら開発を進めていく。2人のプログラマが相談したりレビューしたりしながら開発を行うことで，作成するプログラムが属人的・独善的になることを防止し，問題点を迅速に解決できるようになる。その結果，作業効率や成果物の品質の向上につながる。知識やスキルの共有や伝授などといったメリットも挙げられる。

　ア　プロトタイピングによる画面や帳票に対する利用者の確認作業に関する説明である。ペアプログラミングは，プログラマがペアとなるものであり，プログラマと利用者がペアとなるものではない。

　イ，ウ　プログラマが開発対象を分担したり，シフト制で作業を交代しながら開発を行うことは，ペアプログラミングとは呼ばない。ペアプログラミングでは，同時に2人のプログラマが一つの成果物に対して相談しながら作業を行う。

答16　アジャイル ▶ P.276 ··· **ア**

　バーンダウンチャートは，アジャイル開発などにおいて進捗管理に用いられるツールの一つである。時間の進行とともに，実施すべき作業がどれだけ残っているかを「残作業量」としてグラフ化する。予定と実績を描き込むことで，作業が収束しそうかという傾向（トレンド）を把握することが容易になる。

　イ　バスタブ曲線と呼ばれる，ハードウェアなどの故障率の推移を表すグラフである。

　ウ　信頼度成長曲線と呼ばれる，テストにおける検出バグ数の推移を表すグラフである。

　エ　日程及び要員の管理において作成する，単位時間（日や週）ごとの要員数を表すグラフである。

問17 ☑□
□□ 　スクラムのスプリントにおいて，(1)～(3)のプラクティスを採用して開発を行い，スプリントレビューの後にKPT手法でスプリントレトロスペクティブを行った。"KPT"の"T"に該当する例はどれか。　　(R4F問17)

〔プラクティス〕
 (1)　ペアプログラミングでコードを作成する。
 (2)　スタンドアップミーティングを行う。
 (3)　テスト駆動開発で開発を進める。

ア　開発したプログラムは欠陥が少なかったので，今後もペアプログラミングを継続する。
イ　スタンドアップミーティングにメンバー全員が集まらないことが多かった。
ウ　次のスプリントからは，スタンドアップミーテイングにタイムキーパーを置き，終了5分前を知らせるようにする。
エ　テストコードの作成に見積り以上の時間が掛かった。

問18 ☑□
□□ 　組込みシステムのソフトウェア開発に使われるIDEの説明として，適切なものはどれか。
　　(R5F問17)
ア　エディター，コンパイラ，リンカ，デバッガなどが一体となったツール
イ　専用のハードウェアインタフェースでCPUの情報を取得する装置
ウ　ターゲットCPUを搭載した評価ボードなどの実行環境
エ　タスクスケジューリングの仕組みなどを提供するソフトウェア

答17　　ウ

　スクラムは，少人数の開発チーム（スクラムチーム）でコミュニケーションを密に取りながらチーム一丸となって開発を進める，アジャイル開発の具体的なシステム開発手法の一つである。スプリントと呼ばれる短い周期（一般に1～4週間）で機能の実装と評価を繰り返しながら漸進的に開発を進める。スプリントレビューはスプリント最終日に行う成果物レビューであり，スプリントレトロスペクティブは「スプリントを振り返り，よかった点や改善すべき点，その原因と改善策をメンバーで議論して次回スプリントに生かす」活動である。

　KPT手法はレトロスペクティブの実施方法の一つであり，次のような流れで三つの視点（Keep，Problem，Try）から振り返りを行う。

① 各メンバーが良いことを挙げる。
② 各メンバーが悪いことを挙げる。（悪いことよりも良いことを先に挙げることが重要）
③ ディスカッションによって，良いことと悪いことを，Keep（このまま継続すべきこと）とProblem（解決すべき課題）に振り分ける。
④ ProblemからTry（次に改善すべき・試すべきこと）を生み出す。

　ア　欠陥が少なかったペアプログラミング手法を継続するので，Keepに該当する。
　イ　「メンバー全員が集まらなかった」という課題を挙げているので，Problemに該当する。
　ウ　次のスプリントから「タイムキーパーを置く」という改善策を挙げているので，Tryに該当する。
　エ　「テストコード作成に時間がかかった」という課題を挙げているので，Problemに該当する。

答18　　ア

　IDE（Integrated Development Environment）は，プログラム開発を行うために必要なエディターやコンパイラ，デバッガなどの機能が統合された統合開発環境である。有名なものに，OSS（オープンソースソフトウェア）として提供されているEclipseがある。

　イ　モニターツールに関する記述である。
　ウ　チップ性能の評価などに用いられる評価ボード（リファレンスボード）に関する記述である。
　エ　OSの機能に関する記述である。

第**2**部

マネジメント

1 プロジェクトマネジメント

1.1 プロジェクトのスコープマネジメント

❏ スコープ ————————————————————————— 問1

　プロジェクトを成功させるには，作業の範囲や開発すべき成果物が明確に定まっていなければならない。もしそれらが不明確であれば，システムはずるずると肥大してしまう。"**スコープ**"のプロセス群は，作業範囲（スコープ）の定義や管理を行う。

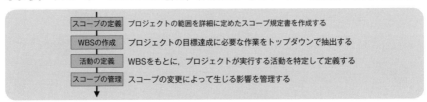

スコープの定義	プロジェクトの範囲を詳細に定めたスコープ規定書を作成する
スコープの定義	プロジェクトの範囲を詳細に定めたスコープ規定書を作成する
WBSの作成	プロジェクトの目標達成に必要な作業をトップダウンで抽出する
活動の定義	WBSをもとに，プロジェクトが実行する活動を特定して定義する
スコープの管理	スコープの変更によって生じる影響を管理する

▶ "スコープ"の活動

❏ WBS (Work Breakdown Structure) ————————

　プロジェクトが実行する作業を，**要素成果物を主体としてトップダウンに分解した構造**である。分解は階層的に行い，レベルが下がるごとに作業は詳細化される。WBSで得られた最下位層の構成要素を**活動**と呼ぶ。

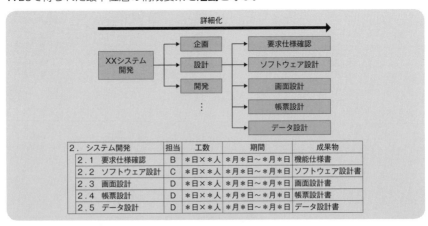

2．システム開発	担当	工数	期間	成果物
2.1 要求仕様確認	B	＊日×＊人	＊月＊日～＊月＊日	機能仕様書
2.2 ソフトウェア設計	C	＊日×＊人	＊月＊日～＊月＊日	ソフトウェア設計書
2.3 画面設計	D	＊日×＊人	＊月＊日～＊月＊日	画面設計書
2.4 帳票設計	D	＊日×＊人	＊月＊日～＊月＊日	帳票設計書
2.5 データ設計	D	＊日×＊人	＊月＊日～＊月＊日	データ設計書

▶ WBS

1.2　プロジェクトのスケジュールマネジメント

"**スケジュール**"のプロセス群は，"**スコープ**"で定義した活動を順序付けし，期間を見積もってスケジュールを作成する。

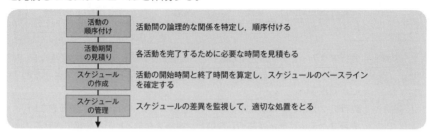

▶ "スケジュール"の活動

❑ PERT ———————————————— 問2 問3 問4

プロジェクトの完了に必要なアクティビティを分析し，プロジェクト全体を完了させるのに必要な時間や重点的に管理すべきアクティビティを特定する手法である。作業日数に余裕のないアクティビティをプロジェクトの開始から終了まで繋いだ経路を**クリティカルパス**という。クリティカルパス上のアクティビティの遅れは，プロジェクト全体の遅れに繋がるため，重点的に管理する。

❑ プレシデンスダイアグラム ——————————— 問4 問5

アクティビティの**依存関係**を表現するための技法である。四角形のノードが個々のアクティビティを表し，矢印がそれらの依存関係を表す技法である。

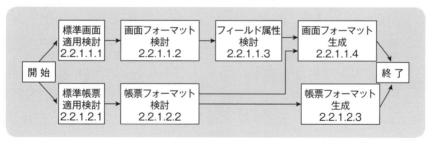

▶プレシデンスダイアグラム

依存関係には，次の4種類を表現できる。この中で，**FS関係**（終了−開始関係）が最も多く用いられる。

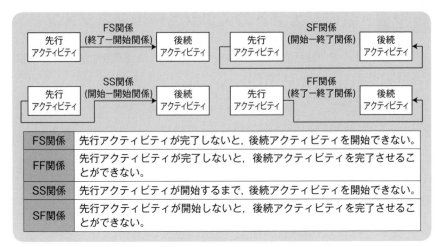

FS関係	先行アクティビティが完了しないと，後続アクティビティを開始できない。
FF関係	先行アクティビティが完了しないと，後続アクティビティを完了させることができない。
SS関係	先行アクティビティが開始するまで，後続アクティビティを開始できない。
SF関係	先行アクティビティが開始しないと，後続アクティビティを完了させることができない。

▶プレシデンスダイアグラムの依存関係

❑ アローダイアグラム ─────────── 問2 問3 問5

　アクティビティの順序を表現するための技法である。矢印がアクティビティを表し，円で表現された結合点がアクティビティの開始や終了を表す。PERT図ともいう。破線の矢印で表現するダミー作業が用いられることもある。

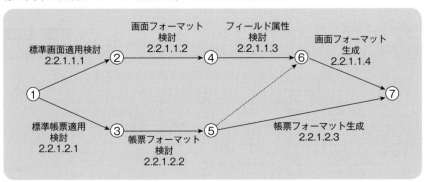

▶アローダイアグラム

1.3 プロジェクトのコストマネジメント

　プロジェクトには予算という目標値があり，その範囲内でプロジェクトを完成することが求められる。"**コスト**"のプロセス群の目的は，コストの観点からプロジェクトの予算を計画し，実績を管理することである。

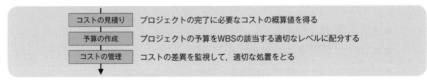

コストの見積り	プロジェクトの完了に必要なコストの概算値を得る
予算の作成	プロジェクトの予算をWBSの該当する適切なレベルに配分する
コストの管理	コストの差異を監視して，適切な処置をとる

▶ "コスト"の活動

❏EVM（アーンドバリューマネジメント）── 問6 問7

　プロジェクトの進捗とコストを金銭価値に置き換えて評価する手法である。次の三つの指標を用いる。

- **PV**（Planned Value；計画価値）…評価時点までに完成を予定していた成果物の金銭的価値
- **AC**（Actual Cost；実コスト）…評価時点までに実際に要した費用
- **EV**（Earned Value；出来高価値）…評価時点までに実際に完成した成果物の金銭的価値

　"金銭的価値"は金額とは限らず，仕様書の枚数やプログラムのステップ数，工数（人月など）のようなものも含まれる。

❏COCOMO ── 問8

　ベームによって提唱されたコストモデルであり，原価を算術的に見積もる手法である。

　見積りの基本となる開発工数Pを，次式で求める。

$$P = a \times K^b$$

　a，bは統計的に求められた係数であり，Kはソフトウェアの規模を表す指標である。Kの単位としては，KLOC（プログラムの行数を千単位で表したもの）がよく用いられる。

　午前試験でCOCOMOが出題される場合，bには0.98などの1前後の値が用いられることが多いが，b＝1として考えればよい。

❏ファンクションポイント法 ─────────── 問8

ファンクションポイント数によってシステム開発工数を見積もる手法である。

次の五つの**ファンクションタイプ**に機能を分類してその数を集計し，集計した値にファンクションタイプの複雑さの程度に応じた重み付けを施して**ファンクション数**を求める。全てのファンクション数を合算し補正したものが**ファンクションポイント数**となる。

- ●外部入力（入力画面など）
- ●外部出力（出力画面や帳票など）
- ●外部照会（データの更新を含まない照会用画面など）
- ●内部論理ファイル（システム内で使用するファイル）
- ●外部インタフェースファイル(他のシステムとの連携に使用されるファイル)

ファンクションポイント法は，システムの機能面から見積りを行うので，プログラム言語やステップ数が明確になっていない設計の初期段階から適用することができる。また，機能が多いほど開発工数が多くなるため，ユーザーの理解を得やすいという特徴を持つ。

1.4　プロジェクトの品質マネジメント

❏ プロジェクトの品質マネジメントのプロセス ───────

"**品質**"のプロセス群は，成果物が顧客のニーズを満足するために行う。

品質保証の監査や品質管理は，プロジェクトの外部で別の機関や顧客が遂行してもかまわない。

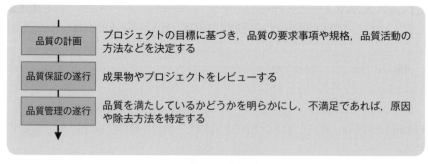

品質の計画	プロジェクトの目標に基づき，品質の要求事項や規格，品質活動の方法などを決定する
品質保証の遂行	成果物やプロジェクトをレビューする
品質管理の遂行	品質を満たしているかどうかを明らかにし，不満足であれば，原因や除去方法を特定する

▶ "品質"の活動

❏ 品質特性 ——————————— 問9 問10 問11

JIS X 25010では次のような品質特性が定義されている。

▶品質特性

品質特性	JIS X 25010の定義
機能適合性	明示された条件下で使用するとき，明示的ニーズ及び暗黙のニーズを満足させる機能を，製品又はシステムが提供する度合い
性能効率性	明記された状態(条件)で使用する資源の量に関係する性能の度合い
互換性	同じハードウェア環境又はソフトウェア環境を共有する間，製品，システム又は構成要素が他の製品，システム又は構成要素の情報を交換することができる度合い，及び／又はその要求された機能を実行することができる度合い
使用性	明示された利用状況において，有効性，効率性及び満足性をもって明示された目標を達成するために，明示された利用者が製品又はシステムを利用することができる度合い
信頼性	明示された時間帯で，明示された条件下に，システム，製品又は構成要素が明示された機能を実行する度合い
セキュリティ	人間又は他の製品若しくはシステムが，認められた権限の種類及び水準に応じたデータアクセスの度合いをもてるように，製品又はシステムが情報及びデータを保護する度合い
保守性	意図した保守者によって，製品又はシステムが修正することができる有効性及び効率性の度合い
移植性	一つのハードウェア，ソフトウェア又は他の運用環境若しくは利用環境からその他の環境に，システム，製品又は構成要素を移すことができる有効性及び効率性の度合い

❏ 品質の分析手法 ——————————— 問12

プロジェクトや製品の品質を分析する主な手法には，**QC七つ道具**，トレンド分析，ゾーン分析，回帰分析などがある。PMBOKでは，QC七つ道具として次の七つが挙げられている。

```
・管理図              ・フローチャート
・チェックシート       ・ヒストグラム
・パレート図          ・散布図
・特性要因図（フィッシュボーン図）
```

▶QC七つ道具

❏プロジェクトの資源マネジメントのプロセス

"**資源**"のプロセス群は，プロジェクトチームを組織化し，それを円滑に推進するためのプロセスから構成される。

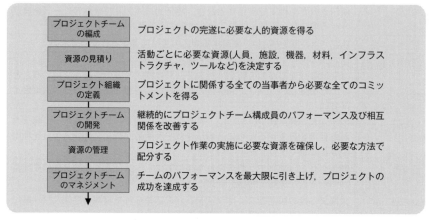

| プロジェクトチームの編成 | プロジェクトの完遂に必要な人的資源を得る |
| プロジェクトチームの編成 | プロジェクトの完遂に必要な人的資源を得る |

▶ "資源"の活動

❏責任分担マトリクス(RAM：Responsibility Assignment Matrix)

プロジェクトで必要な作業とメンバーの関係を整理した表である。次表は，具体的なアクティビティごとに「誰がどのような役割や責任を果たすか」をまとめた責任分担マトリクスである。

▶責任分担マトリクスの例

作業段階＼要員	A	B	C	D	E	F
要件定義	承認	検査	実施	情報提供	支援	
システム設計	承認		実施	実施	情報提供	支援
ソフトウェア開発	承認	検査	実施	実施		支援
テスト		承認	実施	実施		支援
移行		承認	実施	情報提供	支援	実施

1.6 プロジェクトのリスクマネジメント

❏ プロジェクトのリスク

リスク（プロジェクトリスク） とは，プロジェクトの目標にプラス又はマイナスの影響を与える事象のことである。"**リスク**"のプロセス群は，プラスのリスク（**機会**）を最大化し，マイナスのリスク（**脅威**）を最小化するために行う。

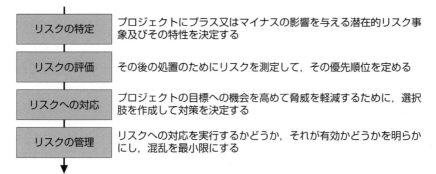

リスクの特定	プロジェクトにプラス又はマイナスの影響を与える潜在的リスク事象及びその特性を決定する
リスクの評価	その後の処置のためにリスクを測定して，その優先順位を定める
リスクへの対応	プロジェクトの目標への機会を高めて脅威を軽減するために，選択肢を作成して対策を決定する
リスクの管理	リスクへの対応を実行するかどうか，それが有効かどうかを明らかにし，混乱を最小限にする

▶ "リスク"の活動

❏ 定量的リスク分析

定性的リスク分析で高い優先順位が付けられたリスクに対して，量的な側面から分析（定量的分析）を行い，数値によるリスクの等級付けを行う。このための技法には様々なものがあるが，不確実な条件下での平均的な結果を求める代表的な手法に期待金額価値分析がある。期待金額価値分析では，金額などの数値に発生確率を乗じることによって発生し得る結果ごとの期待値を求め，それらを合計する。通常，期待値は，好機の場合はプラス，脅威の場合はマイナスとなる。複数の事象が組み合わされる場合は，デシジョンツリーを用いると効果的である。

307

❏ リスクと戦略

リスクに対する戦略には，次のようなものがある。

▶リスクと戦略

リスクの種別	戦略	内容
脅威	回避	脅威が現実化しないよう，主要な要因を除去する。 （例） スケジュールの延長やスコープの縮小など
	転嫁 （移転）	リスクの影響を第三者に移転する。 （例） 情報化保険など
	軽減	発生確率や影響度を受容可能な程度に引き下げる。 （例） プロトタイピングの採用，より多くのテストを実施など
好機	活用	好機が確実に起きるよう，不確実要素を除去する。 （例） より能力の高い要員を確保するなど
	共有	好機を第三者と共有する。 （例） ジョイントベンチャーなど
	強化	リスクの主要要因を最大化し，発生確率や影響度を増加させる。 （例） 重要な作業に多くの追加要員を投入するなど
脅威／好機	受容 （保有）	特に対応を行わず，リスクを受け入れる。 （例） コンティンジェンシー予備を設けるなど

コンティンジェンシー予備とは，特定されたリスクが実際に顕在化した場合に対処するための資金や時間のことである。また，予測できない不足の事態（特定できなかったリスク）に対する予備のことを**マネジメント予備**という。

1.7 プロジェクトのテーラリング

❏ テーラリング

テーラリング（tailoring）の本来の意味は，洋服の「仕立て」や「仕立て方」である。体系化された規格や標準などをもとに，自部署や自プロジェクトに合った具体的な標準を策定する（仕立てる）ことをプロジェクトマネジメントではテーラリングと呼ぶ。

業務の効率化や品質の向上，属人性の排除を目的に，プロジェクトマネジメントには体系化された標準や規格が存在し，企業には全社的な標準が定められている。これらを組織や業務プロセス，プロジェクトなどに応じて具体化，詳細化，変化させて適用する作業がテーラリングである。

MEMO

問1 ☑□ □□ 　PMBOKガイド第7版によれば，プロジェクト・スコープ記述書に記述する項目はどれか。 (R5F問18)

ア　WBS 　　　　　　　　イ　コスト見積額

ウ　ステークホルダー分類 　　エ　プロジェクトの除外事項

問2 ☑□ □□ 　図のアローダイアグラムから読み取ったことのうち，適切なものはどれか。ここで，プロジェクトの開始日は1日目とする。

(H31S問19，㊿H29S問18，㊿H24F問18)

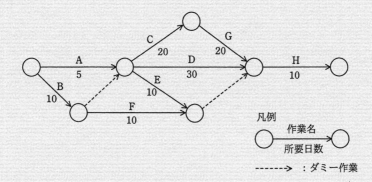

ア　作業Cを最も早く開始できるのは6日目である。

イ　作業Dはクリティカルパス上の作業である。

ウ　作業Eの総余裕時間は30日である。

エ　作業Fを最も遅く開始できるのは11日目である。

答1 スコープ ▶ P.300 ・・**エ**

　プロジェクト・スコープ記述書は，プロジェクトのスコープ（範囲）を明確にするために作成する文書であり，プロダクトスコープ（成果物の特徴などを明らかにしたもの）とプロジェクトスコープ（成果物を生成するために必要となる作業を明らかにしたもの）の両方を記載する。プロジェクトの除外事項を記載することによって，スコープに入るものと入らないものの線引きを明確にする。

答2 PERT ▶ P.301　アローダイアグラム ▶ P.302 ・・・・・・・・・・・・・・・・・・・・・・**ウ**

　図のアローダイアグラムにおける各結合点の最早結合点時刻と最遅結合点時刻を求めると，次のようになる。

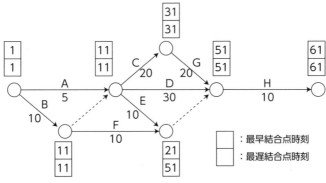

　作業Eの開始結合点における最早結合点時刻は11日目なので，全て予定どおり進めば，11日目に作業を開始して21日目に終了する。一方，作業Eの終了結合点における最遅結合点時刻は51日目なので，仮に作業Eが遅れても，その遅れが，

　　　51［日目］－21［日目］＝ 30［日］

以内であれば，全体のスケジュールには影響を及ぼさない。これが余裕時間である。

　ア　作業Cは作業Aだけでなく作業Bも先行作業となる（ダミー作業に注意）ので，最も早く開始できるのは11日目である。

　イ　クリティカルパスは"B → C → G → H"であり，作業Dは含まれない。

　エ　作業Fの終了結合点の最遅結合点時刻は51日目なので，最も遅く開始できるのは，51日目－10日＝41日目である。

プロジェクトのスケジュールを短縮したい。当初の計画は図1のとおりである。作業Eを作業E1，E2，E3に分けて，図2のとおりに計画を変更すると，スケジュールは全体で何日短縮できるか。　(R5F問19，R3S問19)

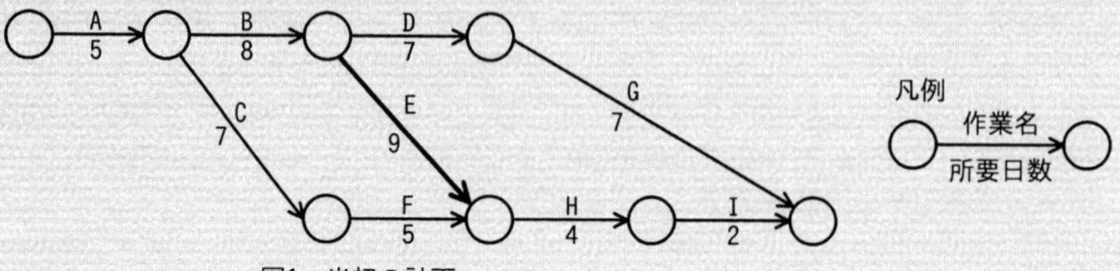

図1　当初の計画

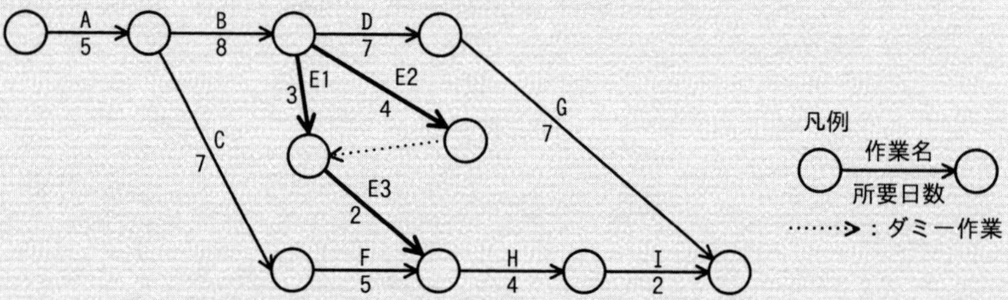

図2　変更後の計画

凡例

○ 作業名 ○
所要日数

……▷：ダミー作業

ア　1　　　イ　2　　　ウ　3　　　エ　4

答3　PERT ▶ P.301　アローダイアグラム ▶ P.302 ……………………………… **ア**

ファストトラッキング技法とは，順番に行うように計画した作業を並行して行うように変更することで，スケジュールの短縮を行う技法である。

本問では，作業Eを作業E1，E2，E3に分けて，それらを並行して行うように計画を変更している。

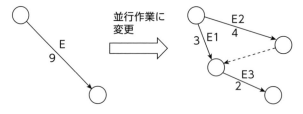

変更部分では，作業E3の先行作業となる作業E1と作業E2が並行して実行されるようになっているので，

　　E1→E3 ：　3＋2＝5 [日]

E2→E3 ： 4＋2＝6［日］

の二つの経路のうち，日数の多い6日に作業E全体の所要日数が短縮されたことになる。

このように作業Eに関しては9日から6日へ3日短縮できるが，スケジュール全体については，クリティカルパスを再考する必要がある。

図1の各結合点の最早結合点時刻を求めると，次図のようになる。

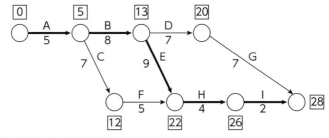

このときのクリティカルパスは，

A → B → E → H → I

であり，スケジュール全体の総所要日数は28日である。一方，変更後の図2では，各結合点の最早結合点時刻が次図のようになる。

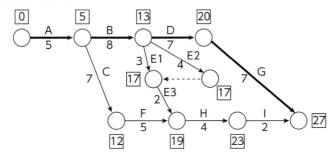

結果，クリティカルパスは，

A → B → D → G

に変化し，スケジュール全体の総所要日数は27日になる。よって，短縮できる日数は，

28－27＝1 ［日］

となる。

問4 ☑□
□□
図は，実施する三つのアクティビティについて，プレシデンスダイア
グラム法を用いて，依存関係及び必要な作業日数を示したものである。
全ての作業を完了するための所要日数は最少で何日か。　　　(R4F問18)

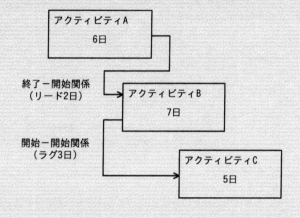

ア　11　　　イ　12　　　ウ　13　　　エ　14

答4 PERT ▶ P.301　プレシデンスダイアグラム ▶ P.301 ·························· **イ**

　アクティビティAとBは"終了－開始"関係にあり，"（リード２日）"と記されている。リードは後続作業の前倒し時間を表すので，「Aが終了する２日前にBを開始できる」と解釈できる。一方，BとCは"開始－開始"関係にあり，"（ラグ３日）"と記されている。ラグは後続作業に移る際の遅れを表すので，「Bを開始した３日後にCを開始できる」と解釈できる。したがって，作業全体の流れは次のようになり，全ての作業が完了するには12日を要する。

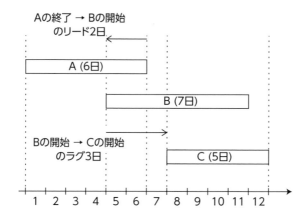

次のプレシデンスダイアグラムで表現されたプロジェクトスケジュールネットワーク図を，アローダイアグラムに書き直したものはどれか。ここで，プレシデンスダイアグラムの依存関係は全てFS関係とする。

(R3F問18)

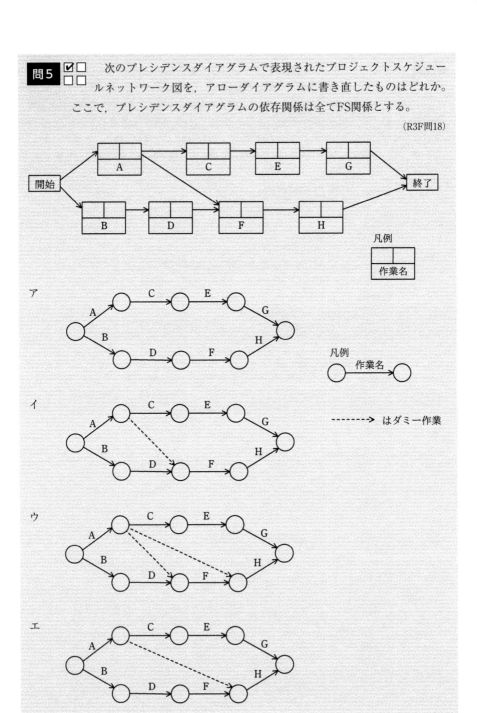

問6 ☑□
□□
プロジェクトマネジメントにおいてパフォーマンス測定に使用する
EVMの管理対象の組みはどれか。

(R2F問18, H29F問18, H27F問18, H24F問19)

ア　コスト, スケジュール　　　イ　コスト, リスク

ウ　スケジュール, 品質　　　　エ　品質, リスク

答5　プレシデンスダイアグラム ▶ P.301　アローダイアグラム ▶ P.302 ……………… **イ**

　プレシデンスダイアグラムは, 作業を長方形 "□" で表し, その間を矢線 "→" でつなぐことで依存関係を表現する。前提とする依存関係はいくつかあるが, 一般的には, 「先行アクティビティが完了しないと後続アクティビティを開始できない」というFS関係とすることが多い。依存関係がFS関係のプレシデンスダイアグラムでは, "X→Y" は「Xの完了後にYを開始できる」ことを表す。

　本問のプレシデンスダイアグラムには, "A → C → E → G", "B → D → F → H" という2本の経路が存在する。それに加えて, "A → F" という矢線によって,

　　　　・Aが終われば, Cに加えてFを開始できる

　　　　・Fは, AとDの両方が終わったときに開始できる

という依存関係も成立している。これらと同様の関係を表しているアローダイアグラムは, "イ" である。"イ" のように, Aの終了点からFの開始点 (Dの終了点) に向けてダミー作業を引くことで, "A→ F" が実現される。

答6　EVM ▶ P.303 ……………………………………………………………………………… **ア**

　EVM (アーンドバリューマネジメント) は, EV, AC, PVの各指標を測定し, 相互比較によってコスト面及びスケジュール面での進捗管理を行う手法である。

> ・AC (Actual Cost : 実コスト) …評価時点までに要した実際の費用
> ・EV (Earned Value : 獲得価値) …評価時点までの成果物を金銭価値に置き換えた
> 　　値
> ・PV (Planned Value : 計画価値) …評価時点までに得られると見積もられていた成
> 　　果物の価値

　プロジェクトの進捗度や生産性の状況を分析する指標には, 次のようなものがある。

　　　・スケジュール差異 (SV) = EV − PV

　　　　… SV≧0ならスケジュールに遅延がなく, SV<0ならスケジュールに遅延が発生

　　　・コスト差異 (CV) = EV−AC

　　　　… CV≧0なら予算内, CV<0なら予算超過

317

問7 ☑□□□ ある組織では，プロジェクトのスケジュールとコストの管理にアーンドバリューマネジメントを用いている。期間10日間のプロジェクトの，5日目の終了時点の状況は表のとおりである。この時点でのコスト効率が今後も続くとしたとき，完成時総コスト見積り（EAC）は何万円か。

（R4S問18，H31S問18，H21F問18）

管理項目	金額（万円）
完成時総予算（BAC）	100
プランドバリュー（PV）	50
アーンドバリュー（EV）	40
実コスト（AC）	60

ア　110　　　イ　120　　　ウ　135　　　エ　150

答7 アーンドバリューマネジメント ▶ P.303 ································· **エ**

アーンドバリュー分析は，作業状況とコストの進捗状況及びその結果を用いて今後の予測を分析するプロジェクト管理技法である。

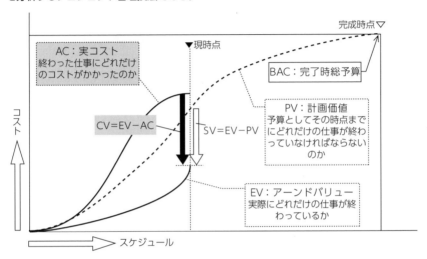

完成時総コスト見積り（EAC）とは，計測時点のコストに基づいたプロジェクトの完了日における総コストの見積りである。

EACは，「現在のコスト効率が今後も続く」と仮定した場合，次式で求めることができる。累積コスト効率指数（累積CPI）は，プロジェクトの開始から計測時点までの累積実コスト（累積AC）と累積アーンドバリュー（累積EV）の比率である。

EAC＝AC＋残りのバリュー÷累積CPI

　　　＝AC＋（BAC－累積EV）÷（累積EV÷累積AC）

問題で提示されている数値をこの式に代入すると，

　　60＋（100－40）÷（40÷60）

　＝60＋90

　＝150

が得られる。

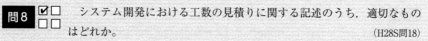

問8 ☑□□□　システム開発における工数の見積りに関する記述のうち，適切なものはどれか。
(H28S問18)

ア　COCOMOの使用には，自社における生産性に関する，蓄積されたデータが必要である。

イ　開発要員の技量は異なるので工数は参考にならないが，過去に開発したプログラムの規模は見積りの参考になる。

ウ　工数の見積りは，作業の進捗管理に有効であるが，ソフトウェアの品質管理には関係しない。

エ　ファンクションポイント法による見積りでは，プログラムステップ数を把握する必要がある。

問9 ☑□□□　品質の定量的評価の指標のうち，ソフトウェアの保守性の評価指標になるものはどれか。
(H29F問19)

ア　(最終成果物に含まれる誤りの件数)÷(最終成果物の量)

イ　(修正時間の合計)÷(修正件数)

ウ　(変更が必要となるソースコードの行数)÷(移植するソースコードの行数)

エ　(利用者からの改良要求件数)÷(出荷後の経過月数)

答8　COCOMO ▶ P.303　ファンクションポイント法 ▶ P.304 ························· **ア**

　COCOMOは，Boehmによって提唱された見積り技法である。COCOMOでは，見積りの基本となる開発工数Pを，

　　　$P = a \times K^b$

という式で求める。Kはソフトウェアの大きさ（プログラムの行数などが用いられる）であり，a及びbは統計的に求められた係数である。

　係数a，bの値としては汎用的な数値も一応は提示されているが，より正確な見積りを得たいのであれば，やはり個々の開発環境に応じたカスタマイズが「ほぼ必須」となる。その際，エンジニアの能力など，自社における生産性・実績データの収集は大きな役割を持つ。

　イ　開発要員の技量差を考慮しながら適度な調整を行えばよいので，工数実績も十分に有用である。少なくとも参考にならないとはいえない。

　ウ　ソフトウェア品質管理では，保守性や移植性も管理対象となる。これらについては，保守や移植の作業にどれだけ工数を要するかという見積りが，管理に影響してくることになる。

　エ　ファンクションポイント法では，帳票やファイルなどに着目し，それらの数と複雑さに応じてソフトウェアの規模を見積もる。プログラムのステップ数（行数）には依存しない。

答9　品質特性 ▶ P.305 ·· **イ**

　ソフトウェアの保守性とは，ソフトウェアをどれだけ容易に修正できるかを表す特性であり，JIS X 25010で定義されている製品品質モデルに，「モジュール性」「再利用性」「解析性」「修正性」「試験性」の五つの副特性が定められている。

　（修正時間の合計）÷（修正件数）は，修正1件に要した平均修正時間を意味するので，保守性の副特性である修正性の評価指標といえる。

　ア　ソフトウェアの信頼性を評価する指標である。
　ウ　ソフトウェアの移植性を評価する指標である。
　エ　ソフトウェアの使用性を評価する指標である。

問10 ☑□
□□
使用性（ユーザビリティ）の規格（JIS Z 8521：1999）では，使用性を，"ある製品が，指定された利用者によって，指定された利用の状況下で，指定された目的を達成するために用いられる際の，有効さ，効率及び利用者の満足度の度合い"と定義している。この定義中の"利用者の満足度"を評価するのに適した方法はどれか。

(H28S問8)

ア　インタビュー法　　　　イ　ヒューリスティック評価
ウ　ユーザビリティテスト　　エ　ログデータ分析法

問11 ☑□
□□
JIS X 25010：2013で規定されたシステム及びソフトウェア製品の品質副特性の説明のうち，信頼性に分類されるものはどれか。

(H27S問16)

ア　製品又はシステムが，それらを運用操作しやすく，制御しやすくする属性をもっている度合い
イ　製品若しくはシステムの一つ以上の部分への意図した変更が製品若しくはシステムに与える影響を総合評価すること，欠陥若しくは故障の原因を診断すること，又は修正しなければならない部分を識別することが可能であることについての有効性及び効率性の度合い
ウ　中断時又は故障時に，製品又はシステムが直接的に影響を受けたデータを回復し，システムを希望する状態に復元することができる度合い
エ　二つ以上のシステム，製品又は構成要素が情報を交換し，既に交換された情報を使用することができる度合い

答10　品質特性 ▶ P.305 .... **ア**

　人間工学から見た場合の"使用性（ユーザビリティ：userbility）"とは，利用者にとって，製品の"使いやすさ"である。JIS Z 8521（人間工学―視覚表示装置を用いるオフィス作業―使用性についての手引）では，使用性について，

　　　　ある製品が，指定された利用者によって，指定された利用の状況下で，指定された目
　　　　的を達成するために用いられる際の，有効さ，効率及び利用者の満足度の度合い

と定義されている。「利用者の満足度」を評価する方法（定性的手法）には，利用者に直接ヒアリングするインタビュー法や，満足度についてのチェック項目を設けたアンケート調査などが挙げられる。

- ヒューリスティック評価…評価対象について，過去の経験則に基づき定量的に評価する手法。また，セキュリティ分野においては，プログラムの動作を監視することで，未知のコンピュータウイルスを検知する手法を指す言葉として用いられる
- ユーザビリティテスト…複数の利用者を被験者として，対象となる製品を使用してもらい，利用者の行動や発言などを観察することによって，隠れたユーザビリティの問題点を洗い出す手法
- ログデータ分析法…Webシステムなどで，利用者のアクセス状況などが記録されたログファイルを解析し，問題点を探る手法

答11　品質特性 ▶ P.305 .... **ウ**

　JIS X25010は，JIS X 0129-1の後継規格であり，品質モデルや品質特性などを規定している。本規格における製品品質モデルでは，製品品質特徴を機能適合性，信頼性，性能効率性，使用性，セキュリティ，互換性，保守性及び移植性の八つに分類しており，各品質特性は複数の品質副特性に分類される。信頼性は「明示された時間帯で，明示された条件下に，システム，製品又は構成要素が明示された機能を実行する度合い」であり，品質副特性として，成熟性（maturity），可用性（availability），障害許容性（耐故障性）（fault tolerance），回復性（recoverability）から構成される。

　これらの信頼性に含まれる品質副特性のうち，回復性（recoverability）とは「中断時又は故障時に，製品又はシステムが直接的に影響を受けたデータを回復し，システムを希望する状態に復元することができる度合い」である。

- ア　運用操作性（operability）に関する説明であり，使用性（usability）に分類される。
- イ　解析性（analysability）に関する説明であり，保守性（maintainability）に分類される。
- エ　相互運用性（interoperability）に関する説明であり，互換性（compatibility）に分類される。

問12 ☑□
□□ 分析対象としている問題に数多くの要因が関係し，それらが相互に絡み合っているとき，原因と結果，目的と手段といった関係を追求していくことによって，因果関係を明らかにし，解決の糸口をつかむための図はどれか。

(H26F問29)

ア　アローダイアグラム　　イ　パレート図
ウ　マトリックス図　　　　エ　連関図

答12 品質の分析手法 ▶ P.305　QC七つ道具 ▶ P.425 ·· **エ**

　問題の要因が複雑に絡み合っているとき，原因と結果，目的と手段といった関係を追求し，因果関係を明らかにするために用いる図を，連関図という。

- アローダイアグラム…プロジェクトを構成する作業を矢印で結び，作業の前後関係や作業日程を明確にする図
- パレート図…項目ごとに層別して，度数の大きい順に棒グラフにして並べるとともに，累積比率（累積和）を折れ線グラフで示した図。重点項目を選び出す際に用いられる
- マトリックス図…行と列の交点に，要素間の関連の有無や度合いを示し，要素間の関係を明確にする図

2 サービスマネジメント

2.1 サービスの設計

❏ サービスレベル管理 ——————————————— 問1

　顧客とサービスを提供する組織の間でサービスレベルに関する合意（**SLA**：Service Level Agreement）を結び，サービスがSLAに基づいて提供されているかを監視する活動である。サービスを提供する組織（サービスプロバイダ）は，サービスの提供に先立ち，様々な文書を作成し，最終的に顧客との間でサービスに関する合意文書を作成する。

❏ キャパシティ管理 ——————————————— 問7

　キャパシティとは，負荷に対応できる能力で，ハードウェアやソフトウェアの量や性能に左右される。キャパシティが足りないと，負荷が大きくなったときに様々な不具合が生じる。逆に十分すぎるキャパシティのシステムは高価で，顧客に受け入れてもらえない。キャパシティ管理では，負荷に対応するために「必要な資源」を「適切な時期」に「適切なコスト」で提供する活動を行う。キャパシティ管理は，次の三つに分類できる。

▶キャパシティ管理の分類

事業 　キャパシティ管理	事業戦略計画やトレンドの分析を行うことで，将来のニーズを把握する。これは，将来にわたって必要なキャパシティを提供するための，プロアクティブ（事前対処的）なプロセスである。
サービス 　キャパシティ管理	サービスのパフォーマンスや最大負荷を計測，分析することで，それらのサービスがSLAの水準を達成しているかどうかを監視し報告する。
コンポーネント 　キャパシティ管理 （リソース 　キャパシティ管理）	ネットワークの帯域やディスク容量など，ITインフラの個々の要素を監視し，最適化する。

❑RTOとRPO 問2

復旧計画は，復旧に要する時間や復旧のレベルに対して目標を設定し，目標の実現を目指して対策を立てる。代表的な設定目標として，RTO（Recovery Time Objective：目標復旧時間）とRPO（Recovery Point Objective：リカバリポイント目標）がある。RTOは，どれだけ早く復旧を行えるかを表す目標値で，「障害発生から12時間以内に基本サービスを復旧させる」などが該当する。RPOは，どれだけ最新に近い状態に戻せるかを表す目標値で，「最低でも当日の午前9時の状態にまでデータベースを復旧する」などがRPOに該当する。

❑可用性管理 問3 問4

可用性とは，サービスを利用したいときに利用可能である特性である。SLAで合意した可用性を維持するために可用性，信頼性，保守性，サービス性を対象とした管理を行う。

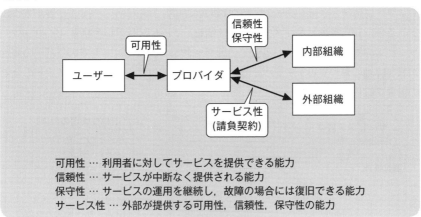

可用性 … 利用者に対してサービスを提供できる能力
信頼性 … サービスが中断なく提供される能力
保守性 … サービスの運用を継続し，故障の場合には復旧できる能力
サービス性 … 外部が提供する可用性，信頼性，保守性の能力

▶組織間の関係

可用性はサービスの提供にかかわる総合能力で，

実際にサービスが提供された時間÷SLAで合意したサービス提供時間

で計算する。例えば，「日中の10時間サービスを提供しなければならない」と合意していたにもかかわらず，「故障によって1時間サービスが停止した」場合，可用性は0.9となる。一方，SLAで合意した時間外にサービスが停止したとしても，可用性には影響しない。

サービスの導入・変更

❏ 構成管理 ─────────────────────────────────── 問5

　組織のITインフラの構成要素（**CI**）を管理し，構成管理データベース（**CMDB**）を常に最新に維持するプロセスである。次のような作業を行う。

- 構成管理の目的，達成目標，適用範囲，優先事項などを明確にする。
- CIについて，サービス適用範囲などの詳細事項を定める。
- CIの状態を記録する。
- CIに変更が生じた場合，CMDBに反映する。
- CMDBが最新であるかの監査を行う。

❏ CIとCMDB ─────────────────────────────────── 問6

　CIとは，構成管理の対象となるITインフラの構成要素のことである。ハードウェアやソフトウェア，ネットワークなどのIT要素に加え，インシデントや変更要求で作成される帳票類，各種ドキュメント，契約情報，サービスレベル合意書（SLA）など，サービスの提供に必要とされる全ての要素を含む。CMDBは，全てのCIとその属性情報を詳細に管理するデータベースである。CMDBはサービスマネジメントの全ての管理プロセスが参照する。

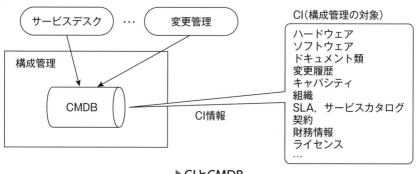

▶CIとCMDB

❏ 変更管理 ─────────────────────────────────── 問7

　効率的かつ効果的に変更作業を行うとともに，変更作業に伴うサービス品質の低下を最小限に抑えるためのプロセスである。変更の許可や優先度付けを行うとともに，リリース管理及び展開管理をコントロールする活動を行う。変更の実装はリリース管理及び展開管理の役割であり，変更管理の役割ではない。

❏リリース管理及び展開管理

変更を実装するために必要なソフトウェアやハードウェアなどの集合体をリリースという。変更管理で許可された変更は，リリースユニットやリリースパッケージの形で本番環境に展開（実装）される。リリース管理及び展開管理では，リリースの構築と配付を行い，変更を確実に実装するための管理を行う。リリース管理及び展開管理では，次のような活動を行う。

▶リリース管理及び展開管理の活動

計画立案	変更管理で許可された変更に対して，リリース計画を立案する。
設計，構築，設定	リリースに関する標準的な手順を定め，手順書を作成する。
切り戻し計画	切り戻し計画自体は変更管理が作成する。 現実的な切り戻し計画が作成されるよう，変更管理をサポートする。
テスト，リリースの受け入れ	リリースが構築されること，構築されたリリースがユーザーの要求を満たしているか，新たなインシデントが発生しないかをテストする。 切り戻し手順についてもテストし，正しく終了すれば，リリースを許可する。
導入計画	リリース計画に，実装作業の情報を追加する。
コミュニケーションと準備	顧客，ユーザー，作業要員などの関係者にリリース計画や業務に対する影響を通知する（必要であればトレーニングを行う）。
配布とインストール	リリースを配布しインストールする。 インストール後は，CMDBに反映する。

2.3 サービスの運用

❏インシデント管理 　　問7 問9

通信障害やシステムダウンなどの，計画外のサービス中断やサービス品質の低下などを引き起こす事象を**インシデント**という。インシデント管理では，発生したインシデントの影響を低減又は排除する活動が行われる。インシデントからの早期回復を目的としており，根本原因の究明や再発防止策の識別などは行わない。

❏問題管理 　　問8 問9

一つ以上のインシデントを引き起こす根本原因を**問題**という。問題管理では，問題を特定し，除去するための活動が行われる。

問1 ☑□
□□
ITサービスマネジメントにおけるサービスレベル管理の説明はどれか。

(H28S問19)

ア　あらかじめ定めた間隔で，サービス目標に照らしてサービスの傾向及びパフォーマンスを監視する。

イ　計画が発動された場合の可用性の目標，平常業務の状態に復帰するための取組みなどを含めた計画を作成し，導入し，維持する。

ウ　サービスの品質を阻害する事象に対して，合意したサービス目標及び時間枠内に回復させる。

エ　予算に照らして，費用を監視及び報告し，財務予測をレビューし，費用を管理する。

問2 ☑□
□□
目標復旧時点（RPO）を24時間に定めているのはどれか。

(H26F問21)

ア　業務アプリケーションをリリースするための中断時間は，24時間以内とする。

イ　業務データの復旧は，障害発生時点から24時間以内に完了させる。

ウ　障害発生時点の24時間前の業務データの復旧を保証する。

エ　中断したITサービスを24時間以内に復旧させる。

問3 ☑□
□□
Y社は，受注管理システムを運用し，顧客に受注管理サービスを提供している。日数が30日，月曜日の回数が4回である月において，サービス提供条件を達成するために許容されるサービスの停止時間は最大何時間か。ここで，サービスの停止時間は，小数第1位を切り捨てるものとする。

(R5F問20)

〔サービス提供条件〕

・サービスは，計画停止時間を除いて，毎日0時から24時まで提供する。

・計画停止は，毎週月曜日の0時から6時まで実施する。

・サービスの可用性は99％以上とする。

ア　0　　　イ　6　　　ウ　7　　　エ　13

答1 サービスレベル管理 ▶ P.326 ‥‥‥‥‥‥‥‥‥‥‥‥‥‥‥‥‥‥‥‥‥ **ア**

サービスレベル管理は，顧客とサービス提供者とであらかじめ合意したサービスレベル（水準）を維持するためのプロセスである。具体的には稼働率などの指標について監視し，水準が維持できなくなるような傾向が見られたならば各管理プロセスと連携して解決する。

　イ　ITサービス継続性管理の説明である。
　ウ　インシデント管理の説明である
　エ　財務管理の説明である。

答2 RTOとRPO ▶ P.327 ‥‥‥‥‥‥‥‥‥‥‥‥‥‥‥‥‥‥‥‥‥‥‥‥‥‥ **ウ**

目標復旧時点（RPO：Recovery Point Objective）は，運用中の情報システムに障害が発生した場合や情報システムが被災した際に，目標とする過去の復旧時点を示すものである。"ウ"の記述は，最悪でも"障害発生時点の24時間前"の時点のデータには復旧することを保証しているので，RPOを24時間に設定していることになる。

　ア，イ，エ　目標復旧時間（RTO：Recovery Time Objective）と呼ばれる，復旧のためにかける目標時間を24時間に定めた例である。

答3 可用性管理 ▶ P.327 ‥‥‥‥‥‥‥‥‥‥‥‥‥‥‥‥‥‥‥‥‥‥‥‥‥‥ **イ**

サービスの可用性（稼働率）は，
　　　実際に稼働した時間÷合意したサービスの提供時間
で算出する。本問では，対象とする月の日数が30日で，毎日24時間体制でサービスを提供する。ただし，月曜が4回あり，それぞれ0時〜6時の6時間が計画停止時間となるので，
　　　24×30−4×6＝720−24＝696［時間］
が，対象とする月の合意したサービスの提供時間となる。

可用性を99％以上にするためには，サービスの停止時間の割合を合意したサービスの提供時間の1％以下にする必要がある。したがって，許容されるサービスの停止時間は最大で，
　　　696×0.01＝6.96［時間］
となる。小数第1位を切り捨てると6時間となる。

問4 ☑□ □□ ITIL 2011 editionの可用性管理プロセスにおいて，ITサービスの可用性と信頼性の管理に関わるKPIとして用いるものはどれか。

（H29S問20，㉒H27S問20，㉒H24F問21）

ア　サービスの中断回数及びそのインパクトの削減率

イ　災害を想定した復旧テストの回数

ウ　処理能力不足に起因するインシデント数の削減率

エ　目標を達成できなかったSLAの項目数

問5 ☑□ □□ ITサービスマネジメントのプロセスの一つである構成管理を導入することによって得られるメリットはどれか。 （H28S問20）

ア　ITリソースに対する，現在の需要の把握と将来の需要の予測ができる。

イ　緊急事態においても最低限のITサービス基盤を提供することによって，事業の継続が可能になる。

ウ　構成品目の情報を正確に把握することによって，他のプロセスの確実な実施を支援できる。

エ　適正な費用で常に一定した品質でのITサービスが提供されるようになる。

問6 ☑□ □□ JIS Q 20000-2：2013（サービスマネジメントシステムの適用の手引）によれば，構成管理プロセスの活動として，適切なものはどれか。

（H30S問20）

ア　構成品目の総所有費用及び総減価償却費用の計算

イ　構成品目の特定，管理，記録，追跡，報告及び検証，並びにCMDBでのCI情報の管理

ウ　正しい場所及び時間での構成品目の配付

エ　変更管理方針で定義された構成品目に対する変更要求の管理

答4 可用性管理 ▶ P.327　KPI ▶ P.365 ………………………………………… ア

可用性と信頼性の管理では，定められた可用性及び信頼性を維持できるように管理活動を行う。その活動状況を定量的に評価するためのKPI（Key Performance Indicator：重要業績評価指標）としては，稼働率，サービスの中断回数及びそのインパクトの削減率，ダウンタイムなどが挙げられる。

　イ　復旧テストの回数は，ITサービス継続性管理のKPIとして用いられる。
　ウ　性能不足に起因するインシデント数の削減率は，キャパシティ管理のKPIとして用いられる。
　エ　未達成SLA項目数は，サービスレベル管理のKPIとして用いられる。

答5 構成管理 ▶ P.328 …………………………………………………………… ウ

構成管理プロセスでは，提供するITサービスを構成する全ての構成要素（CI）を明確にし，管理する。信頼できるCIの情報を他のサービスマネジメントプロセスに提供することによって，他のプロセスの確実な実施を支援することができる。

　ア　キャパシティ管理プロセスの導入によって得られるメリットである。
　イ　ITサービス継続性管理プロセスの導入によって得られるメリットである。
　エ　サービスレベル管理プロセスの導入によって得られるメリットである。

答6 CIとCMDB ▶ P.328 ……………………………………………………… イ

構成管理プロセスでは，提供するITサービスを構成する構成品目を"構成アイテム（CI）"として明確にし，管理台帳や構成管理データベース（CMDB）に記録して把握・管理する。CMDBに記録する情報は，最新の内容を保つよう管理する。

　ア　予算業務及び会計業務プロセスの活動である。
　ウ　リリース及び展開管理プロセスの活動である。
　エ　変更管理プロセスの活動である。

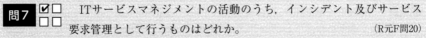

問7 ☑□ ITサービスマネジメントの活動のうち，インシデント及びサービス
□□ 要求管理として行うものはどれか。 (R元F問20)

ア サービスデスクに対する顧客満足度が合意したサービス目標を満たしているかど
うかを評価し，改善の機会を特定するためにレビューする。

イ ディスクの空き容量がしきい値に近づいたので，対策を検討する。

ウ プログラムを変更した場合の影響度を調査する。

エ 利用者からの障害報告を受けて，既知の誤りに該当するかどうかを照合する。

問8 ☑□ サービスマネジメントにおける問題管理の目的はどれか。 (R4F問20)
□□

ア インシデントの解決を，合意したサービスレベル目標の時間枠内に達成すること
を確実にする。

イ インシデントの未知の根本原因を特定し，インシデントの発生又は再発を防ぐ。

ウ 合意した目標の中で，合意したサービス継続のコミットメントを果たすことを確
実にする。

エ 変更の影響を評価し，リスクを最小とするようにして実施し，レビューすること
を確実にする。

問9 ☑□ サービスマネジメントシステムにおける問題管理の活動のうち，適切
□□ なものはどれか。 (R3F問20)

ア 同じインシデントが発生しないように，問題は根本原因を特定して必ず恒久的に
解決する。

イ 同じ問題が重複して管理されないように，既知の誤りは記録しない。

ウ 問題管理の負荷を低減するために，解決した問題は直ちに問題管理の対象から除
外する。

エ 問題を特定するために，インシデントのデータ及び傾向を分析する。

答7　キャパシティ管理 ▶ P.326　変更管理 ▶ P.328　インシデント管理 ▶ P.329

……………………………………………………………………… **エ**

　インシデント及びサービス要求管理では，障害などのサービス品質を阻害，あるいは低下させる事象（インシデント）の発生に対し，その影響を排除又は低減し，サービスを回復するための活動を行う。既知のエラーに該当するかどうかを照合することで，過去に同様のインシデントが発生したことがあるか，参考となる解決策や回避策などがあるかといったことを調べるのも，インシデント及びサービス要求管理として行うべき活動である。

　ア　サービスレベル管理で行うべき活動である。
　イ　キャパシティ管理で行うべき活動である。
　ウ　変更管理で行うべき活動である。

答8　問題管理 ▶ P.329 ………………………………………………… **イ**

　ITサービスマネジメントにおいては，問題を"一つあるいは複数のインシデントを引き起こす未知の根本的な原因"としてとらえる。問題管理の目標は，こうした根本的な原因を究明して除去し，インシデントの発生（再発）を予防することである。

　ア　サービスレベル管理プロセスの目的である。
　ウ　サービス継続性管理プロセスの目的である。
　エ　変更管理プロセスの目的である。

答9　インシデント管理 ▶ P.329　問題管理 ▶ P.329 …………………… **エ**

　問題管理プロセスは，インシデントの根本原因の究明と，再発防止のための予防策立案を行うプロセスである。根本原因が究明された問題は"既知の誤り（既知のエラー）"として取り扱われる。

　インシデントのデータ及び傾向を分析して問題を特定することは，問題管理として根本原因の究明などにかかわる適切な活動といえる。

　ア　根本原因を特定するのが問題管理の目的だが，"必ず"恒久的に解決できるとはいえない。場合によっては，暫定的な対策の実施にとどめる場合もある。
　イ　既知の誤りに関する情報は全て記録し，以降のインシデントとの照合などに活用する。
　ウ　解決した問題についてもすぐに問題管理の対象からは外さず，記録を残すなどの適切な処理を行うべきである。

3 システム監査

知識編

3.1 システム監査の基礎

❏ 内部統制

　組織体内部をコントロール（統制）することである。具体的には，分業体系化された組織単位がその組織目標の達成のために正常に活動しているかどうかをチェックする体制や仕組みを意味する。あくまでも組織目標を実現するための仕組みであり，組織を構成する人々の不正な活動を摘発することは目的ではない。

　内部統制には，資産管理や会計管理のチェックを目的とする会計統制と，業務管理をチェックする目的の業務統制があり，会計監査で会計統制が十分に機能しているかを確認し，業務監査で業務統制の存在の有無や妥当性について監査する。

　米国では2002年に**SOX法**（サーベンス・オクスリー法）が定められ，内部統制システムの確立と運用，及びその監査が義務付けられるようになった。日本では，2006年の会社法改正において内部統制システム構築の義務が課せられるようになり，さらに2006年に改正された金融商品取引法において，内部統制報告書の監査証明を義務付ける規定（俗にいう**日本版SOX法**）が設けられた。

❏ システム監査 ─────────────── 問1

　令和5年4月に改訂された「システム監査基準」では，システム監査を次のように定義している。

　システム監査とは，監査人が，一定の基準に基づいてITシステムの利活用に係る検証・評価を行い，ガバナンスやマネジメント等について，一定の保証や改善のための助言を行うものであり，システムの信頼性等を確保し，企業等に対する信用を高める重要な取組である。

　今日社会でのITや情報システム，さらにはデータ・情報の利活用は，会社やその他組織体の諸活動全般に及んでいる。ITシステムの戦略的利活用は，組織体の価値の向上や会社の競争力の維持，向上を図る上で不可欠である一方，それに伴いリスクも増大している。組織体が適切にリスク・マネジメントを行い，価値向

上のためにITシステムの利活用を適切に行うことを確実にするために，システム監査が効果的・効率的に行われることが必要である。

　システム監査が効果的かつ効率的に行われるためには，システム監査のあるべき体制や実施方法等が示される必要がある。

❏ 情報システムの可監査性とその要件

　システム監査の実施がどの程度可能であるかを意味するのがシステムの可監査性である。情報システムの可監査性の要件は，次の二つである。

▶ 可監査性の要件

コントロールの存在	情報システムに信頼性，安全性，効率性を確保するようなコントロールが含まれていること
監査証跡の存在	情報システムの信頼性，安全性，効率性が確保されていることを，事後的かつ継続的に検証できるようにするための手段が用意されていること

❏ 監査証跡

　事象の発生から最終結果に至るまでの処理過程を追跡できる仕組みで，システムの可監査性が高まり，システム監査の実施を容易にする。監査証跡の存在によって，データの源泉から最終結果に至るまでの過程や承認行為を事後に追跡でき，監査の結論を直接的に裏づける監査証拠を得ることができる。

❏ 監査証拠 ━━━━━━━━━━━━━━━━━━ 問4

　システム監査の結論（評価や指摘，勧告など）を立証する事実のことである。監査証拠には，物理的証拠，文書的証拠，口頭的証拠の三種類がある。

3.2　システム監査の実施

❏ システム監査の実施手順

　システム監査の手順は次図のとおりである。

監査計画	監査実施			監査報告・フォローアップ

(上部フロー図)
監査計画 ⇒ 監査実施（予備調査／本調査／結論の形成）⇒ 監査報告・フォローアップ

監査計画	システム監査を効率的に実施するための計画を策定する。
予備調査	資料調査やインタビューを行い，監査対象の実態を把握する。
本調査	監査結論を裏付ける十分かつ適切な監査証拠を入手する。
結論の形成	入手した監査証拠をもとに，監査の結論を導く。
監査報告・フォローアップ	監査報告書を作成し提出する。改善提案のフォローアップを行う。

▶監査実施の概要

❏ 予備調査

予備調査の目的は，

- 調査の対象となるコントロールの有無を確認すること
- 監査対象業務の実態を的確に把握し，本調査を円滑かつ効率的に実施するための監査手続書を作成すること

である。本調査の実施前に，関連の文書類を入手して問題点を把握したり，監査証拠の収集方法を確認したりする目的で実施する。**事前調査**ともいう。

❏ 本調査

監査目的を達成するために，**予備調査**の結果に基づいて作成した監査手続書に従って調査・分析を行い，合理的な**監査証拠**を入手する。また，入手した監査証拠について，十分な証拠能力と証拠量があるかどうか評価する。

❏ 監査技法 　　　　　　　　　　　　　　　　　　　　　　問5

基本的な監査技法には次のようなものがある。

▶基本的な監査技法

チェック リスト法	監査人が作成したチェックリスト（質問書）に対して，特定者から回答を求める方法。標準の質問書を利用するときは，監査対象に適合するように質問の範囲や内容を調整する
ドキュメント レビュー法	特定の情報を収集するために，関連する資料や文書類を監査人自らレビューする手法。事前準備として，被監査部門のドキュメント整備状況を把握しておく
突合法・照合法	関連する記録を突き合わせる方法（例えば，記録された最終結果とその起因となった事象を示す原始データまでさかのぼり突合せをする）
現地調査法	システム監査人が現地に赴き，そこでの作業状況を自ら調査する方法。原始データの始点から流れに沿って作業を追跡調査する方法や，一定の作業環境を一定時間ごとに調査する方法などがある
インタビュー法	特定の事項を立証するために，システム監査人が特定の者に直接問合せを行い，回答を得る方法

❏監査報告書

　システム監査の最終結果として作成する。監査報告書の目的は，監査の依頼者にシステム監査人の活動結果を正確に伝えることである。システム監査は任意監査であるため，監査の結論として問題点を指摘したり，改善提案を記載しても，被監査部門に対して改善命令を出す権限はシステム監査人にはない。監査を依頼した組織体の長が，システム監査報告書を受けて適切な改善措置を命じる。

❏改善提案のフォローアップ ──────────────── 問3

　システム監査で明らかになった問題点は，監査報告書に書かれた改善提案に基づき，監査の依頼者による指揮監督のもとで，被監査部門の要員が改善する。この際，システム監査人は被監査部門の改善実施状況を把握し，改善提案の実現を促進するためのフォローアップを行なう。システム監査人は，改善の実施そのものに責任を持つことはなく，フォローアップとして改善計画の内容や改善の実施状況のモニタリングを行う。

❏助言型監査と保証型監査 ─────────────────

　監査対象の情報システムのガバナンス，マネジメント，コントロールの適切性等を点検・評価・検証し，改善のための助言を行うのが助言型監査であり，保証を行うのが保証型監査である。

問1 ☑□ クラウドサービスの導入検討プロセスに対するシステム監査におい
□□ て，クラウドサービス上に保存されている情報の消失の予防に関するチ
ェックポイントとして，適切なものはどれか。 (R元F問21，H28S問21)

ア 既存の社内情報システムとのIDの一元管理の可否が検討されているか。

イ クラウドサービスの障害時における最大許容停止時間が検討されているか。

ウ クラウドサービスを提供する事業者に信頼が置け，かつ，事業やサービスが継続
して提供されるかどうかが検討されているか。

エ クラウドサービスを提供する事業者の施設内のネットワークに，暗号化通信が採
用されているかどうかが検討されているか。

問2 ☑□ 金融庁の"財務報告に係る内部統制の評価及び監査に関する実施基準"
□□ における"ITへの対応"に関する記述のうち，適切なものはどれか。
(H28F問22)

ア IT環境とは，企業内部に限られた範囲でのITの利用状況である。

イ ITの統制は，ITに係る全般統制及びITに係る業務処理統制から成る。

ウ ITの利用によって統制活動を自動化している場合，当該統制活動は有効である
と評価される。

エ ITを利用せず手作業だけで内部統制を運用している場合，直ちに内部統制の不
備となる。

答1 システム監査 ▶ P.336 ··· **ウ**

　クラウドサービス上に保存した情報については，利用者はその情報をクラウドサービス事業者側に預け，事業者側が管理責任を負うことになる。事業者側の信頼性（バックアップ体制など）やサービスの安定性に問題があると，大きな障害やサービス停止などによって，預けていた情報が消失してしまう危険性もあるので，しっかりとチェックしておく必要がある。

　他の選択肢の内容は，情報の完全性（整合性）や可用性，機密性に関するチェックポイントであり，情報の消失に直接つながるような内容ではない。

答2 ·· **イ**

　金融庁による"財務報告に係る内部統制の評価及び監査の基準"では，ITへの対応は"IT環境への対応"と"ITの利用及び統制"からなるものとされている。ITの統制は後者に含まれ，情報システムに関する統制のことを意味する。その構築については，

> 　ITに対する統制活動は，全般統制と業務処理統制の二つからなり，完全かつ正確な情報の処理を確保するためには，両者が一体となって機能することが重要となる。

と記されている。

　全般統制は，各業務システムの内部統制（業務処理統制）が有効に機能する環境を保証するための統制活動であり，複数の業務システムに共通して適用されるものである。"財務報告に係る内部統制の評価及び監査に関する実施基準"では，全般統制の具体例として，次の項目を挙げている。

- ・システムの開発，保守に係る管理
- ・システムの運用・管理
- ・内外からのアクセス管理などシステムの安全性の確保
- ・外部委託に関する契約の管理

　一方，業務処理統制は，業務を管理するシステムにおいて承認された業務が全て正確に処理，記録されることを確保するための統制活動であり，個別の業務システムに適用されるものである。"財務報告に係る内部統制の評価及び監査に関する実施基準"では，具体例として，次の項目を挙げている。

- ・入力情報の完全性，正確性，正当性を確保する統制
- ・例外処理（エラー）の修正と再処理
- ・マスタデータの維持管理
- ・システムの利用に関する認証，操作範囲の限定などのアクセス管理

③ システム監査

問題編

問3 ☑□ □□ システム監査の改善指導（フォローアップ）において，被監査部門による改善が計画よりも遅れていることが判明したとき，システム監査人が採るべき行動はどれか。 (H29F問21)

ア 遅れを取り戻すために，具体的な対策の実施を，被監査部門の責任者に指示する。

イ 遅れを取り戻すために，被監査部門の改善活動に参加する。

ウ 遅れを取り戻すための方策について，被監査部門の責任者に助言する。

エ 遅れを取り戻すための要員の追加を，人事部長に要求する。

問4 ☑□ □□ システム監査における"監査手続"として，最も適切なものはどれか。 (R4F問22)

ア 監査計画の立案や監査業務の進捗管理を行うための手順

イ 監査結果を受けて，監査報告書に監査人の結論や指摘事項を記述する手順

ウ 監査項目について，十分かつ適切な証拠を入手するための手順

エ 監査テーマに合わせて，監査チームを編成する手順

問5 ☑□ □□ 販売管理システムにおいて，起票された受注伝票が漏れなく，かつ，重複することなく入力されていることを確かめる監査手続のうち，適切なものはどれか。 (R5F問22，H27F問22，H25F問21)

ア 受注データから値引取引データなどの例外取引データを抽出し，承認の記録を確かめる。

イ 受注伝票の入力時に論理チェック及びフォーマットチェックが行われているか，テストデータ法で確かめる。

ウ 販売管理システムから出力したプルーフリストと受注伝票との照合が行われているか，プルーフリストと受注伝票上の照合印を確かめる。

エ 並行シミュレーション法を用いて，受注伝票を処理するプログラムの論理の正当性を確かめる。

答3 改善提案のフォローアップ ▶ P.339 ……………………………………… **ウ**

　システム監査を行う監査人は，監査報告書の提出後，助言や改善勧告に基づいて適切な措置が実施されているかどうかを確認・評価し，必要に応じて指導・助言を行う。これをフォローアップ活動という。このとき，システム監査人は第三者の立場として指導・助言を行うのであって，自らが改善活動の当事者になることはない。つまり，"ウ"のように"責任者に助言する"のは適切だが，他の選択肢のように，被監査部門に対して直接指示したり，改善活動に参加したりするのは適切な行動ではない。

答4 監査証拠 ▶ P.337 ……………………………………………………………… **ウ**

　監査手続とは，システム監査人の保証意見や助言意見を裏付ける監査証拠の入手を目的とした一連の調査活動のことである。

　ア　監査計画の立案に関する記述である。
　イ　監査報告に関する記述である。
　エ　監査業務体制の管理に関する記述である。

答5 監査技法 ▶ P.338 ……………………………………………………………… **ウ**

　起票された受注伝票が「漏れなく」「重複することなく」入力されていることを確かめるためには，受注伝票と入力された内容を一つひとつ照合すればよい。このために有効なのがプルーフリスト（入力内容を加工せずそのまま印刷したリスト）である。プルーフリストと受注伝票が照合されていることが（照合印によって）確認できれば，適切な入力が行われていることの確認手続になる。

　ア　例外取引に対する承認が適切に行われているかを確認する手続である。
　イ　入力ミスに対する予防策がとられているかを確認する手続である。
　エ　プログラムで用いられるアルゴリズムの正当性を確認する手続である。

第3部

ストラテジ

1 システム戦略とシステム企画

1.1 情報システム戦略

❏ 全体最適化計画

　情報システムを個別業務の最適化の目的で導入するのではなく，企業活動全体の最適化につながるように導入することを全体最適化という。全体最適化計画は，全体最適化の方針や目標に基づいて，企業における中長期計画として策定する。全体最適化計画策定は次のような手順で行う。

①経営環境の理解…経営環境を外部環境と内部環境の側面から調査する。

②業務モデルの作成…全体業務や個別業務の関連などを調査し，モデル化する。

③情報システム体系の策定…個別システムの体系やデータベースモデルなどを作成する。

④インタビュー…経営トップや各部門から問題点や情報システムのニーズを洗い出す。

⑤情報システム開発課題の整理…ニーズや開発課題を整理し，情報システムの必要性を明確にする。

⑥中長期計画の策定と文書化…中長期計画の策定に合わせて，全体最適化計画を文書化する。

　全体最適化計画には，次の項目を記載する。

- ・経営環境
- ・業務モデルの定義
- ・現行システムの評価
- ・情報システム体系
- ・個別システムの構成
- ・個別システムの開発優先順位
- ・情報システム基盤の整備計画
- ・中期の開発計画
- ・費用対効果
- ・推進体制

❏ 情報化投資

　全体最適化計画をもとにブレークダウンし，個々のプロジェクトに必要な金額を集計して投資額を決定する。経営戦略に貢献する情報システムの投資額は大きくするな

ど，情報化投資は経営戦略と整合している必要がある。策定した投資計画は，情報戦略の責任者によって承認され，関係者に周知される。

システム管理基準では「情報化投資」のポイントとして，次の六つを挙げている。

・情報化投資計画は，経営戦略との整合性を考慮して策定すること
・情報化投資計画の決定に際して，影響，効果，期間，実現性等の観点から複数の選択肢を検討すること
・情報化投資に関する予算を適切に執行すること
・情報化投資に関する投資効果の算出方法を明確にすること
・情報システムの全体的な業務及び個別のプロジェクトの業績を財務的な観点から評価し，問題点に対して対策を講じること
・投資した費用が適正に使用されたことを確認すること

❏投資効果の評価 ──────────── 問1 問4

投資効果を評価する方法には，次のようなものがある。これらのような手法を用い，効果的に企業価値を高める投資プランを策定し，適切な資金調達を行うことを総称して，**コーポレートファイナンス**と呼ぶ。

▶投資効果の評価方法

ROI（Return On Investment：投資利益率）	投資によって得られた利益額を投資額で割った比率を算出し，投資効果を評価する。 　　ROI＝（利益／投資額）×100
回収期間法	投資によって得られる利益額を合計し，投資額を何年で回収できるかによって投資効果を評価する。PBP（Pay-Back Period）法ともいう。
NPV法	金銭価値の時間的変化を考慮して一定期間の投資額や利益額を現在価値に換算し，その合計値の大小で投資効果を評価する。
IRR法	金銭価値の時間的変化を考慮して一定期間の投資額や利益額を現在価値に換算し，その合計値がゼロとなるような割引率の大小で投資効果を評価する。

❏エンタープライズアーキテクチャ（EA）──── 問5 問6

組織全体の業務とシステムを個別に改善しても，混乱が生じるだけで効果は望めない。**業務とシステムは統一的な手法でモデル化し，同時に改善する**ことが望ましい。その代表的な方法が**EA（エンタープライズアーキテクチャ）**である。

EAでは，企業基盤や活動を次の四つの階層で考え，文書化する。

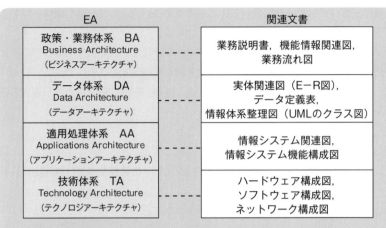

注：情報体系整理図については，BAの成果として作成すべきとする考え方もある

BA…政策・業務体系。ビジネスや業務活動を可視化した層
DA…データ体系。企業・組織が利用する情報を可視化した層
AA…適用処理体系。ビジネス活動で用いる情報システムの構造を可視化した層
TA…技術体系。情報システムの稼働に必要なハードウェアやソフトウェアを提供する層

▶エンタープライズアーキテクチャ

EAを進める上では，まず現状のモデル（**AsIs**）を，次に理想としてのモデル（**ToBe**）を明らかにし，その間に次期モデルを設定する。四つの階層で企業の全体像を把握し，ToBeでゴールを意識するからこそ，整合性のとれた計画的な開発を行うことができる。

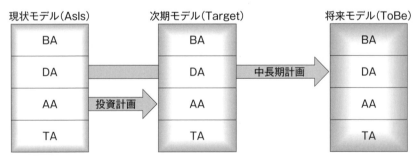

▶AsisとToBe

1.2　業務プロセス

❏ BPR（Business Process Re-engineering）── 問3

　企業の業務を抜本的に改革することである。BPRを提唱したM.ハマーは，リエンジニアリングを「コスト，品質，サービス，スピードのような，重大で現代的なパフォーマンス基準を劇的に改善するために，ビジネスプロセスを根本的に考え直し，抜本的にそれをデザインし直すこと」と定義している。業務プロセスを継続的に改善する活動を**BPM**（Business Process Management）といい，BPRを継続して繰り返すことを意味する。

❏ SFA（Sales Force Automation）

　ITを活用して，営業担当者や営業部門を支援し，営業活動を革新的に効率化するシステムである。顧客との関係を管理する**CRM**（Customer Relationship Management）の一環として，顧客満足度と成約率を高めるとともに，営業活動そのものを正確化・効率化することを目的とする。

❏ BPO（Business Process Outsourcing）

　企業が行う業務のうち，中核となる業務（コアビジネス）以外の業務の一部又は全部を，情報システムと併せて外部に委託することである。経営資源をコアビジネスに集中させることができ，経営資源を効率的に使用することができる。

1.3　ソリューションビジネス

❏ 業務パッケージ

　業務プロセスの改善は，企業の主要な業務を情報化するためのパッケージソフトウェア（業務パッケージ）を導入する形で行われることも多い。一般的には，業務パッケージには標準的な業務機能が実装されているが，自社の業務プロセスと完全に一致することは稀である。そのため，**フィット＆ギャップ分析**を行い，自社の業務プロセスに適合する部分と適合しない部分を洗い出し，適合しない部分については改変（カスタマイズ）を行う。ただし，過度のカスタマイズは業務プロセスの改善を阻害する可能性があるため，十分な検討が必要となる。

❏ SaaS（Software as a Service）

ソフトウェア機能をネットワーク経由でサービスとして提供する**クラウドサービス**である。**ASP**（Application Service Provider）と呼ばれるサービス形態と同一視されることもあるが，利用者は必要な機能だけを使用し，使用分に対してのみ対価を支払い，一つのサービス機能を複数の企業で利用するマルチテナント方式を採用することが一般的である。

❏ SOA（Service Oriented Architecture）─── 問3

業務システムの機能を，利用者の視点から複数の独立したソフトウェア部品に分割し，業務機能を提供するサービス（ソフトウェア部品）を組み合わせることによって，システムを構築する考え方である。

1.4　システム活用促進

❏ デジタルリテラシー

デジタル技術に関する知識やデジタル技術を活用する方法を理解し，職務に活かして使いこなす能力である。

最近では，AI，IoT，クラウドコンピューティング，ビッグデータ，ブロックチェーンなどのデジタル技術なしではどのような職務も遂行することが難しくなってきている。デジタルリテラシーは働く全ての人に必要なものとなってきており，デジタルリテラシーの向上は不可欠である。

1.5　システム化計画

❏ システム化構想の立案

経営事業目標を前提に，事業環境（市場や競合企業，取引先，法規制）や業務環境を分析し，事業目標，業務目標との関係を明確にした上で，経営課題を解決するための新たな業務やシステムの構想を立案する。次のような活動を行い，将来的な業務の全体像を作成し，最上位の業務機能や業務組織との関係を明確化する。

▶システム化構想の立案における主な活動

情報技術動向の分析	IT技術の動向を調査し，競争優位や事業機会を生み出す情報技術の利用方法について分析する。
対象業務の明確化	検討の対象となる業務を明確化し，優先順位を付ける。
業務の新全体像の作成	業務の明確化に沿って，最上位の業務モデルを検討する。また，新システムの全体イメージも作成する。

❏ システム化計画の立案

　システム化構想を具現化するための活動を行い，システム化計画やプロジェクト計画を具体化して利害関係者の合意を得る。次のような活動を行う。

▶システム化計画の立案における主な活動

対象業務とシステム課題の確認	システム化の対象とする業務の内容，そこで扱う情報について確認する。また，業務の問題点を分析して，システム化によって実現すべき課題を定義する。
業務モデルの作成	システム化機能を整理し，情報と処理の流れを明確にするために業務機能をモデル化する。この業務モデルには，日常業務の活動だけでなく，意思決定や戦略計画に関わる活動も含まれる。
システム化計画の作成と承認	検討結果として得られたシステム化計画を文書化し，承認を得る。
プロジェクト計画の作成と承認	開発や運用に必要なリソース，作業項目，スケジュールなどを明確にする。

　これらの活動の結果を受け，要件定義が実施される。要件定義では，システム化の対象となる利害関係者の要求の抽出やシステム化の対象となる業務要件の定義などが，より詳細なレベルで実施される。

1.6　要件定義

❏ 要求分析

　ヒアリングやアンケートなどの手法を用いて，**ユーザー要求**を調査する。各種調査の結果を分析し，UMLやDFD，E-R図などを用いて現状の業務手順をモデル化する。

❏ 業務要件定義

要求分析で明らかになった問題や要望を整理する。問題に因果関係がある場合には，特性要因図などを用いて真の問題を追求する。これらをもとに改善ポイントを明らかにし，**業務要件**としてまとめる。業務要件定義に基づき，新たな業務手順を設計し，UMLやDFD，E-R図などを用いてモデル化する。

なお，問題や要望の整理は，次の観点から行う。

● 問題と要望の分類

問題と要望では対応のレベルが異なる。要望として出されたものであっても，業務に支障があるようなものは問題に分類する。

● 影響度と緊急性による分類

問題を影響度と緊急性によって分類する。

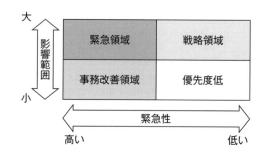

▶**影響範囲と緊急性による分類**

緊急領域は，法改正やベンダーの製造中止など，早急に対策をとらなければ業務に大きな影響を与えるものである。戦略領域は，業務改革の実現にかかわるもの，事務改善領域は特定事務における効率化にかかわるものである。問題を，これらの領域に分けた上で，システム化の目的に合わせて優先順位を付ける。

● 性質による分類

問題を業務改革に関するもの，情報リテラシーに関するもの，サポート体制に関するものなどに分類する。

❏ 機能要件定義 ─────────────── 問7

業務要件定義によってモデル化された結果から，システムに必要な機能を**機能要件**として定義する。例えば，ユースケース図に現れたユースケースは，システムが実現すべき機能なので，機能要件として定義する。また，画面や帳票イメージも整理する。

❏ 非機能要件定義

　業務要件ではないが，サービスレベルやセキュリティに関してシステムに要求される機能を**非機能要件**として定義する。

1.7　調達

❏ 調達の手順

　調達とは，供給者を決定して納入品を受け取ることであり，企業内で調達することもあれば，ベンダーなどを通して外部から調達することもある。外部からの調達は，次のような手順で行われる。

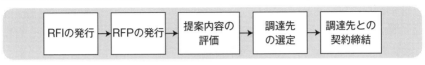

▶調達の手順

❏ RFI（Request For Information） 問8

　RFI（**情報提供依頼書**，情報提供要請）は，ベンダーへの情報提供の要請，又はそのための文書である。ベンダーに対して，システム化の目的や業務内容などを提示し，これらに対する実現可能性や技術動向，実現するために利用可能な技術や製品，導入実績といった実現手段に関する情報の提供を依頼する。

❏ RFP（Request For Proposal）

　RFP（**提案依頼書**，提案要請）は，ベンダーへの提案の要請，又はそのための文書である。定義された要件（機能要件，非機能要件），システムを構築する費用の範囲，提案の評価項目，開発に関する条件など，ベンダーが提案を作成するのに必要な要求事項を記載する。この際，曖昧な点や不完全な点がないよう注意する。また，要求事項の重要度に応じて重み付けをするルールを設けるなど，事前に提案の評価方法や選定の手順を決定しておく必要がある。RFPは，**RFI**の回答をもとに発行するのが一般的である。

問1 ☑☐ ☐☐ 情報戦略の投資効果を評価するとき，利益額を分子に，投資額を分母にして算出するものはどれか。　(R2F問23，H27S問23，H24S問23，H22S問24)

ア　EVA　　イ　IRR　　ウ　NPV　　エ　ROI

問2 ☑☐ ☐☐ クラウドサービスの利用手順を，"利用計画の策定"，"クラウド事業者の選定"，"クラウド事業者との契約締結"，"クラウド事業者の管理"，"サービスの利用終了"としたときに，"利用計画の策定"において，利用者が実施すべき事項はどれか。　(R2F問25)

ア　クラウドサービスの利用目的，利用範囲，利用による期待効果を検討し，クラウドサービスに求める要件やクラウド事業者に求めるコントロール水準を定める。

イ　クラウド事業者がSLAなどを適切に遵守しているかモニタリングし，また，自社で構築しているコントロールの有効性を確認し，改善の必要性を検討する。

ウ　クラウド事業者との間で調整不可となる諸事項については，自社による代替策を用意した上で，クラウド事業者との間でコントロール水準をSLAなどで合意する。

エ　複数あるクラウド事業者のサービス内容を比較検討し，自社が求める要件及びコントロール水準が充足できるかどうかを判定する。

問3 ☑☐ ☐☐ SOAを説明したものはどれか。
　(R5F問24，H28S問24，H26F問24，H22F問24)

ア　企業改革において既存の組織やビジネスルールを抜本的に見直し，業務フロー，管理機構及び情報システムを再構築する手法のこと

イ　企業の経営資源を有効に活用して経営の効率を向上させるために，基幹業務を部門ごとではなく統合的に管理するための業務システムのこと

ウ　発注者とITアウトソーシングサービス提供者との間で，サービスの品質について合意した文書のこと

エ　ビジネスプロセスの構成要素とそれを支援するIT基盤を，ソフトウェア部品であるサービスとして提供するシステムアーキテクチャのこと

答1 投資効果の評価 ▶ P.347　ROI ▶ P.430 ··· **エ**

ROI（Return On Investment：投資利益率）とは，投資がどの程度の利益を生み出しているかを示す指標であり，利益額÷投資額で求められる。

- EVA（Economic Value Added）…企業が最終的に株主にどれだけの価値を提供できたかを示す指標。税引後利益－資本コストで求める
- IRR（Internal Rate of Return）…投資額と投資によって得られる価値（現在価値）が等しくなるような利益（内部利益率）のこと。IRRの大小によって投資効果を評価する手法をIRR法という
- NPV（Net Present Value）…正味現在価値。投資によって得られる価値を，現在価値に置き換えて評価したもの。NPVの大小によって投資効果を評価する手法をNPV法という

答2 ··· **ア**

クラウドサービスの利用計画では，組織のニーズなどを踏まえた上で，何を目的としてどのようなクラウドサービスを導入するのかを明確化する。

　イ　"クラウド事業者の管理"で実施する事項である。
　ウ　"クラウド事業者との契約締結"で実施する事項である。
　エ　"クラウド事業者の選定"で実施する事項である。

答3 BPR ▶ P.349　SOA ▶ P.350 ·· **エ**

SOA（Service Oriented Architecture：サービス指向アーキテクチャ）は，ビジネスプロセスの構成要素とそれを支援するIT基盤を，ソフトウェア部品であるサービスとして提供するシステムアーキテクチャのことである。

　ここでのサービスとは「呼び出されるソフトウェアの集合」であり，"受注"や"照会"などの「ビジネス上の業務プロセス」でもある。SOAは，業務プロセス（サービス）の視点からソフトウェアを設計し，各サービスを連携させた，柔軟な情報システムを設計するという考え方に基づいている。

　ア　BPR（Business Process Reengineering）の説明である。
　イ　ERP（Enterprise Resource Planning）の説明である。
　ウ　SLA（Service Level Agreement）の説明である。

問4 ☑□
□□ A社は，社員10名を対象に，ICT活用によるテレワークを導入しよう としている。テレワーク導入後5年間の効果（"テレワークで削減可能 な費用"から"テレワークに必要な費用"を差し引いた額）の合計は何万円 か。

(R3F問24)

〔テレワークの概要〕

・テレワーク対象者は，リモートアクセスツールを利用して，テレワーク用PCから 社内システムにインターネット経由でアクセスして，フルタイムで在宅勤務を行う。

・テレワーク用PCの購入費用，リモートアクセスツールの費用，自宅・会社間のイ ンターネット回線費用は会社が負担する。

・テレワークを導入しない場合は，育児・介護理由によって，毎年1名の離職が発生 する。フルタイムの在宅勤務制度を導入した場合は，離職を防止できる。離職が発 生した場合は，その補充のために中途採用が必要となる。

・テレワーク対象者分の通勤費とオフィススペース・光熱費が削減できる。

・在宅勤務によって，従来，通勤に要していた時間が削減できるが，その効果は考慮 しない。

テレワークで削減可能な費用，テレワークに必要な費用

通勤費の削減額	平均10万円／年・人
オフィススペース・光熱費の削減額	12万円／年・人
中途採用費用の削減額	50万円／人
テレワーク用PCの購入費用	初期費用8万円／台
リモートアクセスツールの費用	初期費用1万円／人
	運用費用2万円／年・人
インターネット回線費用	運用費用6万円／年・人

ア 610　　　イ 860　　　ウ 950　　　エ 1,260

答4　投資効果の評価 ▶ P.347 ·· **イ**

"テレワークで削減可能な費用"及び"テレワークに必要な費用"をそれぞれ求めてみると次のようになる。

・テレワークで削減可能な費用

　　中途採用費用の削減額は1人当たり50万円である。毎年1名の離職を防止できるので，5年間で5人の離職が防止でき，

　　　　50[万円／人]×5[人]＝250[万円]

が削減できる。また，通勤費とオフィススペース・光熱費については，10名で5年間という条件を用いて，

　　　　通勤費：10[万円／年・人]×10[人]×5[年]＝500[万円]

　　　　オフィススペース・光熱費：12[万円／年・人]×10[人]×5[年]＝600[万円]

が削減できる。

　　したがって，合計1,350万円がテレワークで削減できる。

・テレワークに必要な費用

　　初期費用として，PCの購入費用とリモートアクセスツールの導入費用がかかる。PCは1人1台と考えればよいので，

　　　　PCの購入費用：8[万円／台]×10[台]＝80[万円]

　　　　ツールの購入費用：1[万円／人]×10[人]＝10[万円]

となり，合計90万円がかかる。

　　さらに，運用費用（ランニングコスト）としては，リモートアクセスツールとインターネット回線の費用が必要である。これらはそれぞれ，

　　　　ツールの運用費用：2[万円／人]×10[人]×5[年]＝100[万円]

　　　　回線の運用費用：6[万円／人]×10[人]×5[年]＝300[万円]

となり，合計400万円となる。

　　したがって，初期費用と運用費用を合わせた490万円がテレワークに必要となる。

　よって，テレワーク導入後5年間の効果は，

　　　テレワークで削減可能な費用－テレワークに必要な費用＝1,350－490

　　　　　　　　　　　　　　　　　　　　　　　　　　　　　＝860[万円]

となる。

問 5 ☑□ □□ エンタープライズアーキテクチャにおいて，業務と情報システムの理
想を表すモデルはどれか。

(H29F問23)

ア EA参照モデル 　　　 イ To-Beモデル
ウ ザックマンモデル 　 エ データモデル

問 6 ☑□ □□ エンタープライズアーキテクチャ（EA）を説明したものはどれか。

(H27S問24)

ア オブジェクト指向設計を支援する様々な手法を統一して標準化したものであり，
クラス図などのモデル図によってシステムの分析や設計を行うための技法である。

イ 概念データモデルを，エンティティ，リレーションシップで表現することによっ
て，データ構造やデータ項目間の関係を明らかにするための技法である。

ウ 各業務と情報システムを，ビジネス，データ，アプリケーション，テクノロジの
四つの体系で分析し，全体最適化の観点から見直すための技法である。

エ 企業のビジネスプロセスを，データフロー，プロセス，ファイル，データ源泉／
データ吸収の四つの基本要素で抽象化して表現するための技法である。

答5 エンタープライズアーキテクチャ ▶ P.347 ……………………………………… **イ**

エンタープライズアーキテクチャ（EA）におけるモデル作成は，一般に次のような手順で進められる。

① 現状分析を行い，現状を表す As-Is モデルを作成する
② 将来的に到達すべき理想像として，To-Be モデルを作成する
③ As-Is から To-Be に向けて近づくための現実的な目標として，次期モデルを作成する

- EA参照モデル…EAを効果的に実践し，基本体系を策定するために用いる業務やデータのひな型。業績想定参照モデルやデータ参照モデルなどで構成される
- ザックマンモデル（ザックマンフレームワーク）…ザックマンが提唱した，情報システムを体系化するモデル。EAのフレームワークとして利用されている
- データモデル…情報処理に必要となるデータ及びデータ間の関係を示すモデルの総称

答6 エンタープライズアーキテクチャ ▶ P.347 ……………………………………… **ウ**

エンタープライズアーキテクチャ（EA）とは，経営の視点からIT投資効果を高めるために最適化された業務，組織，情報システムを構築するための組織の設計・管理手法である。

EAでは，現行業務や情報システムを体系化して分析を行い，全体最適化の観点からそれらの改善を進めていく。また，ITガバナンス（統治）を強化し，策定した最適化計画が確実に実行されるようにマネジメントを行う。

EAでは，上位からBA，DA，AA，TAと階層化した4階層で業務をモデル化する。

BA(Business Architecture)	政策・業務体系。ビジネスや業務活動を可視化した層
DA(Data Architecture)	データ体系。組織が利用する情報を可視化した層
AA(Applications Architecture)	適用処理体系。ビジネス活動で用いる情報システムの構造を可視化した層
TA(Technology Architecture)	技術体系。ハードウェアやソフトウェアなど，システムを構成する技術要素に関する層

ア UML（Unified Modeling Language）の説明である。
イ E-R図の説明である。
エ DFDの説明である。

問7 ☑□ □□　要件定義において，利用者や外部システムと，業務の機能を分離して表現することによって，利用者を含めた業務全体の範囲を明らかにするために使用される図はどれか。　　　　　　　　　　　　　　　　　　　　　（H31S問25）

ア　アクティビティ図　　　イ　オブジェクト図
ウ　クラス図　　　　　　　エ　ユースケース図

問8 ☑□ □□　情報システムの調達の際に作成されるRFIの説明はどれか。
（R5S問25，R3S問24，H30S問25，H27F問24）

ア　調達者から供給者候補に対して，システム化の目的や業務内容などを示し，必要な情報の提供を依頼すること

イ　調達者から供給者候補に対して，対象システムや調達条件などを示し，提案書の提出を依頼すること

ウ　調達者から供給者に対して，契約内容で取り決めた内容に関して，変更を要請すること

エ　調達者から供給者に対して，双方の役割分担などを確認し，契約の締結を要請すること

答7 ユースケース図 ▶ P.268　クラス図 ▶ P.269　アクティビティ図 ▶ P.271
機能要件定義 ▶ P.352 ·· **エ**

　ユースケース図は，システムの外部から見たシステムの振舞いを表す図である。システムの機能であるユースケース，システムの外部に存在してユースケースを起動しシステムから情報を受け取るアクター（Actor），システム内部とシステム外部の境界を示すシステム境界などで構成される。

　要件定義において，ユーザーや外部システム（アクター）と，業務の機能（ユースケース）を分離して表現することで，ユーザーを含めた業務全体の範囲を明らかにするために使用される。

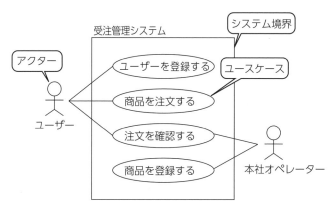

- アクティビティ図…複数のオブジェクト間の動作や処理手順を表す図
- オブジェクト図…個々のオブジェクトとその間の関係を表す図
- クラス図…オブジェクトに共通した性質をクラスとして定義し，各クラス間の相互関係とともに表す図

答8　RFI ▶ P.353 ··· **ア**

　RFI（Request For Information：情報提供依頼書）は，情報システム調達の際に，システム化の目的や業務内容などを示し，ベンダーに技術動向や製品動向に関する情報の提供を依頼するために作成する文書である。ベンダーはRFIに基づいて，情報提供や提案を依頼者に返答する。依頼者はその返答をもとに技術的な実現可能性や調達費用の概要を把握したうえで，調達要件を定義し，RFP（提案依頼書）を作成する。

問9 ☑□
□□
バックキャスティングの説明として，適切なものはどれか。

（R5F問23）

ア　システム開発において，先にプロジェクト要員を確定し，リソースの範囲内で優先すべき機能から順次提供する開発手法

イ　前提として認識すべき制約を受け入れた上で未来のありたい姿を描き，予想される課題や可能性を洗い出し解決策を検討することによって，ありたい姿に近づける思考方法

ウ　組織において，下位から上位への発議を受け付けて経営の意思決定に反映するマネジメント手法

エ　投資戦略の有効性を検証する際に，過去のデータを用いてどの程度の利益が期待できるかをシミュレーションする手法

答9 ••• イ

　バックキャスティングは，未来の「あるべき姿」「ありたい姿」などを設定し，そこを起点にしてさかのぼって，現在何をすべきかを考察する方法である。

　10年後の事業の姿，顧客へ提供する価値，解決したい社会的課題などを設定したバックキャスティングは，将来起こり得る市場環境の大きな変化に備えた技術戦略を策定するのに有効であるとされている。

　ア　アジャイル開発におけるYAGNI（You ain't gonna need it：必要になった機能だけを実装していく）などの考え方に関する記述である。

　ウ　ボトムアップ型の意思決定手法に関する記述である。

　エ　バックテストと呼ばれる検証手法に関する記述である。

2 経営戦略

2.1 経営戦略手法

❏ ポーターの基本戦略

競争要因を把握した上で基本戦略を策定する。ポーターは基本戦略を次の三つに分類している。

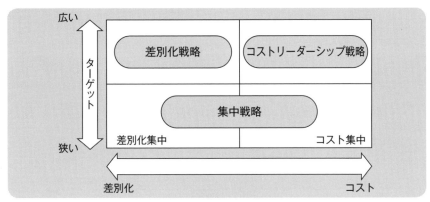

▶基本戦略の選択

①コストリーダーシップ戦略

「低価格でも利益が出る」という戦略である。大幅なコストダウンを実現し，他社よりも低価格で商品やサービスを提供することで市場占有率を高める。

②差別化戦略

「高くても売れる」という戦略である。自社製品の魅力的な独自性をアピールすることで，価格以外の面で競争企業に対する優位性を獲得する。差別化の内容として，品質や性能など製品そのものに関するもの，アフターサービスなど製品サービスに関するもの，広告や宣伝など消費者の認知度に関するものなどがある。

③集中（ニッチ）戦略

ターゲットとする顧客層，製品，市場を限定し，コストダウンや差別化を図る戦略である。投資額を抑える，大企業が進出しにくいなどのメリットがある。ベンチ

ャー企業などでは，まだ誰も進出していない未知の市場に挑戦することも多い。このような「競争のない未開拓市場」を切り拓く経営戦略を**ブルーオーシャン戦略**という。

❏ CSF （Critical Success Factors：重要成功要因） ──────── 問12

定めた戦略目標を達成する手段，事業を成功させるために決定的な影響を与える要因である。企業が他社と競争するためには，CSFを理解して戦略に組み込むことが必要である。

❏ KGI （Key Goal Indicator：重要目標達成指標） ──────── 問12

定めた戦略目標の達成度を測定する指標である。例えば，売上高や利益率，成約件数などがKGIとして用いられる。達成目標は，「売上高XX％増」や「利益率XX％向上」「成約件数XX達成」など，KGIを用いて具体的に示される。

❏ KPI （Key Performance Indicator：重要業績評価指標）
────────────────────── 第2部2問4 問12

プロセスの実施状況（実行の度合い）を測るための指標である。例えば，成約件数をKGIに用いた場合には，成約率や解約件数などをKPIに用いることができる。KPIは月次，週次といった一定期間ごとに評価され，業務プロセスの進捗状況や適切に実施されているかどうかが評価される。

❏ ESG投資 ─────────────────────────────

投資先の財務情報のみではなく，**環境**（Environment），**社会**（Social），**ガバナンス**（Governance）のそれぞれへの取組みも考慮して行う投資手法である。企業が環境問題，社会問題，企業統治の問題に取り組むことを促進し，持続可能な社会や環境を構築することを目的とする。経済的なリターンも追求する。

❏ エコシステム ───────────────────────────

「生態系」を意味し，同じ領域の生物が依存しあって生きている状態を表す。ビジネスでは，企業や製品が連携して相互に補完し，相乗効果を生み出す仕組みを指す。エコシステムでは，他社の製品・サービスや技術などを活用して，効率良く短期間で新たな製品・サービスの開発が可能になる。市場での競争力を強化し，新たなビジネスチャンスを得ることができる。

❏ バリューチェーン ———————————————— 問1 問2

　商品そのものの価値に他の価値を付けることによって，商品価値は上がる。この付加価値は企業活動によって生み出される。そのため，基本戦略を選択する際には，企業活動のどこで商品に付加価値を付けられるかを分析することが重要となる。ポーターは，付加価値を生み出す企業活動（バリューチェーン）を大きく次の五つの主要活動に分類している。

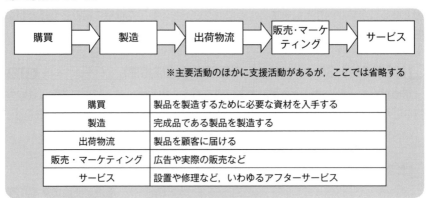

※主要活動のほかに支援活動があるが，ここでは省略する

購買	製品を製造するために必要な資材を入手する
製造	完成品である製品を製造する
出荷物流	製品を顧客に届ける
販売・マーケティング	広告や実際の販売など
サービス	設置や修理など，いわゆるアフターサービス

▶バリューチェーン

　価値は，顧客の視点から分析する。例えば，顧客が購入後の定期点検に付加価値を見い出しているならば，アフターサービスが付加価値となる。また，無農薬栽培や有機栽培，エコロジなども付加価値となり得る。

❏ M&A（合併と買収）———————————————— 問3

　合併とは複数の企業が一つにまとまること，買収とはある企業が他社の一部又は全てを買い取ることである。M&Aを効果的に実施することで，買い手は成長のための経営資源を短時間で入手することができ，売り手は本業に経営資源を集中できる。M&Aは，次のようにいくつかに分類できる。

> [事前合意の有無で分類]
> 　　**友好的M&A**…売り手と買い手の事前合意に基づいて行われるM&A
> 　　**敵対的M&A**…売却意思のない企業に対して行われるM&A
> [M&Aの動機で分類]
> 　　**戦略型M&A**…経営戦略に基づいて行われるM&A

> 救済型M&A…経営破たんした企業を救済するために行われるM&A
>
> 投機型M&A…投機目的で行われるM&A
>
> [事業との関係で分類]
>
> 水平統合型M&A…同種の事業に対して行われるM&A
>
> 垂直統合型M&A…サプライチェーンの前後に位置する事業に対して行われるM&A
>
> 多角化型M&A…異なる事業に対して行われるM&A

❏TOB（株式公開買付）

株式会社の買収においてよく用いられる手法の一つで，買い付けを希望する側が，期間や価格などを公開した上で，株主から売却の応募を求める制度である。

❏アライアンス（Alliance）

企業提携のことである。**M&A**との大きな違いは，経営権が移動しないことで，M&Aよりも緩やかな連携といえる。例えば，製造に強みを持つA社と販売に強みを持つB社が提携した結果，A社は製造に，B社は販売に経営資源を集中できる。アライアンスは，内容によって技術提携，生産提携，資本提携などに分類できる。生産提携の典型的な例としては，**OEM**（Original Equipment Manufacturer）による相手先ブランドによる製品の生産・供給などがある。

❏シナジー効果

二つ以上の要素を組み合わせることによって，相乗効果を得ることである。別々の事業を組み合わせることで新たな効果を生み出し，売上を伸ばすなどがこれに該当する。

❏SWOT分析 ── 問1 問2 問7

企業の内部環境と外部環境の両方の側面から，その企業の強みと弱みを分析する手法である。外部環境と内部環境のそれぞれについて，好影響と悪影響を次のように整理することが多い。

▶SWOT分析

	好影響	悪影響
内部環境	強み（Strength）	弱み（Weakness）
外部環境	機会（Opportunity）	脅威（Threat）

　まず，外部環境を分析して自社の機会と脅威を識別する。次に，内部環境を分析して内部環境の項目ごとに強みと弱みを評価し，外部環境と併せて整理する。

❏ デルファイ法 　　　　　　　　　　　　　　　　　　　　　　　　　問5

　複数の専門家に対して，アンケートを行うことで将来を定性的に予測する手法である。関連する分野の専門家に対してアンケートを行い，その結果をまとめてアンケートの回答者に見せ，再びアンケートに答えてもらう。このような手順を複数回行うことで，答えを収束していき，最終的に得られた答えを予測結果とする。デルファイ法は，数十年後の技術予測など，既存データからは解答の推測がしづらい事象を扱う際によく用いられる。

❏ PPM（プロダクトポートフォリオマネジメント）
　　　　　　　　　　　　　　　　　　　　　　　　　　　　　　　問4　問7

　自社の事業や製品などを**市場成長率**と**市場占有率**の二つの軸を用いて分析し，花形，金のなる木，問題児，負け犬の四つに分類する手法である。大きな投資を必要とせずに継続的に利益をもたらす存在である金のなる木が資金源となる。ここで得た資金を，負け犬や花形となる事業や製品に投入し，市場占有率の向上・維持を目指す。金のなる木の成長率が低くなると，花形であった事業や製品が新たな金のなる木として資金源になり得る。

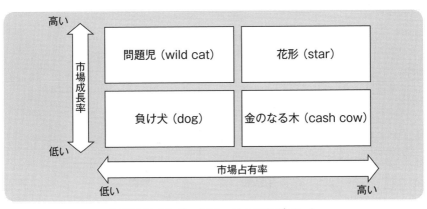

▶プロダクトポートフォリオマネジメント

▶PPMのマトリクスの説明

花形（star）	市場成長率，市場占有率ともに高い製品。市場占有率を維持できれば，企業の資金源となる可能性がある。
金のなる木（cash cow）	市場成長率は低いが市場占有率は高い製品。企業の資金源となる。
問題児（wild cat）	市場成長率は高いが市場占有率は低い製品。資金を投入して花形に育成するか，撤退を検討する。
負け犬（dog）	市場成長率，市場占有率ともに低い製品。この分野の投資は極力回避し，撤退を検討する。

❑ 成長マトリクス ─────────────── 問7

　企業の成長戦略を，**市場**と**製品**の二軸を用いて分析する手法である。それぞれの軸は，既存と新規に分けて分類する。

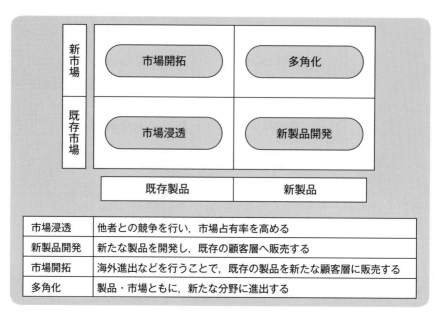

市場浸透	他者との競争を行い，市場占有率を高める
新製品開発	新たな製品を開発し，既存の顧客層へ販売する
市場開拓	海外進出などを行うことで，既存の製品を新たな顧客層に販売する
多角化	製品・市場ともに，新たな分野に進出する

▶成長マトリクス

❏VRIO分析

経営資源（ヒト，モノ，カネ，情報など）の競争力を，Value，Rarity，Imitability，Organizationの四つの要素に分けて評価するフレームワークである。VRIO分析によって，自社の経営資源の優位性を把握し，内部環境の調整や改善に活かすことができる。

- **Value**（価値）…経営資源が顧客に対して経済的な価値を提供できるか
- **Rarity**（希少性）…経営資源が競合他社と比較して希少であるか
- **Imitability**（模倣可能性）…経営資源が競合他社によって容易に模倣できるか
- **Organization**（組織）…経営資源を組織的に活用し，最大限の競争力を発揮できるか

2.2　マーケティング

❏マーケティングの４Ｃ

マーケティングの４Ｐに対して，顧客（消費者）側からマーケティングミックスを考えるときの基本要素である。４Ｐ同様に，次の四つの頭文字をとったものである。

- Customer Value (Customer Solution) … 顧客価値
- Customer Cost … 顧客コスト
- Convenience … 利便性
- Communication … 意思疎通，コミュニケーション

❏マーケティングミックス　　　　　　　　　　　　問8

製品・サービスを，市場に適切に配置し，販売を促進するための戦略的要素の組合せである。戦略的要素には，４Ｐと呼ばれる，**製品**（Product），**価格**（Price），**販売場所**（Place），**プロモーション**（Promotion）の四つがある。マーケティング戦略に特化したものとして，4Pに人 (People)，プロセス (Process)，物的証拠 (Physical Evidence) を加えた７Ｐもある。マーケティングミックスを利用することで，企業は効果的なマーケティング戦略を立案することができる。

❏バリュープロポジション

製品・サービスが顧客に提供することができる企業独自の価値・利点のことである。バリュープロポジションは，顧客にとっては，製品・サービスを理解し選択する理由となる。企業にとっては，市場競争力を高めることができ，製品・サービスに対するマーケティングの方向性を明確にすることができる。

時間とともに変化する顧客の要求に応えるために，バリュープロポジションは継続的に改善する必要がある。

❏デザイン思考（Design Thinking）

ビジネスの課題・問題に取り組む際に，クリエイターなどがデザインする際に活用する考え方を用いる思考法である。商品・サービスを利用する顧客の視点に立って，課題・問題を抽出し，解決策を見い出すのに有効である。デザイン思考は，次の５段階からなる。

①共感…顧客の視点を理解し，ニーズや課題を深く洞察する
②定義…洞察から得られた情報をもとに，課題・問題を定義する
③概念化…様々な角度からアイデアを探り，解決策を検討する
④試作…アイデアを具体化し，試作を作成する
⑤テスト…試作に対する顧客の反応を評価し，改善していく

❏ CX（Customer Experience）デザイン

　商品・サービスを利用する際のあらゆる接点において，顧客が満足し，快適な体験を得られるよう設計することである。CXは，購入前や購入後のプロセスも含んだ商品・サービスの間で発生する全ての顧客体験を含んでおり，製品・サービスそのものの使用で得られる顧客体験である**UX**とは異なる。

　CXデザインを追求することで，LTV（Life Time Value：顧客生涯価値）を向上させ，長期的なビジネスの成長が期待できる。

❏ サービスデザイン

　経済産業省は，サービスデザインを「顧客体験のみならず，顧客体験を継続的に実現するための組織と仕組みをデザインすることで新たな価値を創出するための方法論」と定義している。顧客体験という点でUXやCXと似ているが，顧客が商品・サービスを購入し利用するプロセスだけでなく，商品・サービスを提供する組織や仕組みも含んで設計するという点が大きな相違点である。

　製品・サービスを競合他社と差別化するために，サービスデザインが重要となる。新規事業だけでなく，既存事業のユーザーニーズをより反映した改善にも有効である。

❏ 製品戦略

　売れる製品を作る戦略である。売れる製品とは，単に機能が優れているだけではなく，基本機能を備えた上で，良いイメージをまとい，顧客にとって魅力のある製品である。次に，代表的な製品戦略の考え方を示す。

● **製品多様化**

　サイズや味などのバリエーションを増やすことによって，顧客に幅広い魅力を提供する。

● **製品差別化**

　競合製品が持っていない機能や魅力を備えることで市場を獲得する。

- ●**市場細分化**

    市場をニーズや嗜好によって細かくカテゴリに分割し，カテゴリごとに製品を投入する。

- ●**計画的陳腐化**

    「ある程度の期間で製品のライフサイクルが終了する」ように計画し，新製品への需要を喚起する。

❏ ポジショニング ——————————— 問6

    市場での製品の「立ち位置（ポジション）」のことで，ポジショニングマップなどを用いて表す。他社との競合を避けて，他社より優位な位置に立つためには，製品のコンセプトを明確にすることが重要である。例えば，携帯電話市場のポジショニングが次のようになっていたとする。

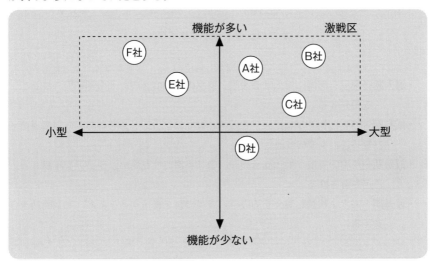

▶**製品のポジショニングマップ例**

    このポジショニングマップを見ると，小型で機能が少ない端末を子供向けに，大型で機能は少ないが操作性の良い端末を高齢者向けに市場に投入すれば，競合を避けて優位な位置に立てることが分かる。

❏ プロダクトライフサイクル ——————————— 問7

    製品が市場に投入されてから退場するまでの間，

導入期→成長期→成熟期→衰退期

と変遷する過程のことである。ライフサイクルの各段階ごとに正しい戦略を選択する。

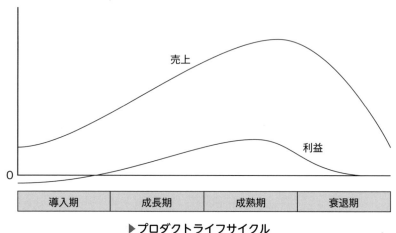

▶プロダクトライフサイクル

- **導入期**…製品を市場に投入する段階。製品の認知度を高め，市場拡大させることを優先する。
- **成長期**…売上と利益が急拡大する段階。製品のブランド力を高め，市場に浸透させることを優先する。
- **成熟期**…市場の成長が鈍化する段階。コスト優位性を高め，シェアを維持することを優先する。
- **衰退期**…売上も利益も減少する段階。既存顧客を維持することと，撤退時期を考える。

❏ 価格戦略

製品が顧客に受け入れられ企業が利益を上げるために，製品に適切な価格を設定する戦略である。価格設定の方法には，大きく次の三つがある。

▶価格設定

原価志向型	原価に適切な利益を上乗せして販売価格とする
競争志向型	競合他社の価格を参考に販売価格を設定する
需要志向型	顧客に受け入れられる価格を調査した上で販売価格を設定する

　原価志向型は，売り手が強い場合は有効であるが，競争の激しい場合は用いられることが少ない。競争志向型は，他社製品と比べて機能に大きな差がない場合に有効である。先行する他社製品の価格を参考にして，似たような価格を設定する。需要志向型は，新製品や差別化された製品など，参考にする他社製品が見当たらないときに有効である。アンケートなどで顧客を調査し，顧客の意見を反映させた価格を設定する。

❏ 浸透価格戦略（ペネトレーションプライシング）

　新規に市場へ投入する製品に低価格を設定してプロモーションを積極的に行い，市場への早期普及を図る戦略である。初期投資の早期回収よりも，高いマーケットシェアの獲得を優先した戦略である。

❏ Webマーケティング戦略

　Webマーケティングは，インターネットを利用して，Webサイトに集客し商品・サービスを販売するマーケティング手法である。Webマーケティングは，Web広告，SEO（検索エンジン最適化），電子メールやSNSによる集客などの手法によって，ターゲットを絞って効率的に商品・サービスを販売できることから，費用対効果が高い。一方，スマホやSNSの普及によって，市場は急速に拡大し，競争が激化してきている。

　このような状況下では，戦略が重要になる。3C分析，PEST分析，SWOT分析，4C分析，4P分析，STP分析などを用いて，市場の現状分析，ユーザーニーズの分析を行って企画を立案する必要がある。

❏ 顧客ロイヤルティ

　顧客が企業に持つ好意や忠誠心である。優良顧客の顧客ロイヤルティを高め，企業につなぎとめることが基本戦略となる。顧客ロイヤルティを高める手法には，カルテを用意して顧客ごとに個別のサービスを提供する，優良顧客にはサービスをアップグレードするなどの手法がある。

　顧客ロイヤルティと**顧客満足度**は強い関係を持つが，両者は同一ではない。顧客満足度は高くても顧客ロイヤルティの低い顧客は存在する。

❏ ライフタイムバリュー（LTV）

　一人の顧客が生涯にわたって企業やブランドにもたらす損益を累計した値で，顧客生涯価値のことである。顧客ロイヤルティが高い顧客ほど，大きなライフタイムバリューを企業にもたらす。

❏ ブランドエクイティ

顧客ロイヤルティやライフタイムバリューを向上させる力を持つ，商品や商品群に対して付けられたブランド力を無形の企業資産としてとらえる考え方である。

❏ プロモーション戦略

広告・宣伝などのように顧客を商品に惹きつけ，購入に結びつけるための戦略である。一般に，プロモーション戦略は**プル型**と**プッシュ型**に分類できるが，併用することも多い。食品をテレビCMで宣伝すると同時に，スーパーマーケットなどの食品売り場で試食販売するのは，プル型とプッシュ型の併用である。

▶プル型とプッシュ型

プル型	TVや新聞，雑誌などで宣伝し，製品をアピールする。
プッシュ型	訪問販売や店舗における推奨販売などを通して，製品を顧客に強く訴える。

❏ SoE（Systems of Engagement） 問9

顧客や消費者との結びつきを強化する，あるいは関係を深めることを目的としたシステムのことで，CRM，チャットボット，レコメンドエンジンなど含む総合システムである。

CRM（Customer Relationship Management）は，顧客に関する情報，顧客とのやり取りの情報を蓄積して，必要な時に必要な情報を取り出すことで顧客との円滑なコミュニケーションを実現する。**チャットボット**は，顧客からの問合せを受け付けるためのロボットである。**レコメンドエンジン**は，Web販売において顧客の嗜好に基づき適切な商品を提案する。

2.3 ビジネス戦略と目標・評価

❏ 3C分析 問1

顧客（Customer），競合（Competitor），自社（Company）について行うビジネス環境の分析である。それぞれの要素の頭文字をとっている。顧客と競合は外部環境，自社は内部環境に分類される。

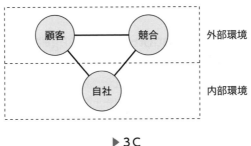

▶ 3C

- 顧客分析…顧客の持つニーズ，購買に至るプロセスや影響要因，市場動向や成長度について分析する。
- 競合分析…競争相手の持つ強みや弱みを分析し，自社との位置付けを明らかにする。
- 自社分析…自社のブランド力や技術，製造や販売能力を把握し，強みと弱みを分析する。

□ バランススコアカード（BSC） ── 問2 問10

企業の業績を財務の視点，顧客の視点，業務プロセスの視点，学習と成長の視点という四つの視点から評価する手法である。

▶バランススコアカードの四つの視点

財務の視点	売上の拡大やコストの低減といった財務的な視点
顧客の視点	顧客満足度やクレームなど顧客の視点
業務プロセスの視点	目標達成に必要なプロセス，改善が必要なプロセスなどの視点
学習と成長の視点	従業員のスキルアップなどに関する視点

□ バリューエンジニアリング（VE）

製品やサービスの価値を「利用者が求める機能」と「コスト」の関係を用いて"機能÷コスト＝価値"という視点で分析・把握し，機能の改善やコストダウンなどによって価値の向上を図る手法である。

2.4　経営管理システム

❏ CRM（Customer Relationship Management）

問13 問14

　顧客満足度の向上をねらった市場戦略の概念である。個々の顧客との関係を強化し，顧客満足度を高めることによって，結果的に売上増大を図る考え方である。

❏ ワントゥーワンマーケティング

問14

　CRMの基本的な考え方である。各顧客の購買履歴や嗜好，家族などの属性情報を顧客データベースとして一元管理し，その情報を分析して個々の顧客に適した対応をするマーケティングや販売の方法である。

　CRMでは，電話やネットワークなどの通信技術，データウェアハウスなどのデータベース，OLAPなどデータ分析技術，EC，CTIなどの技術が用いられる。アンケートから得た顧客の属性，嗜好，購買履歴などをデータベースに保存し，それらを分析することによって，次のようなアプローチができる。

- 電話で各顧客の属性に見合った案内や受付をする。
- 個人宛ての商品案内の電子メールを適当な対象者へ適切な時期に送信する。
- Webページの商品や広告を顧客に応じて表示する。
- データベースを分析し，その傾向や嗜好に合った商品の企画や品揃えをする。

❏ マスマーケティング（Mass Marketing）

　大量の消費者の代表的な属性に焦点を当てて商品企画や販売促進をする方法である。**ワントゥーワンマーケティング**とは対立する考え方である。

❏ SCM（Supply Chain Management）

問13 問14

　資材や部品の調達，製造，配送，販売の一連の業務，つまり，商品の供給過程全体を**サプライチェーン**という。SCMは，サプライチェーンを企業や組織を越えて管理し，情報を共有化して，商品供給全体の効率化と最適化を図る手法である。単に情報を共有化するだけでなく，商品の需要予測情報によって，サプライチェーン内の生産計画，調達計画，配送計画などを立てることで，在庫削減，業務費用削減，欠品の削減，納期短縮を実現しようという考え方に基づいている。

▶SCMの代表的な機能

販売予測	販売予測を立てる。 予測の方法には，POSデータなどの過去の販売実績データから予測する，長期の天気予報や他社の商品動向など売上げに関係する要因から予測する，販売キャンペーンの実施結果など調査データから予測する，などがある。
販売予測の 上流工程への展開	販売予測データをもとに，販売店の販売計画，生産計画，資材・部品の供給，物流の計画などサプライチェーンの各プロセスの計画に展開をする。
工程の計画	生産計画に基づき，各プロセスでの工程計画を立てる。
物流の計画	プロセスの生産計画と販売計画に基づき，物流の計画を立てる。 輸送の時期や経路など最も経済的な方法を計画する。

2.5 技術開発戦略の立案

❏ 技術のライフサイクル

　技術の発展は，一般的に次のような**S字カーブ**を描く。対象技術が，S字カーブのどの段階に位置しているか判断することによって，動向を把握することができる。

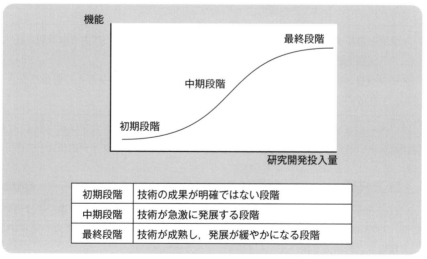

初期段階	技術の成果が明確ではない段階
中期段階	技術が急激に発展する段階
最終段階	技術が成熟し，発展が緩やかになる段階

▶技術のライフサイクル

📕 価値創出

企業にとっては，開発した技術をビジネスとしての経済的価値に結びつけることが重要である。そのために必要な要素として，次の三つが挙げられる。

- 価値創造 (Value Creation) …研究開発によって，優れた技術を生み出す。
- 価値実現 (Value Delivery) …生み出された技術が製品やサービスとして具現化し，利用者の手元に届くような生産体制を整える。
- 価値利益化 (Value Capture) …製品の普及・流通が自社の利益に大きく貢献するようなビジネス環境を作る。

📕 イノベーション ━━━━━━━━━━━━━━ 問16

新しい技術の創出や価値の提供によって，爆発的なヒットなど社会的に大きな効果をもたらす "革新" を意味する。技術開発戦略の大きな目的の一つに，イノベーションの促進がある。イノベーションは，対象によって次の二つに大別できる。

- **プロダクトイノベーション**…製品や技術そのものの革新
- **プロセスイノベーション**…開発手法や管理工程などの "手続き" の革新

また，イノベーションの性質によって次の二つに大別できる。

- **ラディカルイノベーション**…従来と全く異なる価値をもたらす大きな革新。経営構造の全面的変革を必要とする
- **インクリメンタルイノベーション**…従来に対して改良を施すことで得られる，比較的小さな革新

イノベーションによって市場が成長し，安定した頃にまた新たなイノベーションが生まれ…というサイクルを繰り返すことを，**イノベーション・ダイナミクス**と呼ぶ。

📕 コア技術 ━━━━━━━━━━━━━━━━ 問18

他社と明確に差別化できる自社独自の技術である。コア技術を中核に据えた技術戦略を，コア技術戦略と呼ぶ。経営における**コアコンピタンス**の技術版と考えればよい。コア技術は次の特徴を持つ。

- 高い競争力
- 真似されにくい
- 技術の適用領域が広い
- 成長の見込める適用領域がある

❏ スピンオフベンチャー

　コア技術となり得なかった開発技術を活用する方法で，技術や人材，資本を企業からベンチャー企業の形で分離することである。スピンオフベンチャーによって独立した企業（ベンチャー企業）は，親企業やベンチャーキャピタルなどから支援を受け，技術の事業化を図る。国が政策的に支援することもある。なお，親企業から支援を受けない形で独立するベンチャーを**スピンアウトベンチャー**という。

2.6 　技術開発計画

❏ DCF（Discount Cash Flow）法

　技術開発は比較的長期にわたるため，技術開発への投資価値は時間による変化を考慮する必要がある。技術開発の経済性を時間を考慮して評価する考え方がDCF法である。適切に設定された利率をもとに，開発のための投資の将来価値から**現在価値**を求める。例えば，設定した利率が年10％の場合，現在の100万円は1年後には110万円になる。このとき，DCF法では1年後の110万円と現在の100万円を等価であると考える。つまり，1年後の100万円は現在価値ではおよそ91万円となる。

　利率が正の値の場合，将来価値から現在価値を求めると割り引かれる。その意味で，ディスカウント（割引）キャッシュフローという名称が付けられている。

❏ NPV（正味現在価値）法 　　　　　　　　　　　　　　　　　　　 問11

　DCF法の考え方をもとにした投資評価法である。現在の投資価値（NPV）を，
　　　利益の現在価値－投資額
で計算する（追加投資は考えていない）。例えば，100万円を投資するA案とB案を考える。
　　　A案：1年後に200万円，2年後に100万円の利益が見込まれる
　　　B案：1年後に100万円，2年後に200万円の利益が見込まれる
　　ともに，設定した利率が10％である場合，次のように評価できる。

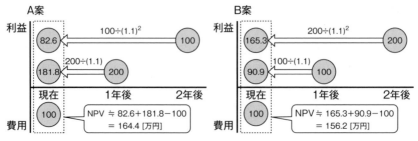

▶A案とB案の比較

以上より，A案のほうが投資価値が高いと評価できる。

❏ IRR（内部収益率）法

DCF法の考え方をもとにした投資評価法である。NPVが0になるような利率，すなわち投資が生み出す利率を求める。「IRRが最も高い案を選択する」「IRRが銀行預金率よりも小さければ投資は見送り預金する」などの判断を下すことができる。

・・・・・・・・・・・・・・・・・・・ **MEMO** ・・・・・・・・・・・・・・・・・・・

問1 ☑□
□□
企業の事業活動を機能ごとに主活動と支援活動に分け，企業が顧客に提供する製品やサービスの利益が，どの活動で生み出されているかを分析する手法はどれか。

(R2F問26)

ア　3C分析　　　　　　　　イ　SWOT分析
ウ　バリューチェーン分析　　エ　ファイブフォース分析

問2 ☑□
□□
バリューチェーンの説明はどれか。

(R3F問26)

ア　企業活動を，五つの主活動と四つの支援活動に区分し，企業の競争優位の源泉を分析するフレームワーク
イ　企業の内部環境と外部環境を分析し，自社の強みと弱み，自社を取り巻く機会と脅威を整理し明確にする手法
ウ　財務，顧客，内部ビジネスプロセス，学習と成長の四つの視点から企業を分析し，戦略マップを策定するフレームワーク
エ　商品やサービスを，誰に，何を，どのように提供するかを分析し，事業領域を明確にする手法

問3 ☑□
□□
多角化戦略のうち，M&Aによる垂直統合に該当するものはどれか。

(H27F問26)

ア　銀行による保険会社の買収・合併
イ　自動車メーカによる軽自動車メーカの買収・合併
ウ　製鉄メーカによる鉄鋼石採掘会社の買収・合併
エ　電機メーカによる不動産会社の買収・合併

答1 バリューチェーン ▶ P.366　SWOT分析 ▶ P.367　3C分析 ▶ P.376 ………… **ウ**
　バリューチェーン分析とは，原材料の調達から製品やサービスを顧客に提供するまでの事業活動を一つのつながりとして捉え，どの活動でどんな付加価値を生み出しているかという"バリューチェーン（価値連鎖）"を分析する手法のことである。

> ・3C分析…顧客（Customer），競合（Competitor），自社（Company）の視点に分けてビジネス環境を分析する手法
> ・SWOT分析…内部環境と外部環境の両方の観点から，企業の強み（Strengths）と弱み（Weaknesses），機会（Opportunities）と脅威（Threats）を分析する手法
> ・ファイブフォース分析…売り手の交渉力，買い手の交渉力，新規参入者の脅威，代替製品の脅威及び競争業者間の敵対関係という五つの競争要因から業界の構造を分析する手法

答2 バリューチェーン ▶ P.366　SWOT分析 ▶ P.367
　　　　バランススコアカード ▶ P.377 ……………………………………………… **ア**
　バリューチェーンは，原材料の調達から製品やサービスを顧客に提供するまでの事業活動を一つのつながりとして捉え，どの活動でどんな付加価値を生み出しているかを分析する考え方である。企業内の活動は，購買物流，製造，出荷物流，販売とマーケティング，サービスという五つの主活動と，管理構造，人的資源管理，技術開発，調達という四つの支援活動に分類される。

　イ　SWOT分析の説明である。
　ウ　バランススコアカードの説明である。
　エ　事業ドメインの説明である。

答3 M&A ▶ P.366 ……………………………………………………………………… **ウ**
　垂直統合とは，仕入先や販売先を買収したり，提携契約を結んだりして，原材料の調達のような上流工程から販売・アフターサービスのような下流工程までの流れを企業グループ内で統合し，企業間の中間コストを削減して競争力を高めるビジネスモデルである。製鉄メーカが，原材料の供給元である鉄鉱石採掘会社を買収・合併すれば，調達→生産という流れを統合できるので，垂直統合に該当する。

　ア，イ　関連した業種，あるいは同業（同じ工程を担う）の企業を統合することは水平統合と呼ばれる。
　エ　特に上流・下流の関係もなく，業種としての関連性も弱い，異業種どうしの統合の例である。

問4 ☑□□□ PPMにおいて，投資用の資金源として位置付けられる事業はどれか。

（R4S問26，H30S問26，H25S問26）

ア 市場成長率が高く，相対的市場占有率が高い事業

イ 市場成長率が高く，相対的市場占有率が低い事業

ウ 市場成長率が低く，相対的市場占有率が高い事業

エ 市場成長率が低く，相対的市場占有率が低い事業

問5 ☑□□□ 現在の動向から未来を予測したり，システム分析に使用したりする手法であり，専門的知識や経験を有する複数の人にアンケート調査を行い，その結果を互いに参照した上で調査を繰り返して，集団としての意見を収束させる手法はどれか。 （H30S問27，H27F問27，H25F問25，H23F問26）

ア 因果関係分析法 　　　イ クロスセクション法

ウ 時系列回帰分析法 　　エ デルファイ法

答4 PPM ▶ P.368 ・・**ウ**

PPM（プロダクトポートフォリオマネジメント）では，市場成長率と市場占有率の2軸で表されたマトリクスを用い，自社の事業や製品を次のように分類する。

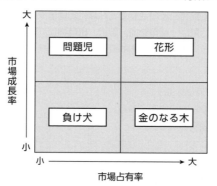

- 花形…将来的により多くの資金流入をもたらすと期待できるが，この段階では継続的な資金投入が必要である
- 金のなる木…市場成長率は落ち着きを見せて，ライフサイクルの成熟期を迎えているが，市場占有率が高いため，それほど資金を投入せずとも多くの資金流入が期待できる
- 問題児…市場自体が成長過程にあるので，ただちに市場から撤退するべきとはいえないが，現状のままでは将来的に期待できない状態なので，市場で生き残るために多くの資金投入を必要とする
- 負け犬…将来的に期待できない状態なので，資金の投入の必要性も低く，撤退を考えるべきである

一般に，"金のなる木"から得られた資金を"問題児"に投入し，"花形"に導くような資金投入計画を立てるとよいとされる。すなわち，投資用の資金源となるのは"金のなる木"に該当する"ウ"である。

答5 デルファイ法 ▶ P.368 .... エ

デルファイ法は，専門家に対するアンケートによって予測を行う手法である。関連する分野の専門家に対してアンケートを行い，その結果をまとめて，アンケートに回答した専門家に見せ，再びアンケートに答えてもらう。このような手順を複数回繰り返すことで，解答を収束させていき，最終的に得られた答えを予測結果とする。

- 因果関係分析法…連関図や特性要因図などを用いて，問題の因果関係を明らかにすることによって問題の本質を追求する分析手法の総称
- クロスセクション法…マトリックス図法を用いて，項目や属性をクロスさせ，見えなかった事実を明らかにしていく多次元手法
- 時系列回帰分析法…時系列データに相関があるとき，これに直線や曲線などの関数式を当てはめる統計的分析手法

問6 ☑□□□ コンジョイント分析の説明はどれか。 (R4F問26)

ア 顧客ごとの売上高，利益額などを高い順に並べ，自社のビジネスの中心をなしている顧客を分析する手法

イ 商品がもつ価格，デザイン，使いやすさなど，購入者が重視している複数の属性の組合せを分析する手法

ウ 同一世代は年齢を重ねても，時代が変化しても，共通の行動や意識を示すことに注目した，消費者の行動を分析する手法

エ ブランドがもつ複数のイメージ項目を散布図にプロットし，それぞれのブランドのポジショニングを分析する手法

問7 ☑□□□ アンゾフが提唱する成長マトリクスを説明したものはどれか。

(H28F問27)

ア 自社の強みと弱み，市場における機会と脅威を，分類ごとに列挙して，事業戦略における企業の環境分析を行う。

イ 製品と市場の視点から，事業拡大の方向性を市場浸透・製品開発・市場開拓・多角化に分けて，戦略を検討する。

ウ 製品の市場占有率と市場成長率から，企業がそれぞれの事業に対する経営資源の最適配分を意思決定する。

エ 製品の導入期・成長期・成熟期・衰退期の各段階に応じて，製品の改良，新品種の追加，製品廃棄などを計画する。

答6 ポジショニング ▶ P.373 ·· **イ**

コンジョイント分析は，商品やサービスが持つ複数の属性について，顧客が重点を置いて
いる属性や好む属性の組合せを統計的に分析する手法である。多くの属性の中から顧客が重
視する属性やその組合せを明らかにすることで，商品開発やマーケティングに生かすために
用いられる。

ア　ABC分析の説明である。
ウ　コーホート分析の説明である。
エ　ポジショニング分析の説明である。

答7　SWOT分析 ▶ P.367　PPM ▶ P.368　成長マトリクス ▶ P.369
　　　　プロダクトライフサイクル ▶ P.373 ····························· **イ**

アンゾフの成長マトリクスは，"市場"と"製品"の二つを軸とし，それぞれを"新規"
と"既存"に分けて考えることにより，事業（成長戦略）を次の四つにカテゴライズするも
のである。

> ・市場浸透…既存の顧客層に対する既存の製品の販売を伸ばす
> ・製品開発…新たな製品を開発し，既存の顧客層へ販売する
> ・市場開拓…海外進出などを行うことで，既存の製品を新たな顧客層に販売する
> ・多角化…製品・市場ともに，新たな分野に進出する

ア　SWOT分析の説明である。
ウ　PPM（プロダクトポートフォリオマネジメント）の説明である。
エ　プロダクトライフサイクルに応じた戦略の説明である。

問8 ☑□ 　売り手側でのマーケティング要素4Pは，買い手側での要素4Cに対
□□ 　応するという考え方がある。4Pの一つであるプロモーションに対応す
る4Cの構成要素はどれか。　　　　　　　　　　　　（H28S問27，H25F問26）

ア　顧客価値（Customer Value）

イ　顧客コスト（Customer Cost）

ウ　コミュニケーション（Communication）

エ　利便性（Convenience）

問9 ☑□ 　企業システムにおけるSoE（Systems of Engagement）の説明はどれ
□□ 　か。　　　　　　　　　　　　　　　　　　　　　　　　　（R2F問28）

ア　高可用性，拡張性，セキュリティを確保しながら情報システムを稼働・運用する
ためのハードウェア，ソフトウェアから構成されるシステム基盤

イ　社内業務プロセスに組み込まれ，定型業務を処理し，結果を記録することによっ
て省力化を実現するためのシステム

ウ　データの活用を通じて，消費者や顧客企業とのつながりや関係性を深めるための
システム

エ　日々の仕訳伝票を入力した上で，データの改ざん，消失を防ぎながら取引データ
ベースを維持・管理することによって，財務報告を行うためのシステム

答8　マーケティングミックス ▶ P.371 ……………………………………………… **ウ**

　売り手側でのマーケティング要素の4Pは，製品（Product），価格（Price），販売チャネ
ル（Place），プロモーション（Promotion）の四つである。一方，買い手側（顧客側）の
視点による4Cの要素とは，次の四つである。

> ・Customer Value…顧客価値。顧客にとって，その製品の価値はどこにあるのか
> ・Customer Cost…顧客コスト。顧客がその製品を手に入れるのにいくらなら払える
> 　　か
> ・Communication…コミュニケーション，意思疎通。その製品に関する情報が，（広
> 　　告などにより）企業から顧客へ，又は（アンケートなどにより）顧客から企業
> 　　へ届いているか
> ・Convenience…利便性。顧客にとっての手に入りやすさ

　プロモーションは，顧客，一般消費者，流通業者に対して行うコミュニケーション活動で
あり，広告やパブリシティ，人的販売や販売促進活動がある。買い手側の要素であるコミュ
ニケーション（Communication）に働きかける，プロモーションを実施すべきである。

ア　顧客価値（Customer Value）に対しては，それに見合う製品（Product）を開発する。

イ　顧客のコスト（Customer Cost）に対しては，それに見合う価格（Price）を決定する。

エ　顧客の利便性（Convenience）に対しては，利便性を高める販売チャネル（Place）を検討する。

答9　SoE ▶ P.376 ··· **ウ**

情報システムは，何を重視するかによって"SoR"や"SoE"，及び"SoI"などに分類されることがある。それぞれ次のような意味を持つ。

- SoR（Systems of Record）…"記録のシステム"などと呼ばれ，データを正確に記録する処理や信頼性が重視される。取引トランザクションを記録していく企業の基幹系システムなどが該当する
- SoE（Systems of Engagement）…"約束のシステム"や"つながりのシステム"などと呼ばれ，企業と顧客間で優良な関係を構築することを主眼に置き，利便性や機能更新の速度などが重視される。ソーシャル機能を備えたモバイルアプリケーションなどが該当する
- SoI（Systems of Insight）…"洞察のシステム"などと呼ばれ，SoRに記録されたデータや情報などを活用して分析する。BIツールなどが該当する

選択肢の中では，データ活用を通じて"つながりや関係性を深める"ことに言及している"ウ"が，SoEの説明に該当する。

ア　HA（High Availability）クラスタなど，非機能要件を実現するためのシステム構成の説明である。

イ　RPA（Robotic Process Automation）など，定型業務を支援するシステムの説明である。

エ　SoRの典型例である基幹システムの説明である。

問10 ☑□□□ ITベンダにおけるソリューションビジネスの推進で用いるバランススコアカードの，学習と成長のKPIの目標例はどれか。ここで，ソリューションとは"顧客の経営課題の達成に向けて，情報技術と専門家によるプロフェッショナルサービスを通して支援すること"とする。　　（H28F問23）

ア　サービスを提供した顧客に対して満足度調査を行い，満足度の平均を5段階評価で3.5以上とする。

イ　再利用環境の整備によってソリューション事例の登録などを増やし，顧客提案数を前年度の1.5倍とする。

ウ　情報戦略のコンサルティングサービスに重点を置くために，社内要員30名をITのプロフェッショナルとして育成する。

エ　情報戦略立案やシステム企画立案に対するコンサルティングの受注金額を，全体の15％以上とする。

問11 ☑□□□ 投資効果を正味現在価値法で評価するとき，最も投資効果が大きい（又は最も損失が小さい）シナリオはどれか。ここで，期間は3年間，割引率は5％とし，各シナリオのキャッシュフローは表のとおりとする。

（R4F問24）

単位　万円

シナリオ	投資額	回収額		
		1年目	2年目	3年目
A	220	40	80	120
B	220	120	80	40
C	220	80	80	80
投資をしない	0	0	0	0

ア　A　　イ　B　　ウ　C　　エ　投資をしない

答10　バランススコアカード ▶ P.377 ………………………………………………… **ウ**

　バランススコアカードは，業績や事業を，財務，顧客，業務プロセス，学習と成長の四つの視点で評価する。また，KPI（Key Performance Indicator：重要業績評価指標）は，KGI（Key Goal Indicator：重要目標達成指標）を達成する過程での実施状況を測るために用いられる。

　バランススコアカードの四つの視点とそのKPIの例を次に示す。

> ・顧客の視点…顧客満足度やクレーム件数など
> ・財務の視点…売上拡大，コスト低減など
> ・業務プロセスの視点…目標達成に必要なプロセス，改善が必要なプロセスなど
> ・学習と成長の視点…従業員のスキルアップなど

　「社内要員30名をITのプロフェッショナルとして育成する」というのは，従業員のスキルアップに該当するので，"学習と成長"のKPIの目標例といえる。

　ア　顧客の視点のKPIの目標例である。
　イ　業務プロセスの視点のKPIの目標例である。
　エ　財務の視点のKPIの目標例である。

答11　正味現在価値法 ▶ P.381 ………………………………………………………… **イ**

　正味現在価値法は，将来回収される利益を現在の価値に割り引いて，投資効果を評価する方法である。回収額を現在価値に割り引いたものから投資額を引いた金額が投資効果となる。
　割引率が5％の場合，

　　　　1年目の回収額については，1.05で割った金額
　　　　2年目の回収額については，1.05×1.05＝1.1025で割った金額
　　　　3年目の回収額については，1.05×1.05×1.05＝1.157625で割った金額

が現在価値となる。ここで，シナリオA，B，Cにおける投資額と回収額合計を比べてみると，三つとも

　　　　投資額：220〔万円〕
　　　　回収額合計：240〔万円〕

という同じ値である。このような「投資額も回収額合計も同額」という条件の場合，正味現在価値法で評価すると，早期に回収する金額が大きいシナリオほど，割り引かれる（割り算によって減額される）度合いが小さくなり，投資効果が大きくなると評価できる。三つの中では，1年目の回収額の割合が一番大きいシナリオBが，それに該当する。
　シナリオBの回収額の正味現在価値は，

　　　120÷1.05＋80÷1.1025＋40÷1.157625≒221.4〔万円〕

なので，シナリオBの投資効果は，投資額の220万円を差し引いた「＋1.4万円」である。
　シナリオの候補としては，A，B，Cの他に"投資をしない"もある。このシナリオの場合，投資効果は0万円なので，最も投資効果の大きいシナリオはBであると判断できる。

問12 ☑□ 物流業務において，10%の物流コストの削減の目標を立てて，図のよ
□□ うな業務プロセスの改善活動を実施している。図中のcに相当する活動
はどれか。 (R3F問23，H25S問23)

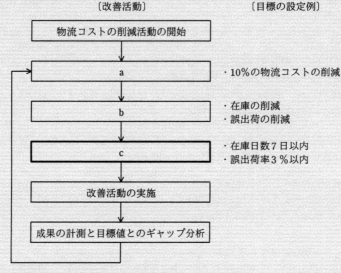

ア　CSF（Critical Success Factor）の抽出
イ　KGI（Key Goal Indicator）の設定
ウ　KPI（Key Performance Indicator）の設定
エ　MBO（Management by Objectives）の導入

問13 ☑□ CRMを説明したものはどれか。 (R元F問27，H29F問26)
□□

ア　卸売業者・メーカが，小売店の経営活動を支援してその売上と利益を伸ばすこと
　によって，自社との取引拡大につなげる方法である。
イ　企業全体の経営資源を有効かつ総合的に計画して管理し，経営の高効率化を図る
　ための手法である。
ウ　企業内の全ての顧客チャネルで情報を共有し，サービスのレベルを引き上げて顧
　客満足度を高め，顧客ロイヤルティの最大化に結び付ける考え方である。
エ　生産，在庫，購買，販売，物流などの全ての情報をリアルタイムに交換すること
　によって，サプライチェーン全体の効率を大幅に向上させる経営手法である。

答12 CSF ▶ P.365　KGI ▶ P.365　KPI ▶ P.365 ············· **ウ**

業務プロセスの改善活動では，

- 具体的な目標指標（KGI：Key Goal Indicator）を設定する
- 目標達成のための重要要因（CSF：Critical Success Factor）を設定する
- 目的達成の手段や施策の達成度の指標（KPI：Key Performance Indicator）を設定する
- 施策の実施
- 実施結果の評価と分析，改善

というサイクルによって継続的な改善を行うことが重要となる。これを本問の目標の設定例に当てはめると，

　空欄a："10％の物流コストの削減"という具体的な最終目標を定めているので，KGIに該当

　空欄b："在庫の削減"などの重要な成功要因を挙げているので，CSFに該当

　空欄c："在庫日数7日以内"など，日々の成果に関する具体的な評価指標を定めているので，KPIに該当

となる。よって，"ウ"が正解である。なお，MBO（Management by Objectives）は，業務担当者や部門が目標の設定とその実行管理を行う"目標管理制度"を表す言葉である。

答13 CRM ▶ P.378　SCM ▶ P.378 ············· **ウ**

CRM（Customer Relationship Management）は，個々の顧客との関係を強化し，顧客満足度や顧客ロイヤルティを高めることによって企業利益の向上を図るという考え方である。

　ア　リテールサポートの説明である。
　イ　ERP（Enterprise Resource Planning）の説明である。
　エ　SCM（Supply Chain Management）の説明である。

問14 ☑□
□□
A社は，ソリューションプロバイダから，顧客に対するワントゥワンマーケティングを実現する統合的なソリューションの提案を受けた。この提案が該当するソリューションとして，最も適切なものはどれか。

(H31S問24)

ア　CRMソリューション　　イ　HRMソリューション
ウ　SCMソリューション　　エ　財務管理ソリューション

問15 ☑□
□□
市場を消費者特性でセグメント化する際に，基準となる変数を，地理的変数，人口統計的変数，心理的変数，行動的変数に分類するとき，人口統計的変数に分類されるものはどれか。

(R5F問26)

ア　社交性などの性格　　　イ　職業
ウ　人口密度　　　　　　　エ　製品の使用割合

答14 CRM ▶ P.378　ワントゥーワンマーケティング ▶ P.378　SCM ▶ P.378 …… **ア**

　ワントゥーワンマーケティングとは，個々の既存顧客と個別に向き合うことで，個人別の
ニーズを深く分析し，個別のニーズに対応したプロモーションを行う手法である。このよう
なソリューションは，顧客との関係を管理し強化するというCRM（Customer
Relationship Management）の考え方に基づいたものといえる。

- HRM（Human Resource Management）…人的資源を有効活用しようという考え
  方。単に労務管理だけでなく，人材として経営戦略に有効に機能するよう配置
  したり，教育や訓練を行い個人のスキルを上げたりするなどの包括的な人事管
  理を指す
- SCM（Supply Chain Management）…材料調達，製品製造，流通，販売など，生
  産から販売にいたるまでの商品の供給を総合的に管理する手法及び概念

答15 …… **イ**

　消費者市場を顧客の特性ごとに分類することをマーケットセグメンテーションといい，分類
の切り口をセグメンテーション変数という。セグメンテーション変数は，次の四つに大別さ
れる。

セグメンテーション変数

行動的変数	使用頻度，購買パターン，購買動機など
人口統計的変数（デモグラフィック変数）	年齢，性別，職業，家族構成，所得など
心理的変数（サイコグラフィック変数）	嗜好，ライフスタイルなど
地理的変数	国，地域，都道府県，出身地など

　選択肢の中では"イ"の職業が人口統計的変数に該当する。

　ア　社交性などのパーソナリティは，心理的変数である。
　ウ　人口密度は，地理的変数である。
　エ　製品の使用割合は，行動的変数である。

問16 ☑□ □□　オープンイノベーションの説明として，適切なものはどれか。

（R5F問27）

ア　外部の企業に製品開発の一部を任せることで，短期間で市場へ製品を投入する。

イ　顧客に提供する製品やサービスを自社で開発することで，新たな価値を創出する。

ウ　自社と外部組織の技術やアイディアなどを組み合わせることで創出した価値を，さらに外部組織へ提供する。

エ　自社の業務の工程を見直すことで，生産性向上とコスト削減を実現する。

問17 ☑□ □□　コアコンピタンスに該当するものはどれか。

（H31S問26）

ア　主な事業ドメインの高い成長率

イ　競合他社よりも効率性が高い生産システム

ウ　参入を予定している事業分野の競合状況

エ　収益性が高い事業分野での市場シェア

問18 ☑□ □□　コア技術の事例として適切なものはどれか。

（H26F問27）

ア　アライアンスを組んでインタフェースなどを策定し，共通で使うことを目的とした技術

イ　競合他社がまねできないような，自動車エンジンのアイドリングストップ技術

ウ　競合他社と同じCPUコアを採用し，ソフトウェアの移植性を生かす技術

エ　製品の早期開発，早期市場投入を目的として，汎用部品を組み合わせて開発する技術

答16　イノベーション ▶ P.380 ·· **ウ**

オープンイノベーションとは，自組織内だけでなく，組織外の知識や技術を積極的に取り込む形で実現する技術革新（イノベーション）を指す言葉である。

"ウ"は自社だけでなく，外部組織の技術やアイディアを組み合わせることを述べており，オープンイノベーションに該当する。

- ア　製品開発のアウトソーシング（外部委託）に関する記述である。
- イ　自組織内でのイノベーションに関する記述である。オープンイノベーションに対してクローズドイノベーションなどと呼ばれる。
- エ　プロセスイノベーションに関する記述である。

答17　·· **イ**

コアコンピタンスとは，他社には真似のできない独自のノウハウや技術などの強みのことである。コアコンピタンスを明らかにして，自社の持つ強みから新たな成果を生み出すことで，経営環境の変化への対応や新たな事業の展開などが容易となる。

競合他社よりも効率性が高い生産システムは，他社には真似のできない企業独自のノウハウや技術から得られた成果であり，コアコンピタンスに該当する。

- ア　主な事業ドメインの高い成長率は，コアコンピタンスの結果としてもたらされるものである。
- ウ　参入を予定している事業分野の競合状況は，外部の経営環境である。
- エ　収益性が高い事業分野での市場シェアは，コアコンピタンスの結果として獲得できるものである。

答18　コア技術 ▶ P.380 ·· **イ**

コア技術とは，他社が容易に模倣できない，明確に差別化できる企業独自の技術である。経営におけるコアコンピタンスの技術版と考えればよい。コア技術を適用した製品は，他社製品と差別化され，模倣も困難であるため，長期にわたって競争優位を確保でき，企業に大きな収益をもたらす。研究開発にあたっては，このようなコア技術を選択し，それに研究資源を集中させることが大切である。

3 ビジネスインダストリ

3.1 ビジネスシステム

❏ POS（販売時点情報管理）システム

レジで読み取った販売情報をコンピュータに転送し，それらを仕入れや分析などに利用するシステムである。

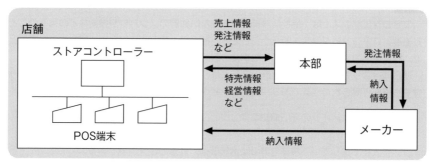

▶POSの概要

▶POSの主な役割

商品管理	商品の在庫切れや過剰在庫，賞味期限切れなどを防ぐため，在庫管理や品質管理などを行う。
オーダーエントリー	在庫量や販売実績などを考慮して，発注量を決定して発注する。
顧客管理	ポイントの加算や還元など，各種顧客管理を行う。
売上登録	販売時点で時刻や顧客情報，売上げなどの販売情報を登録する。（店舗に蓄積された販売情報は本部に送信される）
バックヤード業務	仕入の確認や棚卸業務，在庫照会など，売場の裏側（バックヤード）で行う各種業務を支援する。

❏ 3PL（Third Party Logistics）

ロジスティクスとは，需要予測，顧客サービス，輸送，保管，在庫管理などの機能を含み，最も低コストで在庫の移動や配置を行うことをいう。3PLは，ロジスティクスの一部又は全部を請け負うサービスであり，物流業務に加え，流通加工なども含

めたアウトソーシングサービスを行い，物流企画も代行する。

❏ 生成AI

コンピュータを用いて様々なコンテンツを生成するAIのことである。コンピュータが学習したデータのパターンや関係を理解し，その知識を活かして新しいデータや情報を生成する。言語，画像，音声などのクリエイティブな活動や問題解決に応用されている。

❏ ハルシネーション

生成AIが事実に基づかないそれらしい誤った情報を生成する現象のことで，生成AIの危険性といえる。そのため，生成AIは安全性が求められない領域で使用されることが多い。生成AIの安全性を担保するには，人間が安全性を保障する体制を整える必要がある。

将来的には，安全性を確保できるAIモデルの開発が求められ，適切なデータセットの使用やモデルの検証手法の導入などが必要となる。

3.2 エンジニアリングシステム

❏ エンジニアリングシステム

製造工場などに導入される情報システムの総称である。単なる生産の合理化だけでなく「必要なものを，必要なときに，必要な量だけ」生産することを目的としているものも多い。生産工程の流れと関連するエンジニアリングシステムの対応を次に示す。

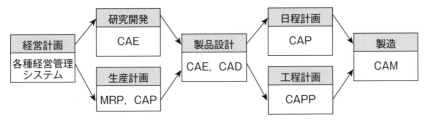

▶エンジニアリングシステム

▶エンジニアリングシステムの概要

CAE	Computer Aided Engineering：コンピュータ支援エンジニアリング コンピュータ上で，各種の実験をシミュレートする。
MRP	Material Requirements Planning：資材所要量計画 製品に必要な資材の調達計画などを決定する。
CAD	Computer Aided Design：コンピュータ支援設計 コンピュータ上で設計を行う。
CAPP	Computer Aided Process Planning：コンピュータ支援工程設計 最適な工作手順や自動化設備の適用方法などを決定する。
CAP	Computer Aided Planning：コンピュータ支援プランニング 製造における日程計画の策定や作業指示を行う。
CAM	Computer Aided Manufacturing：コンピュータ支援製造 数値制御できる工作機械（NC工作機械）などを制御して，製品を自動製造する。

❏ コンカレントエンジニアリング ──────── 問1

　製品の企画・設計・製造を同時並行処理し，全体のリードタイムを短縮すること手法である。例えば，CADで設計したデータをCAEで用いれば，試作品の完成を待たずに実験を行うことができる。

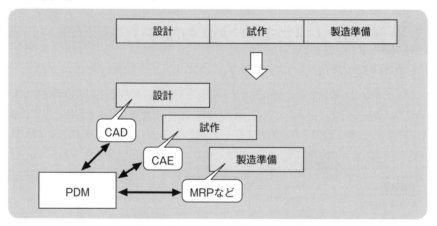

▶コンカレントエンジニアリング

❏ MRP（資材所要量計画）──────── 問3

　製品の生産計画を策定し，それをもとに総所要量計算，正味所要量計算，発注量計算，手配計画策定，手配指示の順で資材所要量を計算し，資材の手配を行う生産管理手法である。

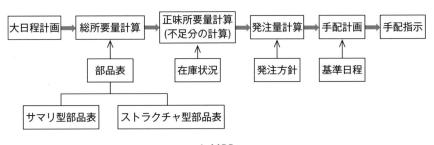

▶MRP

📖 部品表（BOM） ――――――――――――――――― 問3

　総所要量は，製品ごとの生産量と部品表から計算する。部品表にはサマリ型部品表とストラクチャ型部品表がある。

・**サマリ型部品表**…製品に使用する部品の一覧表

・**ストラクチャ型部品表**…親部品と子部品の構成関係を表現した部品表。製品に至るまでの各部品の組立て順位，共通部品，リードタイムなどを把握でき，コンピュータを利用して調達時期や部品数量を計算できる。

📖 部品数量の計算 ―――――――――――――――――― 問3

　次のストラクチャ型部品表から，製品Aを10個生産する場合に不足する部品Cの数量を求める。括弧内の数字は上位の製品・部品1個当たりの所要数量である。現在の部品Bの在庫は0個，部品Cの在庫は5個とする。

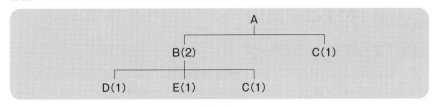

▶部品表

　部品Aを1個生産するためには，部品Bを2個と部品Cを1個必要とする。部品Bを1個生産するためには，部品D，部品E，部品Cをそれぞれ1個ずつ必要とする。したがって，製品Aを1個生産するためには，部品Cが，

　　　$1 + 1 \times 2 = 3$ ［個］

必要になる。つまり，製品Aを10個生産するためには，部品Cは30個必要となる。

403

在庫が5個あるので，部品Cの不足個数は25個となる。

❏ 生産形態の分類

　生産の形態は，基本的に次の三つに分類できる。

- 連続生産（ライン生産）…同じ製品を連続して生産し続ける。
- ロット生産…製品ごとに一定の生産数量（ロット）を設定し，ロット単位で生産を切り替える。
- 個別生産…受注のたびに，それに応じた量だけの生産を行う。

❏ セル生産方式　　　　　　　　　　　　　　　　　　　　問2

　製品の組付け作業などにおいて，基本的に，部品の取付けから組み付け，加工，検査までの全工程を一人の作業員が担当する生産方式である。部品や工具をU字型などに配置した「セル」と呼ばれる作業台で一人の作業員を囲み，作業員はその中で作業を行う。生産の品目（製品バリエーションなど）を容易に変更できるので，多種類かつフレキシブルな生産や多品種少量生産に対応できる。

　セルにおける作業をコンピュータで支援するシステムをFMC（Flexible Manufacturing Cell）と呼び，複数のFMCの連携によって生産を柔軟に支援するシステムをFMS（Flexible Manufacturing System）と呼ぶ。

3.3　IoTと産業化

❏ IoTエリアネットワーク

　IoT（Internet of Things）とは，家電や機械，センサ類などに通信機能を持たせてインターネットに接続し，ネットワーク経由で制御や監視などを行う概念である。これらの通信機能を持った各種機器が接続された，狭い範囲のネットワークをIoTエリアネットワークと呼ぶ。なお，IoTエリアネットワークとインターネットを接続するには，IoTゲートウェイという接続装置が必要である。

❏ 5G

　第5世代移動通信システムで，LTE／LTE−Advanced（4G）の次世代の通信システムである。10Gbps以上の通信速度を実現している。

❏LPWA（Low Power Wide Area）

　低消費電力で広範囲の通信を実現する無線通信技術の総称である。低速であるが，小さなサイズのデータを頻繁に送信するIoTに適している。

　厳密な定義は特にないが，一般には，

- ・小型の電池（バッテリー）１個で数か月稼働できる省電力性
- ・数km ～数十km程度の伝送距離

を実現している通信規格はLPWAと呼ばれることが多い。１GHz帯以下のサブGHz帯と呼ばれる周波数帯域（日本では920MHz帯）を利用して伝送距離を拡張する規格が多く，具体的にはLoRa，Sigfox，IEEE802.11ahなどがある。

❏ エッジコンピューティング ─────────────── 問4

　一般的なクラウドコンピューティングでは，個々の端末からインターネットを介して各サーバにアクセスするが，この場合は端末からサーバ，すなわち「演算処理のリソース」に至るまでの経路が長く複雑になり，通信遅延などの影響を受ける。

　エッジコンピューティングは，この課題を解決するための分散処理形態の一つである。例えば，一般的には，

　　携帯電話端末 → キャリアの管理網 → インターネット → サーバ

という経路で通信していたサービスについて，サーバをキャリアの管理網内に設置することによって，

　　携帯電話端末 → キャリアの管理網

だけで完結するようにできる。

❏BLE（Bluetooth Low Energy）

　Bluetoothのバージョン4.0から追加になった，省電力化を実現した通信モードである。2.4GHz帯域の電波を利用しており，理論上は2Mビット／秒までの通信が可能（バージョン5）であるが，省エネルギーを重視しているため，現実的な通信速度は10kビット／秒程度である。

❏ ドローン

　無人航空機のことである。軍事用や民生用など様々な種類があり，"マルチコプター"と呼ばれる比較的安価なドローンが空撮などに利用されている。日本では，操縦の不注意などで落下事故が起こるなど安全管理の問題が発生したため，改正航空法によってドローンに対する規制が適用されている。

③ ビジネスインダストリ

知識編

❏ コネクテッドカー

IT端末としての機能を有した自動車である。例えば，車両が交通事故を検知すると，eCallと呼ばれる緊急通報システムによって自動的に警察や消防に通報することができる。

❏ インダストリ4.0

第四次産業革命とも訳される。ITを用いて製造業に様々な改革をおこそうとする概念で，**スマートファクトリー**の実現を理想の一つとしている。

❏ スマートファクトリー 　問7

AIやIoTを活用して効率的に運営される工場である。工場内の基幹システムや製造実行システムが連携し，ネットワークを介して情報を共有する。製造ラインの稼働状況や作業員の動きもリアルタイムで把握でき，生産プロセスの最適化や問題の早期発見に役立てられている。

❏ スマート農業

ロボット技術やITを活用して運営される農業である。農業における，省力化・精密化や高品質生産を実現することを目指すものである。農業生産の効率性と持続可能性を高める手段として注目されている。

ロボットや自動化システムの導入によって，農作業の軽労化と省力化が実現し，農作業の負担軽減や人手不足の解消が期待できる。また，精密農業技術の導入によって，農作物の栽培管理や収穫の正確性が向上し，高品質な作物の生産が可能となる。

❏ MaaS（Mobility as a Service）

ひとり一人の移動ニーズに対応して，公共交通などの移動手段を最適に組み合わせて提案するサービスである。バス，電車，タクシー，ライドシェア，カーシェアなど様々な移動サービスを，ITを用いてシームレスに結びつけることができる。

3.4　e-ビジネス

❑ BtoB（Business to Business）

　企業間の情報システムをネットワークで接続し，電子情報を用いて企業間取引を行う電子商取引形態である。EDIをWebシステムで実現するWeb-EDI，CALS，バーチャルカンパニー（ネットワークを介して企業間で情報交換し，「仮想的な会社」のように業務を進めていく形態），SCMシステム，3PLシステムなどもBtoBに含まれる。また，第三者が運営するeマーケットプレイスと呼ばれる電子商取引市場を介した企業間取引も普及している。

❑ BtoC（Business to Consumer）

　企業の情報システムと消費者の情報システム（通常はパソコン）をネットワークで接続し，電子情報を用いて企業消費者間取引を行う電子商取引形態である。最近は，Webアプリケーション技術を適用し，インターネットを介して企業－消費者間取引を実現する形態が一般的になってきている。例えば，企業が開設したWebサイトをインターネットユーザーが訪れて，電子的に注文を行う通信販売の形態がある。また，多くの企業が参加するバーチャルモール（仮想商店街）を訪れたインターネットユーザーが，個々の企業との電子商取引によって商品を購入する形態も盛んに行われている。

❑ EDI（電子データ交換）

　ネットワークを介して，統一された書式の受発注，輸送，決済などのビジネス文書を電子データでやり取りする仕組みである。電子発注システム（EOS）に決済機能や物流管理機能を加えて適用範囲を広げたものといえる。EDIを実現するためには，プロトコルや表現形式などをあらかじめ取り決めて標準化しておく必要がある。この標準をEDI規約という。

	規約名（意味）	備考
第4レベル	取引基本規約 （EDI取引に関する基本的な規約）	EDI取引基本契約書
第3レベル	業務運用規約 （業務システムの運用規約）	運用ガイドライン
第2レベル	情報表現規約 （メッセージフォーマット等の規約）	EDIFACT，CII， STEP　など
第1レベル	情報伝達規約 （通信プロトコル）	TCP/IP，全銀協手順， JCA手順　など

▶EDI

インターネットを利用したデータ交換はWeb-EDIと呼ばれる。Web-EDIは，データ構造記述言語としてXMLが用いることが多いため，XML-EDI，ebXML（e-business using XML）などとも呼ばれる。

❏ デジタル通貨

通貨に，現金ではなくデジタルデータを使用するものである。電子マネー，仮想通貨（暗号資産），中央銀行デジタル通貨など，様々な形態がある。

- **電子マネー**…事前にデジタル通貨をチャージしたカードやスマートフォンなどを介して利用する通貨である
- **仮想通貨（暗号資産）**…ブロックチェーン技術を基盤にして分散型で管理するデジタル通貨である
- **中央銀行デジタル通貨**（CBDC：Central Bank Digital Currency）…中央銀行が発行する，法定通貨と同等の地位を持つデジタル通貨である。最近では，開発や導入が世界的に注目されている。日本では，デジタル円とも呼ばれる

❏ RFID

ICタグにつけられたID番号を近距離の無線通信でやり取りする技術の総称である。工場や倉庫における製品の分類，車のイモビライザーなど応用範囲は広く，非接触型ICカードにも用いられている。タグ側に電源を持つかどうかで，**パッシブ型**と**アクテ**

イブ型に分類される。

> • パッシブ型…タグ側に電源を持たず，読取り装置から発せられる電波を受けて
>   動作する。通信距離は短いが，構造が単純で安価に製造できる。
> • アクティブ型…タグ側に電源を持ち，自らID番号を発信する。数10メートル
>   の距離でも通信できる。

❏CPS（Cyber Physical System） ──────── 問6

　現実世界に配置された多数のセンサが収集したデータを，仮想空間を用いたシミュレーションによって解析し，定量的な分析を行うシステムである。例えば，地震の大きさ，台風の大きさ，雨量などをもとに，大規模災害を仮想的に実験をし，災害が起きた場合の状況を把握することができる。

問1 ☑□□□ CE（コンカレントエンジニアリング）を説明したものはどれか。

(H26F問28)

ア　CADで設計された図形データを基に，NCデータを作成すること

イ　生産時点で収集した情報を基に問題を分析し，生産活動の効率の向上を図ること

ウ　製品の開発や生産に関係する情報の中身や表現形式を標準化すること

エ　製品の企画・設計・製造を同時並行処理し，全体のリードタイムを短縮すること

問2 ☑□□□ セル生産方式の特徴はどれか。

(H29S問28)

ア　作業指示と現場管理を見えるようにするために，かんばんを使用する。

イ　生産ライン上の作業場所を通過するに従い製品の加工が進む。

ウ　必要とする部品，仕様，数量が後工程から前工程へと順次伝わる。

エ　部品の組立てから完成検査まで，ほとんどの工程を1人又は数人で作業する。

答1 コンカレントエンジニアリング ▶ P.402 ·· **エ**

コンカレントエンジニアリングとは，各工程の作業を逐次進めるのではなく，同時並行的に進めていくことで，開発期間を短縮する手法である。

各工程を逐次進めていく手法と比べて，リードタイム内の無駄な時間を省け，後工程からの手戻りが減少するなどの効果が期待できる。ただし，各工程間での情報共有や協調作業など，工程間で整合性をとることが非常に重要となる。

ア　CAD/CAMシステムの機能の説明である。

イ　POP（Point Of Production；生産時点情報管理）の考え方の説明である。

ウ　STEP（STandard for the Exchange of Product model data）などの製品データモデルの標準化に関する説明である。

答2 セル生産方式 ▶ P.404 ··· **エ**

セル生産とは，製品の組み立て作業などにおいて，一人又は数人の作業者で，部品の取付けから，組付け，加工，検査までの全工程を担当する生産方式である。作業者を，部品や工具をU字型などに配置したセルと呼ばれるライン（作業台）で囲み，作業者はその中で作業を行う。

セル生産方式は，部品箱の入替えやセル内での作業順序を変えるだけで，生産品目（製品のバリエーション）を容易に変更できるので，多種類かつフレキシブルな生産が求められる製品，多品種少量製品の生産に適している。

ア　かんばん方式と呼ばれる，後工程引取り方式の一形態の特徴である。

イ　押出し方式などと呼ばれる，従来型の生産方式の特徴である。

ウ　後工程引取り方式などと呼ばれる，比較的最近になって用いられるようになった生産方式の特徴である。

ある期間の生産計画において，表の部品表で表される製品Aの需要量が10個であるとき，部品Dの正味所要量は何個か。ここで，ユニットBの在庫残が5個，部品Dの在庫残が25個あり，他の在庫残，仕掛残，注文残，引当残などはないものとする。　　　　　　　（H30F問28，H28F問28，H21S問28）

レベル0		レベル1		レベル2	
品名	数量（個）	品名	数量（個）	品名	数量（個）
製品A	1	ユニットB	4	部品D	3
				部品E	1
		ユニットC	1	部品D	1
				部品F	2

ア　80　　　イ　90　　　ウ　95　　　エ　105

答3　MRP ▶ P.402　部品表 ▶ P.403　部品数量の計算 ▶ P.403 ························ **イ**

　まず，部品表のレベル0とレベル1の部分より，1個の製品Aは4個のユニットBと1個のユニットCから構成されることが分かる。よって，製品Aを10個生産するためには，ユニットBとCはそれぞれ

　　　　ユニットB … 4×10 = 40［個］
　　　　ユニットC … 1×10 = 10［個］

必要になる。ここで，ユニットBには在庫残が5個あるので，正味所要量は

　　　　ユニットB … 40－5 = 35［個］
　　　　ユニットC … 10［個］

である。

　次に，部品表のレベル1とレベル2の部分より，

　　　　1個のユニットBは3個の部品Dと1個の部品Eから，
　　　　1個のユニットCは1個の部品Dと2個の部品Fから

構成されることが分かる。よって，ユニットBを35個，ユニットCを10個生産するのに必要な部品Dの数は

　　　　ユニットBに関して … 35×3 = 105［個］
　　　　ユニットCに関して … 10×1 = 10［個］
　　　　合計 … 105＋10 = 115［個］

である。ここで，部品Dには在庫残が25個あるので，正味所要量は

　　　　115－25 = 90［個］

となる。

　解答の導き方としては，次のように最初から部品Dに換算して考えてもよい。

　　（1）　1個の製品Aに必要な部品Dの数
　　　　　　= 4×3＋1×1
　　　　　　= 13［個］
　　（2）　10個の製品Aに必要な部品Dの数
　　　　　　= 13×10
　　　　　　= 130［個］
　　（3）　部品Dの全体の在庫量
　　　　　　=（部品Bの在庫残×3）＋部品Dの在庫残
　　　　　　= 5×3＋25
　　　　　　= 40［個］
　　（4）　部品Dの正味所要量
　　　　　　=（10個の製品Aに必要な部品Dの数）－（部品Dの全体の在庫量）
　　　　　　= 130－40
　　　　　　= 90［個］

問4 ☑□ □□ IoTの技術として注目されている，エッジコンピューティングの説明として，最も適切なものはどれか。 (R6S問28，R3F問28，㉚H29F問28)

ア 演算処理のリソースをセンサー端末の近傍に置くことによって，アプリケーション処理の低遅延化や通信トラフィックの最適化を行う。

イ 人体に装着して脈拍センサーなどで人体の状態を計測して解析を行う。

ウ ネットワークを介して複数のコンピュータを結ぶことによって，全体として処理能力が高いコンピュータシステムを作る。

エ 周りの環境から微小なエネルギーを収穫して，電力に変換する。

問5 ☑□ □□ APIエコノミーの事例として，適切なものはどれか。 (R4F問27)

ア 既存の学内データベースのAPIを活用できるEAI（Enterprise Application Integration）ツールを使い，大学業務システムを短期間で再構築することによって経費を削減できた。

イ 自社で開発した音声合成システムの利用を促進するために，自部門で開発したAPIを自社内の他の部署に提供した。

ウ 不動産会社が自社で保持する顧客データをBI（Business Intelligence）ツールのAPIを使い可視化することによって，商圏における売上規模を分析できるようになった。

エ ホテル事業者が，他社が公開しているタクシー配車アプリのAPIを自社のアプリに組み込み，サービスを提供した。

答4　エッジコンピューティング ▶ P.405 ·· **ア**

　一般的なクラウドコンピューティングでは，個々の端末からインターネットを介して各サーバにアクセスするが，この場合は端末からサーバ，すなわち「演算処理のリソース」に至るまでの経路が長く複雑になり，通信遅延などの影響を受ける。

　エッジコンピューティングは，この課題を解決するための分散処理形態の一つである。サーバなどの演算処理のリソースをできるだけ分散させ，各端末に近いローカルな領域に配置することによって，遅延の解消やトラフィックの最適化を図る。例えば，一般的には，

　　　携帯電話端末 → キャリアの管理網 → インターネット → サーバ

という経路で通信していたサービスについて，サーバをキャリアの管理網内に設置することによって，

　　　携帯電話端末 → キャリアの管理網

だけで完結するようにできる。

　イ　ウェアラブルコンピューティングの説明である。
　ウ　グリッドコンピューティングの説明である。
　エ　エネルギーハーベスティングの説明である。

答5　·· **エ**

　API（Application Program Interface）は，ソフトウェアの機能を呼び出して利用するためのインタフェース仕様である。APIを公開することによってその機能（サービス）を他社に利用してもらい，結果としてサービスの提供範囲が広がることが期待できる。このような，APIの公開によって，様々なWebサイトで共通の機能を利用できる仕組み，及びその仕組みによって自社だけでなく，他社のサービスの顧客も巻き込んで広がっていく経済圏を，APIエコノミーという。

　"エ"の「ホテル事業者が，他社が公開している配車アプリのAPIを自社アプリに組み込む」は，APIエコノミーの事例に該当する。

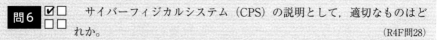

問6 ☑☐☐☐ サイバーフィジカルシステム（CPS）の説明として，適切なものはどれか。
(R4F問28)

ア　1台のサーバ上で複数のOSを動かし，複数のサーバとして運用する仕組み

イ　仮想世界を現実かのように体感させる技術であり，人間の複数の感覚を同時に刺激することによって，仮想世界への没入感を与える技術のこと

ウ　現実世界のデータを収集し，仮想世界で分析・加工して，現実世界側にリアルタイムにフィードバックすることによって，付加価値を創造する仕組み

エ　電子データだけでやり取りされる通貨であり，法定通貨のように国家による強制通用力をもたず，主にインターネット上での取引などに用いられるもの

問7 ☑☐☐☐ スマートファクトリーで使用されるAIを用いたマシンビジョンの目的として，適切なものはどれか。
(R5F問28)

ア　作業者が装着したVRゴーグルに作業プロセスを表示することによって，作業効率を向上させる。

イ　従来の人間の目視検査を自動化し，検査効率を向上させる。

ウ　需要予測を目的として，クラウドに蓄積した入出荷データを用いて機械学習を行い，生産数の最適化を行う。

エ　設計変更内容を，AIを用いて吟味して，製造現場に正確に伝達する。

答6 CPS ▶ P.409 ··· **ウ**

CPS（Cyber Physical System）は，現実世界の様々な情報をセンサーなどによって計測し，その情報をサイバー空間（電子空間）に取り込んで分析し現実世界にフィードバックすることで高度な社会を実現する仕組みの総称である。JEITA（電子情報技術産業協会）のWebサイトにおいては，次のように定義されている。

CPSとは，実世界（フィジカル空間）にある多様なデータをセンサーネットワーク等で収集し，サイバー空間で大規模データ処理技術等を駆使して分析／知識化を行い，そこで創出した情報／価値によって，産業の活性化や社会問題の解決を図っていくものです。

ア　サーバの仮想化技術に関する記述である。
イ　VR（Virtual Reality：仮想現実）に関する記述である。
エ　暗号資産（仮想通貨）に関する記述である。

答7 スマートファクトリー ▶ P.406 ·· **イ**

マシンビジョンとは，画像取込みと画像処理技術に基づいて産業用ロボットにタスクを実行させるシステムである。例えば，工場の製造ラインにおいて，従来人間が目視で行っていた検査・検品などの作業を，より高速・高精度に長時間継続して実行することが可能である。

他の選択肢はスマートファクトリーやAIに関連してはいるが，画像取込みや画像処理技術に基づいたものではないので，マシンビジョンの目的とはいえない。

4 企業活動

4.1 経営・組織論

❏ 職能（機能）部門別組織

営業部門や製造部門など，機能ごとに編成された組織構造である。

▶職能部門別組織の構造

同じ専門性を持ったスタッフが集まるため，スキルや知識の共有化を図りやすい。反面，権限や責任がトップマネジメントに集中するため，トップの負担が大きくなり意思決定が遅延する傾向がある。また，各機能部門の責任があいまいになりやすい。

❏ 事業部制組織

独自に利益責任（業績責任）を負う事業部を設け，その事業部ごとに職能別組織を編成し，マネジメントの分権化を行う組織構造である。

▶事業部制組織の構造

　各事業部間の競争による業績向上が期待できるが，職能的重複が生じたり，統一的な営業展開ができなくなるおそれがある。例えば，異なる事業部で同種の製品を開発した場合には投資の無駄が発生する。また，事業部を製品別の単位に分けた場合には，一人の顧客に対して企業としての統一のとれた営業が困難になる。

❏ コーポレートガバナンス（企業統治）

　経営管理が適切に行われているかを監視し，企業活動の正当性や健全性を維持する仕組である。コーポレートガバナンスの要点は，次のようになる。

- ●経営の透明性，健全性，遵法性の確保
- ●ステークホルダーに対する説明責任の重視・徹底
- ●迅速かつ適切な情報開示
- ●経営責任の明確化

❏ CSR（企業の社会的責任）

　企業の活動が社会や環境に及ぼす影響に責任を持つことを意味する。利益の追求やコーポレートガバナンスやコンプライアンス（法令遵守）だけでなく，社会に対する貢献や地球環境の保護などの社会課題を認識して取り組むなどの企業活動を指す。キャロルは，CSRを"経済的責任""法的責任""倫理的責任""社会貢献責任（フィランソロピー的責任）"の四つに分類している。

▶企業の社会的責任

社会貢献責任	経営資源を社会に貢献させる。
倫理的責任	公正で正しい活動を行う。
法的責任	法律を遵守する。
経済的責任	利益を確保する。

❏ IR（Investor Relation）

　投資家やアナリストに対する広報活動として，企業の経営状況を正確かつ迅速に，そして継続的に公表することである。近年のIRでは，企業の経営状況だけではなくコーポレートガバナンスやCSRに対する取組みも公表される。これらの活動は企業価値を高めることにつながるため，投資判断の重要な材料になる。また，公表の対象も投資家だけではなく顧客や地域社会といったステークホルダーに広がっている。

❏ デジタルトランスフォーメーション（DX：Digital Transformation）

　デジタル技術を活用して，社会や生活を変革することである。データとデジタル技術を活用して製品やサービス，ビジネスモデルを変革させることで，企業や組織はビジネス環境の変化に適応し，競争力を維持・向上させることができる。

❏ カーボンニュートラル

　地球温暖化や気候変動の原因となる二酸化炭素，メタン，一酸化二窒素やフロンガスなどの温室効果ガスの総排出量を全体としてゼロにすることを目指す取組みである。カーボンニュートラルには，エネルギーの効率化，再生可能エネルギーの利用，排出量の監視と報告などが重要な要素となる。カーボンニュートラルの実現は，持続可能な未来を築くために必要な取組みのひとつである。

❏ データ駆動社会

　データ駆動とはデータドリブンとも呼ばれ，様々なデータを意思決定に活用することである。データ駆動社会とは，ビジネスや政策決定などの領域において，データを収集し分析することでより正確な情報や洞察を得て，次の行動を決めたり効果的な戦略を立てたりすることを可能にする社会である。ビジネスにおいては，顧客の行動データや市場のトレンドデータを活用して，マーケティング戦略や商品開発を進める。政府においては，経済指標や社会調査データを活用して，政策の効果を評価したり，社会問題を解決するための施策を立案したりする。

　データ駆動社会は，迅速な意思決定や効率的な問題解決を可能にし，組織や社会の発展に貢献する重要な概念である。

4.2　業務分析・データ利活用

❏ 線形計画法（LP）

　一次不等式や一次式で示される制約条件下で，目的関数の最大値や最小値を求める数学的手法である。理論や科学的な根拠によって裏づけられた企業活動を行うための研究手法であるOR（Operations Research）やIE（Industry Engineering；生産工学）で用いられる。原材料に制約のある生産において，最大利益や利益を最大にする条件を求める場合に利用される。二つの要素と二つの制約条件から目的関数を最大値又は最小値を求める線形計画問題の場合は，２次元グラフで解くことができる。変数

が三つ以上ある線形計画問題の場合は，シンプレックス法（単体法）を用いる。

❏ 意思決定原理

意思決定者の心理に合う基準を見つけ出し，意思決定の判断基準を提供する技法である。代表的な意思決定原理には，次のものがある。

▶意思決定原理

期待値原理	各状況の生起確率とそれぞれの確率変数から期待値を算出し，これを最大にする案を選択する。
マクシミン原理 （ミニマックス原理）	各代替案ごとの「最悪の結果」に注目し，それらの中で最良（最大）の結果を与える案を選択する。消極的な意思決定といえる。
マクシマックス原理	各代替案ごとの「最良の結果」に注目し，それらの中で最良（最大）の結果を与える案を選択する。積極的・楽観的な意思決定といえる。
ミニマックス リグレット原理	最良の結果を選択しなかった場合との差（リグレット：後悔）の大きさを計算し，それが最小となる案を選択する。

❏ 利得表の事例

▶利得表

経済状況 代替案	B1 （好転）	B2 （現状維持）	B3 （悪化）
A1（前年同期並みの生産）	650	500	350
A2（前年同期より10%の増産）	800	400	200
A3（前年同期より20%の増産）	900	300	50
A4（前年同期より10%の減産）	400	450	600
A5（前年同期より20%の減産）	300	400	450

（単位：万円）

A1〜A5は代替案（自分が選ぶ戦略），B1〜B3は市場の変化を表す。表の値は売上を表す。代替案A1を選択した場合には，経済状況が好転すれば650万円の利益が得られるが，悪化した場合には利益は350万円に減少すると解釈できる。

この利得表にマクシミン原理を用いた意思決定を行う場合，「最悪の結果」に着目する。各案の最悪の結果を選ぶと，

(A1，A2，A3，A4，A5) = (350，200，50，400，300)

となり，この中の最大値は400なので，代替案A4を選択する。一方，マクシマックス原理を用いた意思決定を行う場合，「最良の結果」に着目する。各案の最良の結果を選ぶと，

(A1, A2, A3, A4, A5) = (650, 800, 900, 600, 450)
となり，この中の最大値は900なので，A3を選択する。

❏ IE（Industrial Engineering）分析手法

　製造業において，コストの削減や生産性の向上を図るために有効な分析手法である。産業工学（Industrial Engineering）の一環として位置付けられており，全体最適化を目指すために，経営資源（ヒト，モノ，カネ，情報など）を最適に設計・運用し，統制する工学的な技術・技法の体系である。IE分析手法では，データ収集や数値計算，統計解析などを活用し，効率的な生産プロセスや業務フローを設計する。また，記号や図表などを活用して，複雑なプロセスや関係性を視覚的に表現し，分析結果を分かりやすく伝えることができる。

　製造業の従業員がIE分析の結果をもとに改善策を提案して課題解決に参加することもでき，IE分析手法の導入によって，従業員の参加意識や貢献度が向上することが期待される。

❏ OC曲線

　抜取り検査でのロットの品質とその合格率の関係を表す曲線である。縦軸にロットが合格する確率，横軸にロットの不良率をとり，抜取りサンプル数nと合格判定個数c（不良品がc個までなら合格，c個を超えると不合格）との組合せごとに，一つのOC曲線が得られる。一般にcが小さく，nが大きいほどOC曲線の傾斜が急になり，ロットの不良率は低くなる。合格判定個数c＝0，c＝1，c＝2のときのOC曲線を次に示す。

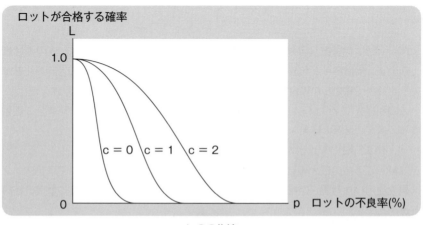

▶OC曲線

❏ データ利活用

データ利活用によって，

- AIやIoTを使って顧客体験の向上，ビジネス変革を図る
- 過去のデータから将来の問題発生を予見し，予測・予防型のサービスを提供する
- 個人情報などを安全かつ有効に活用し，カスタマイズした情報を提供する
- 効率的でパーソナライズされたサービスや製品を提供する

などが可能になる。

❏ 特徴量エンジニアリング

機械学習の精度向上のために，入力データが優れているかどうかを検討し，関係のないデータを解析から除去する技術である。

特徴量エンジニアリングでは，**多重共線性**と呼ばれる現象に注意が必要である。多重共線性とは，複数の特徴量が強く相関している場合に生じる問題であり，この問題を避けるために特徴量の相関分析や変数選択の手法を利用する。入力データの品質や適切な特徴量の選択によって，機械学習モデルの予測精度を向上させる。

❏ データサイエンス

企業の保有する大量のデータから，意思決定や戦略計画策定のための有用な洞察を見つけ出す技術である。高度な分析手法やAI，機械学習のアルゴリズムを活用して，データから深い洞察を得て，未来の予測や意思決定のサポートに役立てる。データの解析に数学の理論や統計学の手法を駆使し，パターンやトレンドを見つける。また，データの取込みや処理を効率的に行うために，プログラミング言語やツールを使う。

❏ データの可視化

企業が保有するデータをイラストやグラフ，チャートなどを用いてビジュアル化することである。数値だけでは確認しにくい現象や事象も，ビジュアル化することで分かりやすくなり，有益な情報として人間が理解できる。データの可視化は，論理的な業務遂行や企業運営に役立つ作業である。

❏ データ同化

現実世界のデータと仮想世界のシミュレーションを結びつけることである。

天気予報では，より正確な予報のために，観測データと大気のシミュレーションの

データ同化を行う。データ同化には，アンサンブルカルマンフィルタ，四次元変分法，粒子フィルタなどの手法が使用される。これらの手法は，観測データとシミュレーションを統計的に結びつけることで，より正確な予測や推定を行うことを可能にする。

❑ 統計的バイアス

統計分析の結果が，正しい状況からずれて偏っていることを指す。データの採取方法やサンプリング，データ分析の方法などが統計的バイアスの発生原因となることが多い。具体的には，

- 系統的誤差が与える影響
- 非ランダムなサンプリング
- 欠損データの取り扱い方法
- データ分析の方法
- 統計処理の選択方法

などが挙げられる。

❑ 認知バイアス

経験や思い込みに影響され，一貫性や合理性に欠けた判断をする心理的な傾向のことで，正しい判断を妨げる要因となる。認知バイアスは，自分の意見や信念を支持する情報に対しては肯定的に，反対する情報に対しては否定的になり，新しい情報を受け入れる際の判断や意思決定に影響を与える。認知バイアスには次のようなものがある。

> - **アンカリング効果**…最初に提示された情報に強く影響され，その情報を基準として判断する。
> - **コンコルド効果**…自分と似た意見や情報に偏ってアクセスし，自己確認的な意見形成をする。
> - **生存バイアス**…自分自身や周囲の成功ストーリーにばかり注目し，失敗や負の要素を無視する。

❏ QC七つ道具 ━━━━━━━━━━━━━ 問2 第2部①問12

　製品やサービスの品質を保つための活動をQC（Quality Control）という。QCにおいて，情報や事象などの**定量的な分析**に用いられるツール群をQC七つ道具という。

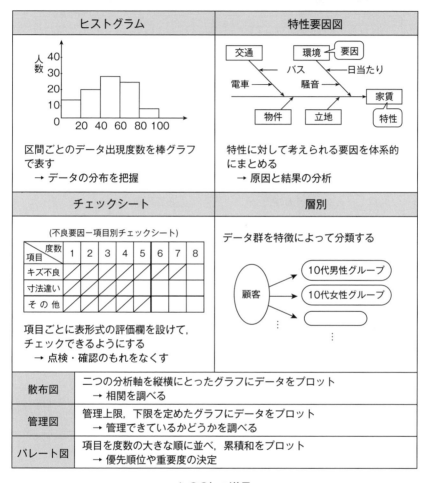

散布図	二つの分析軸を縦横にとったグラフにデータをプロット 　→ 相関を調べる
管理図	管理上限，下限を定めたグラフにデータをプロット 　→ 管理できているかどうかを調べる
パレート図	項目を度数の大きな順に並べ，累積和をプロット 　→ 優先順位や重要度の決定

▶QC七つ道具

❏ 新QC七つ道具 ━━━━━━━━━━━━━ 問2 問3

　情報や事象などの**定量的な分析**に用いるQC七つ道具に対し，定性的な分析に用いるツール群である。

●親和図法

複雑な事象を整理し，
解決策などを明確にする

ユーザーの不満事項

製品本体
・操作性が悪い
・処理速度が遅い
・機能が少ない

製品マニュアル
・ページ数が多い
・索引がない
・冊数が多い
・用語説明が少ない

アフターサービス
・電話がつながらない
・メール返信が遅い
・修理期間が長い

●系統図法

目的達成のための手段・方策を
順次展開し，最適な手段を追求する

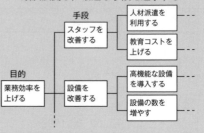

手段

目的
業務効率を
上げる

スタッフを
改善する

人材派遣を
利用する

教育コストを
上げる

設備を
改善する

高機能な設備
を導入する

設備の数を
増やす

●連関図法

複雑な要因の絡みあう事象に
ついて，その事象や要因の間
の因果関係を明らかにする

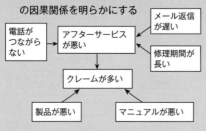

電話が
つながら
ない

アフターサービス
が悪い

メール返信
が遅い

修理期間が
長い

クレームが多い

製品が悪い

マニュアルが悪い

●アローダイアグラム

作業の前後関係を明らかにし，
日程計画を立てる

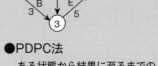

●マトリックス図法

2次元の表を用いて
各要素の関連を表す技法

	性能	操作性	デザイン	価格
製品A	◎	○	◎	△
製品B	△	○	◎	○
製品C	○	◎	△	○

●PDPC法

ある状態から結果に至るまでの
様々な過程を整理し，最適な過
程を探す

開始

商品単価を下げる

販売数横ばい

販売数アップ

キャンペーン実施

コスト回収，利益増

ゴール

●マトリックスデータ解析法

マトリックス図法のデータを解析する

▶新QC七つ道具

4.3 会計・財務

❏ 仕訳

　会計では，金銭や物品の受け渡しによる資産・資本・負債の増減や費用・収益の発生消滅を取引として扱い，取引において「何がいくら増えて何がいくら減ったか」を記録する処理を仕訳と呼ぶ。複式簿記では左側を「借方」，右側を「貸方」として，双方の合計額が等しくなるようにして，仕訳帳と呼ばれる帳票に記入する。「何が」に相当するものを勘定科目といい，"現金""商品""土地""支払手形"などがある。勘定科目を借方と貸方のどちらに書くかは，勘定科目の内容によって決まる。

　(例)　2,000万円の土地を現金で購入した場合の仕訳

日付	（ 借 方 ）		（ 貸 方 ）	
⋮	⋮		⋮	
10/3	土地	20,000,000	現金	20,000,000
⋮	⋮		⋮	

▶仕訳帳

❏ 貸借対照表（B/S）

　企業の決算日や期末などの一時点の財務状態を示す計算書で，

　　　資産＝負債＋純資産

という等式をもとに内容を記載する。

▶貸借対照表の項目

流動資産	現金と，営業取引によって発生する資産及び1年以内に現金となる資産のこと（当座資産，棚卸資産，その他の資産に分類される）
固定資産	長期にわたり企業活動に活用される資産のこと（有形固定資産，無形固定資産，投資など）
繰延資産	支出の効果が複数の会計年度にわたる場合に，その費用についても効果の対象となる複数の会計年度に負担させるために繰り延べられた資産（創立費，開業費，新株式発行費，社債発行費，開発費，試験研究費，建設利息など）
流動負債	営業取引によって発生する債務及び1年以内に返済しなければならない債務のこと（支払手形，買掛金，短期借入金，未払金，未払費用，前受金，預り金など）
固定負債	返済期日が1年以上先に到来する債務のこと
資本金	株式の発行価額のうち，資本金として組み入れた額のこと

4 企業活動

知識編

貸借対照表

平成×年×月×日

借方		貸方	
資産の部		**負債の部**	
Ⅰ　流動資産		Ⅰ　流動負債	
現金及び預金	×　×　×	買掛金	×　×　×
受取手形	×　×　×	支払手形	×　×　×
売掛金	×　×　×	⋮	⋮
有価証券	×　×　×	流動負債合計	×　×　×
商品	×　×　×	Ⅱ　固定負債	
⋮		社債	×　×　×
流動資産合計	×　×　×	長期借入金	×　×　×
Ⅱ　固定資産		⋮	⋮
建物	×　×　×	固定負債合計	×　×　×
機械	×　×　×	負債合計	×　×　×
⋮			
固定資産合計	×　×　×	**純資産の部**	
Ⅲ　繰延資産		Ⅰ　株主資本	
開発費	×　×　×	資本金	×　×　×
⋮		資本準備金	×　×　×
繰延資産合計	×　×　×	⋮	⋮
資産合計	×　×　×	純資産合計	×　×　×
		負債純資産合計	×　×　×

▶貸借対照表

❑ 損益計算書（P/L）

会計年度の経営成績を示す計算書であり，

収益＝費用＋利益

という損益計算書等式を基本に記載する，費用や収益を外部へ報告するための財務諸表である。

```
                損  益  計  算  書

        年   月   日から    年   月   日まで

                      経常損益

 営業損益
   Ⅰ   営業収益
           売上高                           317
   Ⅱ   営業費用の部
           売上原価                  284
           販売費・一般管理費         25     309
           営業利益                            8
 営業外損益
   Ⅲ   営業外収益                            9
   Ⅳ   営業外費用                            6
           営業外利益                          3
           経常利益                           11


                      特別損益
   Ⅴ   特別利益                              5
   Ⅵ   特別損失                              4
```

▶損益計算書

❏キャッシュフロー計算書

キャッシュフローは，会計上での現金利益や資金の流れを意味し，

当期利益＋減価償却費

で表される。企業の手元資金の創出能力を示す指標であり，金融市場から資金を調達するときの重要な経営評価指標となる。日本では，上場企業は貸借対照表や損益計算書などとともにキャッシュフロー計算書を開示（提出）することが義務付けられている。キャッシュフローは，次の三つの活動区分別に集計される。

- 営業活動によるキャッシュフロー…日常的な生産・営業活動によるもの
    - 例：商品の販売による収入，仕入による支出
- 投資活動によるキャッシュフロー…設備投資や資産売却などによるもの
    - 例：有形固定資産の売却による収入
- 財務活動によるキャッシュフロー…借入れなどの財務活動によるもの
    - 例：株式発行による収入，短期借入金の返済による支出

❏ROI（Return On Investment）—— 1問1

投資利益率のことである。投入した投資額に対応してどれだけ利益を上げたのかを計測するための指標である。

ROI＝利益金額÷投資金額

で求めることができる。

❏ROE（Return On Equity）

株主資本利益率又は**自己資本利益率**のことである。株主や企業所有主が投下した自己資本が，収益によってどれだけ回収されたかを示す経営指標である。株主から見た場合，株主持分に対する収益率の意味となる。

ROE（％）＝当期純利益÷自己資本×100

❏減価償却 —— 問4

土地以外の固定資産の取得原価を，その資産を利用する期間に適正に費用配分することである。2007年度に税法上の減価償却制度が「最終的な残存価格＝１円」と改定された。減価償却の方法には，**定額法**と**定率法**がある。

▶定額法と定率法

定額法	償却期間の間，毎期同じ額を費用として計上する 減価償却費 ＝（取得価額 － 残存価額）÷ 耐用年数
定率法	未償却残高に対して，同じ割合で費用として計上する 減価償却費 ＝ 未償却残高 × 償却率

❏ 定額法の計算例

100万円を5年間にわたり定額法により償却する。このとき，減価償却費は100÷5＝20万円となるが，最後の年度のみ残存価額が1円になるよう調整する。

▶定額法による計算

年度	減価償却費	残存価額
1年目	20万円	80万円
2年目	20万円	60万円
3年目	20万円	40万円
4年目	20万円	20万円
5年目	199,999円	1円

❏ 定率法の計算例

100万円を5年間にわたり定率法により償却する。償却率には「250％定率法（定額法における償却率の2.5倍を償却率とする方法）」を用いる。5年間の定額法における償却率は0.2であるので，定率法ではその2.5倍にあたる0.5を償却率とする。

▶定率法による計算

年度	減価償却費	残存価額
1年目	50万円	50万円
2年目	25万円	25万円
3年目	12.5万円	12.5万円
4年目	62,500円	62,500円
5年目	62,499円	1円

250％定率法では，「定率法の償却率を用いて求められる償却額 ＜ 残存価額÷残りの償却年数」となった時点で，「残存価額÷残りの償却年数」を償却額とした定額法に切り替える。そのため，5年目（残り年数＝1）で「定率法の場合＝31,625 ＜ 残存価額÷年数＝62,500」となるため，定額法に切り替わっている。

❏ 損益分岐点 ——————————————————— 問5 問6

「利益も損失も出ない」売上高を表す。売上高が損益分岐点を超えると利益が生まれ，逆に下回れば損失が発生する。損益分岐点の把握は，売上目標の立案などに欠かすことができない。

変動費率をa，固定費をb，売上高をxとする。費用を表す直線（y＝ax＋b）に，売上高を表す直線（y＝x）を重ねる。その二つの直線の交点が損益分岐点となる。

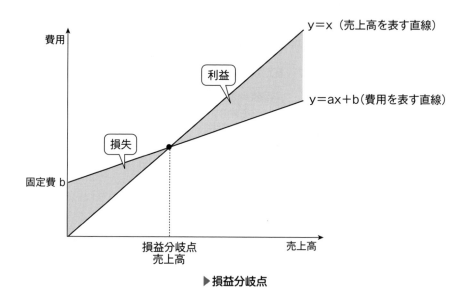

▶損益分岐点

MEMO

問1 ☑□ □□　経営会議で来期の景気動向を議論したところ，景気は悪化する，横ばいである，好転するという三つの意見に完全に分かれてしまった。来期の投資計画について，積極的投資，継続的投資，消極的投資のいずれかに決定しなければならない。表の予想利益については意見が一致した。意思決定に関する記述のうち，適切なものはどれか。　(H27F問29，H25S問29，H23F問29)

予想利益（万円）		景気動向		
		悪化	横ばい	好転
投資計画	積極的投資	50	150	500
	継続的投資	100	200	300
	消極的投資	400	250	200

ア　混合戦略に基づく最適意思決定は，積極的投資と消極的投資である。

イ　純粋戦略に基づく最適意思決定は，積極的投資である。

ウ　マクシマックス原理に基づく最適意思決定は，継続的投資である。

エ　マクシミン原理に基づく最適意思決定は，消極的投資である。

問2 ☑□ □□　発生した故障について，発生要因ごとの件数の記録を基に，故障発生件数で上位を占める主な要因を明確に表現するのに適している図法はどれか。　(R5F問29，H31S問29)

ア　特性要因図　　　　　イ　パレート図

ウ　マトリックス図　　　エ　連関図

答1 ‥‥**エ**

　マクシミン原理（ミニマックス）では，各案ごとの最悪の結果に注目し，それらの中で最良の結果（最大利益）を与える案を選択する。

　提示された各案の最悪の結果は次のようになる。

　　　積極的投資の最悪の結果＝50

　　　継続的投資の最悪の結果＝100

　　　消極的投資の最悪の結果＝200

　よって，マクシミン原理では，この中で最大値の200をとる消極的投資が最適意思決定となる。

　ア，イ　実行する戦略をただ一つに定める手法を純粋戦略といい，複数の戦略の中から確率論に従って戦略を選択実行することを混合戦略という。具体的な戦略決定の方針（ア

ルゴリズム）を示す概念ではないので，問題文及び選択肢の記述だけでは意思決定できない。

ウ　マクシマックス原理では，各案ごとの最良の結果に注目し，それらの中で最良（最大）の結果を与える案を選択する。提示された各案の最良の結果は，

積極的投資の最良の結果＝500
継続的投資の最良の結果＝300
消極的投資の最良の結果＝400

なので，積極的投資が選択される。

答2　QC七つ道具 ▶ P.425　新QC七つ道具 ▶ P.425 ‥‥‥‥‥‥‥‥‥‥‥‥‥‥‥‥‥ **イ**

パレート図は，データを項目別に多いものから順番に並べた棒グラフと，全体に占める割合の累積を折れ線グラフで表す図法である。本問のように，故障発生要因を発生件数で明確に表現するなど，販売管理や品質管理などにおいて，重点管理項目を分析するために利用することが多い。

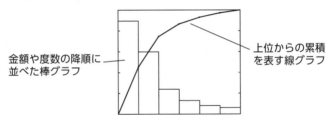

金額や度数の降順に並べた棒グラフ

上位からの累積を表す線グラフ

- 特性要因図…特性や結果をもたらす要因を分類し，魚の骨の形状に細分化する図法。問題の要因を整理し，対策を検討するときに用いる
- マトリックス図…問題としている事象の中から対となる要素を見つけ出し，事象と要素を行と列に配置して，関連の度合いを○×などで表示する図法。問題解決を効果的に進めるために使用する
- 連関図…問題の要因が複雑に絡み合っているとき，原因と結果，目的と手段といった関係を追求し，原因間の関係を図で表現することによって，問題の本質を明確にする手法

問3 ☑□ □□ 引き出された多くの事実やアイディアを，類似するものでグルーピングしていく収束技法はどれか。

(R4F問29)

ア　NM法　　　　イ　ゴードン法
ウ　親和図法　　　エ　ブレーンストーミング

問4 ☑□ □□ 取得原価30万円のPCを2年間使用した後，廃棄処分し，廃棄費用2万円を現金で支払った。このときの固定資産の除却損は廃棄費用も含めて何万円か。ここで，耐用年数は4年，減価償却方法は定額法，定額法の償却率は0.250，残存価額は0円とする。

(H30S問29)

ア　9.5　　　　イ　13.0　　　　ウ　15.0　　　　エ　17.0

答3　新QC七つ道具 ▶ P.425 ⋯⋯⋯⋯⋯⋯⋯⋯⋯⋯⋯⋯⋯⋯⋯⋯⋯⋯⋯⋯⋯ **ウ**

　親和図法は，多数の情報やアイディアなどを関連の深いものでグループ化することを繰り返し，本質的な問題点や解決法を探る情報整理法である。ブレーンストーミングなどで得られた未整理の情報やアイディアを整理する際によく用いられる。

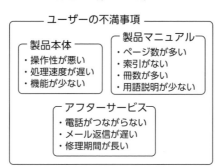

- NM法…問題の本質を表すキーワードに対して「例えば…のように」とイメージ的な比喩を設定する発想法。その比喩の背後にあるイメージを描き，それが解決のヒントにならないか問いかけをしていく
- ゴードン法…アイディア発想法の一つ。ブレーンストーミングを2部構成とし，前半は参加者が真のテーマ（目的）を知らされない状態で，固定観念にとらわれずに意見を出し合う
- ブレーンストーミング…会議形式でアイディアを創出する問題解決技法。批判厳禁などの原則にのっとって自由に発言することで多数のアイディアを出すことを主目的とする

答4　減価償却 ▶ P.430 ⋯⋯⋯⋯⋯⋯⋯⋯⋯⋯⋯⋯⋯⋯⋯⋯⋯⋯⋯⋯⋯⋯⋯⋯ **エ**

　固定資産の除却損とは，その資産を廃棄処分することによって生じる損失のことである。除却損には，その時点での資産価額や，廃棄費用が含まれる。

　減価償却が定額法であり，償却率が0.25なので，1年当たりの償却額は

（取得価額−残存価額）×償却率
= （30−0）× 0.25 = 7.5［万円］

となる。問題では"2年間使用した"とあるので，償却額の累計は

7.5×2 = 15［万円］

であり，その時点での資産価額は

30−15 = 15［万円］

である。これを費用2万円で廃棄するので，除却損は

15＋2 = 17［万円］

となる。

問5 ☑□ □□ 損益分岐点の特性を説明したものはどれか。 (H29S問29)

ア　固定費が変わらないとき，変動費率が低くなると損益分岐点は高くなる。

イ　固定費が変わらないとき，変動費率の変化と損益分岐点の変化は正比例する。

ウ　損益分岐点での売上高は，固定費と変動費の和に等しい。

エ　変動費率が変わらないとき，固定費が小さくなると損益分岐点は高くなる。

問6 ☑□ □□ 損益分岐点分析でA社とB社を比較した記述のうち，適切なものはどれか。 (R元F問29)

単位 万円

	A社	B社
売上高	2,000	2,000
変動費	800	1,400
固定費	900	300
営業利益	300	300

ア　安全余裕率はB社の方が高い。

イ　売上高が両社とも3,000万円である場合，営業利益はB社の方が高い。

ウ　限界利益率はB社の方が高い。

エ　損益分岐点売上高はB社の方が高い。

答5 損益分岐点 ▶ P.432 ·· **ウ**
利益は次の式で求められる。

利益 ＝ 売上高－（固定費＋変動費）

損益分岐点では利益＝0となるので，

0 ＝ 売上高－（固定費＋変動費）

売上高 ＝ 固定費＋変動費　となるときの売上高が，損益分岐点売上高である。
なお，

変動費率＝変動費÷売上高

であり，損益分岐点売上高は，

$$損益分岐点売上高 ＝ \frac{固定費}{1－変動費率}$$

で求められる。

ア　変動費率が低くなると，損益分岐点売上高は「低く」なる。
イ　そのような比例関係はない。
エ　固定費が小さくなると，損益分岐点売上高は「低く」なる

答6 損益分岐点 ▶ P.432 ·· **ア**
安全余裕率とは，売上高からどのくらい下落すると損益分岐点売上高となるかを表す比率
であり，次の計算式によって求めることができる。安全余裕率が高いほど経営が安全である
といえる。

安全余裕率＝（売上高－損益分岐点売上高）÷売上高

損益分岐点売上高は，"固定費÷（1－変動費率）"で求められる。A社とB社について損益
分岐点と安全余裕率を求めてみると，

A社：損益分岐点売上高＝900÷（1－800÷2,000）＝900÷0.6＝1,500
安全余裕率＝（2,000－1,500）÷2,000＝0.25

B社：損益分岐点売上高＝300÷（1－1,400÷2,000）＝300÷0.3＝1,000
安全余裕率＝（2,000－1,000）÷2,000＝0.5

となり，B社のほうが安全余裕率が高いことが分る。

イ　売上高が3,000万円の場合，A社の営業利益は3,000×（1－0.4）－900＝900万円，
Bの営業利益は3,000×（1－0.7）－300＝600万円となり，A社の方が高い。
ウ　限界利益率は売上の単位当たりの増加に伴う利益の上昇具合を示す指標で，"1－変
動費率"で表される。A社の限界利益率は1－0.4＝0.6,B社は1－0.7＝0.3であり，A社
のほうが高い。
エ　損益分岐点売上高はA社の方が高い。

5 法務

5.1 知的財産権

❑ 著作権 ——————————————————————————— 問2

　著作物ならびに著作者の権利及びこれに隣接する権利をいう。著作権法はこれらの権利の保護を対象としている。著作権は，著作者人格権と財産権としての著作権（著作財産権）に分けられる。

●著作者人格権

　原始的な著作者本人に帰属する権利。他人に譲渡することはできない

　　　　公表権…著作物を公表（提示）する権利

　　　　氏名表示権…著作物に氏名を表示する権利

　　　　同一性保持権…著作物の変更を認めない権利

●著作財産権

　著作を活用して利益を得る，財産的権利を担保する。他人に譲渡でき，相続の対象となる。

　　　　複製権…著作物を複製（コピー）する権利

　　　　公衆送信権…回線などを介して不特定多数に送信する権利

　　　　頒布権…映画の著作物を複製して譲渡・販売する権利

　　　　翻訳権，翻案権…著作物をアレンジ（翻訳・編曲・変形など）する権利

　　　　（このほか，上映権や演奏権，貸与権などがある）

❑ プログラムの著作権 ———————————————— 問1 問3

　プログラムは著作物として保護される。ただし，複製権と同一性保持権については，他の著作物とは異なる。著作者の許諾を得ない著作物の複製は違法であるが，プログラムの場合は，バックアップ目的など必要と認められる限度において複製が認められる。ただし，複製したものを配布・貸与する行為は違法である。また，著作者の許諾を得ない著作物の変更も違法であるが，プログラムの場合は，コンピュータで利用できるように改変したり，バグの修正をするなど，効果的に利用するために必要な変更は認められる。

プログラムの作成日，著作者などを明らかにするために「プログラムの著作物に係る登録の特例に関する法律」が定められ，プログラム登録制度が設けられている。

❏ データベースの著作権

著作権保護の対象となるデータベースは，論文，数値，図形，その他の集合物であり，体系的に構成されたものである。情報の選択やその体系的な構成に創作性がない単なるデータ集合については，著作権の対象とはならない。

❏ Webページの著作権

Webページに掲載した文章や画像などは，著作物として著作権保護の対象となる。しかし，Webページに他人の作成した著作物を掲載する行為は，目的の如何にかかわらず著作権侵害である。また，特定の分野ごとにWebページのURLを収集し，独自の解釈を付けたリンク集も著作権保護の対象となる。

❏ ソフトウェアライセンス　　　　　　　　　　　　　問5

ソフトウェアメーカー（ベンダー）が購入者に対して許諾するソフトウェアの使用権であり，ライセンスの許諾内容と異なる使用は著作権の侵害となる。ライセンスの形態には，次のものがある。

- ボリュームライセンス契約…マスタ媒体を一つだけ提供し，決められた台数のコンピュータにインストールして使用できるようにする契約
- サイトライセンス契約…特定の場所や部署など，使用する組織単位で行う契約。契約した組織内であれば台数や人数に制限なく使用が許可される場合も多い
- シュリンクラップ契約…ソフトウェアパッケージの包装を解いたときに，自動的に使用許諾契約が成立したとみなす契約

また，ソフトウェアが有償か無償かという観点によって，次のように分類することもある。

- シェアウェア（shareware）…試用期間中は無償で使用できるが，それ以降も使用を続ける場合は使用料を支払わなければならないソフトウェア
- フリーウェア（freeware）／フリーソフト…永続的に無償で入手・使用できるソフトウェア。著作権は放棄されていない

- パブリックドメインソフトウェア…著作権が放棄され（又は消滅し），公共の財産としてだれもが自由に入手，利用，改変などが行えるソフトウェア

❏ 産業財産権 ──────────── 問4

特許権，**実用新案権**，**意匠権**，**商標権**があり，それぞれ特許法，実用新案法，意匠法，商標法によって保護される。これらの権利を取得するためには，規定された手続きに従って登録審査を受ける必要があり，この点が著作権法とは根本的に異なる。

❏ 特許法 ─────────────────────

「発明の保護及び利用を図る」ことによって，発明を奨励し，産業の発達に寄与することを目的としている。なお，特許法でいう発明とは，自然法則を利用した技術的思想の創作のうち高度なものを意味する。平成９年からソフトウェアを記録した記録媒体も保護対象として加えられ，アイデアを盗用し，別の表現で同じ機能を表現したソフトウェアを特許権侵害として訴えることが可能となっている。なお，特許権の保護対象期間は，出願から20年間である。

▶**特許権**

特許の対象	発明の権利を保護対象とする
特許権の発生	発明を特許出願及び審査請求し，審査を経て登録されたときにその権利が発生する ⇒著作権法は無方式主義（表現を創作した時点で権利が自動的に発生する）を前提としている
特許の権利	発明したものを独占的に生産したり，使用・譲渡・貸与・展示する権利がある
特許の侵害	登録されている発明を知らなくても，構成上同じ仕組みを製品に組み込んで販売すると権利侵害になる ⇒著作権法では知らずに同一著作物を創作しても権利侵害にはならない

❏ 不正競争防止法 ──────────── 問6

事業者間の公正な競争及びこれに関する国際約束の的確な実施を確保するため，他人のノウハウを盗んだり，そのノウハウを勝手に自分の商売に使用するなどの不正行為を防止し，不正競争にかかわる損害賠償に関する措置を行えるようにした法律である。具体的には，トレードシークレット（営業秘密）の不正取得，ドメイン名の不正取得，他者の商品をデッドコピー（模倣）しての取引，コピー防止技術の不正解除（プ

ロテクト外し）などが，不正競争行為として対象になる。

5.2　セキュリティ関連法規

❏ 刑法

コンピュータの不正利用やデータの改ざんは，刑法でも禁じられ，罰則が規定されている。

▶刑法の規定

名称	該当する行為
電子計算機損壊等業務妨害罪	電子計算機や電磁的記録の損壊，電子計算機への虚偽の情報や不正な指令を与えるなどの方法により，電子計算機を使用目的に沿うべき動作をさせない又は使用目的に反する動作をさせて業務を妨害する行為
電子計算機使用詐欺罪	電子計算機に虚偽の情報もしくは不正の指令を与えて財産上の利益を不当に得る行為
不正指令電磁的記録に関する罪（不正指令電磁的記録作成罪，不正指令電磁的記録供用罪等）	意図に沿うべき動作をさせず，又はその意図に反する動作をさせるべき不正な指令を与える電磁的記録（コンピュータウイルスなど）を作成，提供，供用，取得，保管する行為。

5.3　労働・取引関連法規

❏ 請負契約　　　　　　　　　　　　　　　　　　　　　　　問8

成果物の完成を約束し，成果物の対価として報酬を得る契約である。次のような特徴を持つ。

- 契約で定めた完成物を引き渡して（検収完了），受託業務の完了となる。検収基準を契約書内に明記しておかないと，検収作業が長引いたり，追加作業を要求される可能性が高くなる。
- 業務は委託先の判断と責任で遂行され，開発要員の指揮命令権は委託先にある。
- 受託者（委託先）は，債務不履行責任と契約不適合責任を負う。すなわち，ソフトウェア成果物の欠陥に対する修復及び損害賠償を負うことを意味する。

- 著作権は，特に定めがない限り，原則的に受託側（委託先）に帰属する。
- システムインテグレーション契約やアウトソーシング契約とは，開発業務や運用業務の請負契約のことである。

❑ 派遣契約

発注者の指揮命令下で作業を行う契約である。次のような特徴を持つ。

- 派遣元や派遣労働者に，仕事（成果物）の完成責任や契約不適合責任はない。
- 業務の指揮命令権は，発注元（派遣先）にある。したがって，派遣契約の業務内容の範囲内において，他社からの請負契約での開発作業に従事させることも可能である。
- 著作権は，発注元（派遣先）に帰属する。

❑ 準委任契約 　　　　　　　　　　　　　　　　　　　　　　　　　　　　問8

善管注意義務（善良な管理者の注意義務）を負って作業を受託する契約である。次のような特徴を持つ。

- 受託側（委託先）に，業務の完成責任や契約不適合責任はないが，過失責任は負う。このため，仕様の決定権がベンダー側にない（利用者側にある）場合やシステムの機能が明確でない場合，完成すべき成果物が決まっていない場合などに適している。成果物が明確な場合などには，請負契約が適している。取引関係や役割分担の可視化を目的としたガイドラインである "情報システム・モデル取引・契約書" では，内部設計からシステム結合のフェーズにおいては，請負契約が適切とされている。
- 業務の指揮命令権は，受託側（委託先）にある。
- 業務の内容に特に法的な制限はない。

5.4　その他の法律・ガイドライン

❑ 個人情報保護法 　　　　　　　　　　　　　　　　　　　　　　問10　問11

個人情報の定義や個人情報を取り扱う事業者（個人情報取扱事業者）などに対する義務などが定められている法律である。個人情報とは，生存する個人に関する情報であって，その情報に含まれる氏名，生年月日その他により特定の個人を識別することができるものをいう。顔認識データや指紋認識データなど，身体的特徴をコンピュー

タで使用するために変換した符号や，マイナンバーや旅券番号，運転免許証番号など個人を識別できる符号も個人情報の対象となる。なお，個人を特定できないように個人情報を加工したものを"匿名加工情報"，人種や信条，社会身分，病歴，前科などの差別や偏見などによって不利益を被らないよう特に配慮を要する個人情報を"要配慮個人情報"という。個人情報保護法では，これらの扱いについても定められている。

　個人情報取扱事業者とは，個人情報データベースなど（個人情報を含む情報の集合物）を事業に使用する者をいう。以前は5,000件以上の個人情報を保有している事業者が対象となっていたが，2017年の改正によって保有する個人情報が5,000件以下でも個人情報取扱事業者となる。

5.5　標準化

❏ ISO（International Organization for Standardization；国際標準化機構）――――――――問12

　工業分野における規格の統一や標準化を行う国際機関である。具体的な規格の検討は，分野別に設けられたTC（Technical Committee）と呼ばれる技術専門委員会で行われる。TCの下に，SC（Sub Committee；分科会）やWG（Working Group；作業部会）が設置されることもある。

❏ IEC（International Electrotechnical Commission；国際電気標準会議）――――――――問12

　電気・電子分野における国際規格の制定を目的に設立された国際機関である。ISOとIECは密接な関係を持っている。1976年には両者の間で「IECは電気電子分野を対象とし，ISOはそれ以外を対象とする」という合意がなされ，その後1987年には合同でJTC 1（Joint Technical Committee 1；合同技術専門委員会）を立ち上げ，情報技術分野での標準化を行っている。

問1 ☑□
□□
プログラムの著作物について，著作権法上，適法である行為はどれか。

(R元F問30，H22S問30)

ア　海賊版を複製したプログラムと事前に知りながら入手し，業務で使用した。

イ　業務処理用に購入したプログラムを複製し，社内教育用として各部門に配布した。

ウ　職務著作のプログラムを，作成した担当者が独断で複製し，他社に貸与した。

エ　処理速度を向上させるために，購入したプログラムを改変した。

問2 ☑□
□□
Webページの著作権に関する記述のうち，適切なものはどれか。

(H29S問30，H25F問30)

ア　営利目的ではなく趣味として，個人が開設しているWebページに他人の著作物を無断掲載しても，私的使用であるから著作権の侵害とはならない。

イ　作成したプログラムをインターネット上でフリーウェアとして公開した場合，配布されたプログラムは，著作権法による保護の対象とはならない。

ウ　試用期間中のシェアウェアを使用して作成したデータを，試用期間終了後もWebページに掲載することは，著作権の侵害に当たる。

エ　特定の分野ごとにWebページのURLを収集し，独自の解釈を付けたリンク集は，著作権法で保護され得る。

問3 ☑□
□□
A社は顧客管理システムの開発を，情報システム子会社であるB社に委託し，B社は要件定義を行った上で，ソフトウェア設計・プログラミング・ソフトウェアテストまでを，協力会社であるC社に委託した。C社では自社の社員Dにその作業を担当させた。このとき，開発したプログラムの著作権はどこに帰属するか。ここで，関係者の間には，著作権の帰属に関する特段の取決めはないものとする。

(R4F問30，H27S問30)

ア　A社　　　イ　B社　　　ウ　C社　　　エ　社員D

答1 プログラムの著作権 ▶ P.440 ‥‥‥‥‥‥‥‥‥‥‥‥‥‥‥‥‥‥‥‥‥‥‥‥ **エ**

　購入したプログラムを，処理速度を向上させるなど，効果的に利用するために一部改変する行為自体は，著作権法に抵触するおそれはない。ただし，その改変後のプログラムを第三者に販売・頒布するような場合には問題となる。

> ア　"海賊版"を複製したプログラムを取得した場合は，取得時点でその事実を知っていたか否かが争点となる。取得時点で事実を知っていたならば，使用してはならない。
>
> イ　バックアップ目的ならば，購入したプログラムを複製することは許される。しかし，社内教育用に使用する目的で，業務処理用に購入したプログラムを複製したり，配布することは許されない。
>
> ウ　職務著作とは，「会社等に勤める者が職務で作成したプログラムの著作権は，その会社等が有する」というものである。したがって，職務著作のプログラムを，作成した担当者が独断で複製したり，複製物を貸与したりしてはならない。

答2 著作権 ▶ P.440 ‥‥‥‥‥‥‥‥‥‥‥‥‥‥‥‥‥‥‥‥‥‥‥‥‥‥‥‥‥‥‥‥ **エ**

　特定の分野ごとにWebページのURLを収集し，簡単なコメントを付けて作成したリンク集は，創作性があるとみなされ，著作権法によって保護される。

> ア　個人のWebページ上に他人の著作物を無断掲載することは，私的利用の範囲を超えて公衆送信権の侵害にあたる。
>
> イ　フリーウェア（無償のソフトウェア）であっても著作権は成立し，著作権法で保護される。
>
> ウ　作成したデータそのものについては作成者の著作物となるので，試用期間終了後にWebページに掲載しても，著作権の侵害には該当しない。

答3 プログラムの著作権 ▶ P.440 ‥‥‥‥‥‥‥‥‥‥‥‥‥‥‥‥‥‥‥‥‥‥‥‥ **ウ**

　会社の発意に基づいて会社の業務として作成したプログラムについては，プログラムの著作権は会社のものとなる（法人著作という）。よって，D社員には著作権は帰属しない。

　委託によって作成されたプログラムの著作権は，著作権の帰属に関する取決めがない場合には，受託側（作成した側）に帰属する。本問では，A社がB社にシステム開発を委託し，さらにB社がC社にプログラミングを委託し，C社の社員によってプログラムが作成されているので，著作権はC社に帰属する。

問4 ☑□ 日本において，産業財産権と総称される四つの権利はどれか。
□□
(H28F問30)

ア　意匠権，実用新案権，商標権，特許権
イ　意匠権，実用新案権，著作権，特許権
ウ　意匠権，商標権，著作権，特許権
エ　実用新案権，商標権，著作権，特許権

問5 ☑□ 自社開発したソフトウェアの他社への使用許諾に関する説明として，
□□ 適切なものはどれか。　　　　　　　　(R元F問17，㊹H28F問17)

ア　既に自社の製品に搭載して販売していると，ソフトウェア単体では使用許諾できない。

イ　既にハードウェアと組み合わせて特許を取得していると，ソフトウェア単体では使用許諾できない。

ウ　ソースコードを無償で使用許諾すると，無条件でオープンソースソフトウェアになる。

エ　特許で保護された技術を使っていないソフトウェアであっても，使用許諾することは可能である。

問6 ☑□ 不正競争防止法において，営業秘密となる要件は，"秘密として管理
□□ されていること"，"事業活動に有用な技術上の情報であること"と，もう一つはどれか。
(H26F問30)

ア　営業譲渡が可能なこと　　　　イ　期間が10年を超えないこと
ウ　公然と知られていないこと　　エ　特許出願をしていること

問7 ☑□ 企業のWebサイトに接続してWebページを改ざんし，システムの使
□□ 用目的に反する動作をさせて業務を妨害する行為を処罰の対象とする法律はどれか。
(H30S問30)

ア　刑法　　　　　　　　　　　イ　特定商取引法
ウ　不正競争防止法　　　　　　エ　プロバイダ責任制限法

答4　産業財産権 ▶ P.442 ……………………………………………………………………… **ア**

　産業財産権は，画期的な技術・デザイン・発明など，産業の発展に寄与するものを保護するための権利である。産業財産権には次の四つがある。

- 意匠権…物品のデザインを保護の対象としている
- 実用新案権…発明のレベルまではいかないが実用的で新しい案が形になったものを保護の対象としている
- 商標権…商品の名称やロゴマークなどを保護の対象としている
- 特許権…発明を保護の対象としている

答5　ソフトウェアライセンス ▶ P.441 ……………………………………………………… **エ**

　ソフトウェアの使用許諾（ライセンス）は，著作権に基づいて使用する目的や環境を規定する契約である。使用許諾を行うにあたって，ソフトウェアが特許で保護された技術を使用しているか否かは問題とされない。

　ア　自社製品への搭載・販売の有無にかかわらず，ソフトウェア単体で使用許諾対象にできる。

　イ　すでにハードウェアと組み合わせて特許を取得していても，後からソフトウェア単体で使用許諾対象にできる。

　ウ　（一定条件下での）改変及び再配布を認める形にしなければ，オープンソースソフトウェアとは呼べない。

答6　不正競争防止法 ▶ P.442 …………………………………………………………………… **ウ**

　不正競争防止法では，不正に取得した営業秘密（トレードシークレット）を，自ら使用したり，第三者に開示する行為を禁止している。この営業秘密は，

　　　"この法律において「営業秘密」とは，秘密として管理されている生産方法，販売方法その他の事業活動に有用な技術上又は営業上の情報であって，公然と知られていないものをいう。"

と規定されている。よって，"公然と知られていないこと"がもう一つの要件である。

答7　　…………………………………………………………………………………………………… **ア**

　Webページ改ざんによる業務妨害行為は，刑法第234条によって規定された"電子計算機損壊等業務妨害罪"に該当する。

問8 ☑□
□□
　"情報システム・モデル取引・契約書"によれば，要件定義工程を実施する際に，ユーザ企業がベンダと締結する契約の形態について適切なものはどれか。 (H28F問25)

ア　構築するシステムがどのような機能となるか明確になっていないので準委任契約にした。

イ　仕様の決定権はユーザ側ではなくベンダ側にあるので準委任契約にした。

ウ　ベンダに委託する作業の成果物が具体的に想定できないので請負契約にした。

エ　ユーザ内のステークホルダとの調整を行う責任が曖昧にならないように請負契約にした。

問9 ☑□
□□
　"情報システム・モデル取引・契約書"によれば，ユーザ（取得者）とベンダ（供給者）間で請負型の契約が適切であるとされるフェーズはどれか。 (H26F問25)

システム化計画	要件定義	システム外部設計	システム内部設計	ソフトウェア設計,プログラミング,ソフトウェアテスト	システム結合	システムテスト	導入・受入支援
←――――――――――――――――――ア――――――――――――――――――→
	←――――――――――――――イ――――――――――――――→
	←――――――――ウ――――――――→
			←――――エ――――→

ア　システム化計画フェーズから導入・受入支援フェーズまで

イ　要件定義フェーズから導入・受入支援フェーズまで

ウ　要件定義フェーズからシステム結合フェーズまで

エ　システム内部設計フェーズからシステム結合フェーズまで

答8　請負契約 ▶ P.443　準委任契約 ▶ P.444 ··· **ア**

　システム開発における業務委託契約は，請負契約と準委任契約に大別できる。両者の違い
は次のようになる。

　　　　請負契約：受託側は成果物の完成責任を負う

　　　　準委任契約：完成責任を負わないが，誠実に業務を管理する

　請負契約は"業務内容の完遂によって対価が支払われる"ため，契約時に業務内容（仕様）
や費用，期日などが明確になっている必要がある。仕様が不明瞭な場合は，請負では様々な
トラブルを引き起こす可能性もあるので，準委任契約とするのが望ましい。システム開発の
場合，上流から下流に工程が進むに従って仕様が詳細・明確になっていくので，上流工程は
準委任，下流工程は請負という形で契約を使い分けることが多い。

　経済産業省の"情報システム・モデル取引・契約書"では，次のように推奨している。

　　　　要件定義やそれ以前，及び導入・受入支援　…　準委任型

　　　　外部設計，システムテスト　…　請負型又は準委任型

　　　　内部設計，結合　…　請負型

答9　··· **エ**

　経済産業省の"情報システム・モデル取引・契約書"では，システム内部設計フェーズか
らシステム結合フェーズまでは，請負型の契約を推奨している。なお，システム外部設計フ
ェーズ及びシステムテストフェーズは，請負型又は準委任型の両タイプを併記しており，要
件定義やそれ以前のフェーズ及び導入・受入支援フェーズでは，準委任型を推奨している。

問10 ☑☐ ☐☐ 匿名加工情報取扱事業者が，適正な匿名加工を行った匿名加工情報を第三者提供する際の義務として，個人情報保護法に規定されているものはどれか。 (R5F問30)

ア　第三者に提供される匿名加工情報に含まれる個人に関する情報の項目及び提供方法を公表しなければならない。

イ　第三者へ提供した場合は，速やかに個人情報保護委員会へ提供した内容を報告しなければならない。

ウ　第三者への提供の手段は，ハードコピーなどの物理的な媒体を用いることに限られる。

エ　匿名加工情報であっても，第三者提供を行う際には事前に本人の承諾が必要である。

問11 ☑☐ ☐☐ 個人情報のうち，個人情報保護法における要配慮個人情報に該当するものはどれか。 (H31S問30)

ア　個人情報の取得時に，本人が取扱いの配慮を申告することによって設定される情報

イ　個人に割り当てられた，運転免許証，クレジットカードなどの番号

ウ　生存する個人に関する，個人を特定するために用いられる勤務先や住所などの情報

エ　本人の病歴，犯罪の経歴など不当な差別や不利益を生じさせるおそれのある情報

問12 ☑☐ ☐☐ ISO，IEC，ITUなどの国際標準に適合した製品を製造及び販売する利点として，適切なものはどれか。 (H29F問27)

ア　WTO政府調達協定の加盟国では，政府調達は国際標準の仕様に従って行われる。

イ　国際標準に適合しない競合製品に比べて，技術的に優位であることが保証される。

ウ　国際標準に適合するために必要な特許は，全て無償でライセンスを受けられる。

エ　輸出先国の国内標準及び国内法規の規制を受けることなく製品を輸出できる。

答10　個人情報保護法 ▶ P.444 ·· ア

　匿名加工情報とは，個人を識別できないように情報を加工し，加工前の情報が復元できないようにした情報のことである。例えば，氏名などを排除して年齢層別や職業別に集計したデータなどが挙げられる。匿名加工情報は個人情報として扱われないので，利活用においては自由度が高い。匿名加工情報の第三者提供については，

> あらかじめ，第三者に提供される匿名加工情報に含まれる個人に関する情報の項目及びその提供の方法について公表するとともに，当該第三者に対して，当該提供に係る情報が匿名加工情報である旨を明示しなければならない。

と個人情報保護法に定められている。よって，解答は"ア"となる。

答11　個人情報保護法 ▶ P.444 ·· エ

　個人情報保護法において"要配慮個人情報"は次のように定義されている。

> 本人の人種，信条，社会的身分，病歴，犯罪の経歴，犯罪により害を被った事実　その他本人に対する不当な差別，偏見その他の不利益が生じないようにその取扱いに特に配慮を要するものとして政令で定める記述等が含まれる個人情報をいう

　個人情報保護委員会のガイドラインでは，要配慮個人情報に該当するものの例として，
　　・本人に対して医師などの医療従事者により行われた健康診断などの結果
　　・本人を被疑者とした刑事事件手続（逮捕など）が行われたという事実
などが挙げられている。

　ア　要配慮個人情報は本人の申告によって設定されるものではない。
　イ　個人識別符号に該当する。
　ウ　一般的な個人情報を構成する情報に該当する。

答12　ISO ▶ P.445　IEC ▶ P.445 ·· ア

　WTO（世界貿易機関）は，国際貿易に関するルールを取り扱う国際機関である。WTO加盟国において適用されるTBT協定（貿易の技術的障害に関する協定）では，工業製品などの適合性を評価する際の国内規格を，ISOやIECなどの国際規格に準じて策定することが求められている。したがって，どの加盟国でもスムーズに採用される製品を開発するためには，これらの国際規格を意識すればよい。

　　イ　ISOなどの国際標準は，一定・一貫した品質水準を保っていることを保証するものであり，技術的な優位を保証するものではない。
　　ウ，エ　このような特例的な利点はない。

索 引

情報処理技術者試験

2025年度版　ALL IN ONE パーフェクトマスター　共通午前Ⅰ

2024年8月20日　初　版　第1刷発行

編　著　者	ＴＡＣ株式会社	
	（情報処理講座）	
発　行　者	多　田　敏　男	
発　行　所	ＴＡＣ株式会社　出版事業部	
	（ＴＡＣ出版）	

〒101-8383
東京都千代田区神田三崎町3-2-18
電　話 03(5276)9492(営業)
FAX 03(5276)9674
https://shuppan.tac-school.co.jp

組　　版	株式会社　グ　ラ　フ　ト	
印　　刷	株式会社　光　　　邦	
製　　本	株式会社　常　川　製　本	

© TAC 2024　　Printed in Japan　　ISBN 978-4-300-11214-4
N.D.C. 007

情報処理講座

選べる 5つの学習メディア

豊富な5つの学習メディアから、あなたのご都合に合わせてお選びいただけます。
一人ひとりが学習しやすい、充実した学習環境をご用意しております。

通信 [自宅で学ぶ学習メディア]

Web通信講座 [eラーニングで時間・場所を選ばず学習効果抜群!]

インターネットを使って講義動画を視聴する学習メディア。
いつでも、どこでも何度でも学習ができます。
また、スマートフォンやタブレット端末があれば、移動時間も映像による学習が可能です。

おすすめポイント
- ◆動画・音声配信により、教室講義を自宅で再現できる
- ◆講義録(板書)がダウンロードできるので、ノートに写す手間が省ける
- ◆専用アプリで講義動画のダウンロードが可能
- ◆インターネット学習サポートシステム「i-support」を利用できる

DVD通信講座 [教室講義をいつでも自宅で再現!]

Webフォロー付き

デジタルによるハイクオリティなDVD映像を視聴しながらご自宅で学習するスタイルです。
スリムでコンパクトなため、収納スペースも取りません。
高画質・高音質の講義を受講できるので学習効果もバツグンです。

おすすめポイント
- ◆場所を取らずにスリムに収納・保管ができる
- ◆デジタル収録だから何度見てもクリアな画像
- ◆大画面テレビにも対応する高画質・高音質で受講できるから、迫力満点

資料通信講座 [TACのノウハウ満載のオリジナル教材と丁寧な添削指導で合格を目指す!]

配付教材はTACのノウハウ満載のオリジナル教材。
テキスト、問題集に加え、添削課題、公開模試まで用意。
合格者に定評のある「丁寧な添削指導」で記述式対策も万全です。

おすすめポイント
- ◆TACオリジナル教材を配付
- ◆添削指導のプロがあなたの答案を丁寧に指導するので記述式対策も万全
- ◆質問メールで24時間いつでも質問対応

通学 [TAC校舎で学ぶ学習メディア]

ビデオブース講座 [受講日程は自由自在!忙しい方でも自分のペースに合わせて学習ができる!]

Webフォロー付き

都合の良い日を事前に予約して、TACのビデオブースで受講する学習スタイルです。教室講座の講義を収録した映像を視聴しながら学習するので、教室講座と同じ進度で、日程はご自身の都合に合わせて快適に学習できます。

おすすめポイント
- ◆自分のスケジュールに合わせて学習できる
- ◆早送り・早戻しなど教室講座にはない融通性がある
- ◆講義録(板書)付きでノートを取る手間がいらずに講義に集中できる
- ◆校舎間で自由に振り替えて受講できる

教室講座 [講師による迫力ある生講義で、あなたのやる気をアップ!]

Webフォロー付き

講義日程に沿って、TACの教室で受講するスタイルです。受験指導のプロである講師から、直に講義を受けることができ、疑問点もすぐに質問できます。
自宅で一人では勉強がはかどらないという方におすすめです。

おすすめポイント
- ◆講師に直接質問できるから、疑問点をすぐに解決できる
- ◆スケジュールが決まっているから、学習ペースがつかみやすい
- ◆同じ立場の受講生が身近にいて、モチベーションもアップ!

情報処理講座

TAC公開模試

TACの公開模試で本試験を疑似体験し弱点分野を克服!

合格のために必要なのは「身に付けた知識の総整理」と「直前期に克服すべき弱点分野の把握」。TACの公開模試は、詳細な個人成績表とわかりやすい解答解説で、本試験直前の学習効果を飛躍的にアップさせます。

全6試験区分に対応!

| 2025年 | 会場受験 3/23日 | 自宅受験 2/28金より問題発送 |

◎応用情報技術者
◎システムアーキテクト
◎ネットワークスペシャリスト
◎ITサービスマネージャ

○ITストラテジスト
●情報処理安全確保支援士

※実施日は変更になる場合がございます。

チェックポイント　厳選された予想問題

★出題傾向を徹底的に分析した「厳選問題」!

業界先鋭のTAC講師陣が試験傾向を分析し、厳選してできあがった本試験予想問題を出題します。選択問題・記述式問題をはじめとして、試験制度に完全対応しています。
本試験と同一形式の出題を行いますので、まさに本試験を疑似体験できます。

同一形式

本試験と同一形式での出題なので、本試験を見据えた時間配分を試すことができます。

〈応用情報技術者試験 公開模試 午後問題〉より一部抜粋

〈情報処理安全確保支援士試験 公開模試 午後Ⅰ問題〉より一部抜粋

チェックポイント　解答・解説

★公開模試受験後からさらなるレベルアップ!

公開模試受験で明確になった弱点分野をしっかり克服するためには、短期間でレベルアップできる教材が必要です。
復習に役立つ情報を掲載したTAC自慢の解答解説冊子を申込者全員に配付します。

詳細な解説

特に午後問題では重要となる「解答を導くアプローチ」について、図表を用いて丁寧に解説します。

〈応用情報技術者試験 公開模試 午後問題解説〉より一部抜粋

〈情報処理安全確保支援士試験 公開模試 午後Ⅱ問題解説〉より一部抜粋

公開模試申込者全員に無料進呈!!
2025年5月中旬送付予定

特典1

本試験終了後に、TACの「本試験分析資料」を無料で送付します。全6試験区分における出題のポイントに加えて、今後の対策も掲載しています。
(A4版・80ページ程度)

特典2

応用情報技術者をはじめとする全6試験区分の本試験解答例を申込者全員に無料で送付します。
(B5版・30ページ程度)

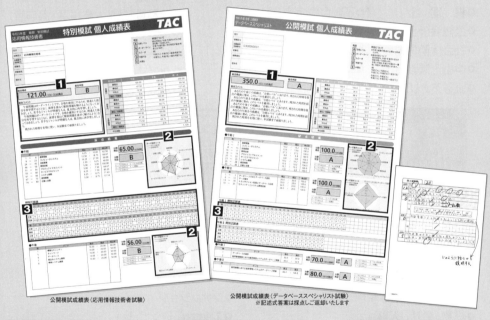

TAC出版 書籍のご案内

TAC出版では、資格の学校TAC各講座の定評ある執筆陣による資格試験の参考書をはじめ、資格取得者の開業法や仕事術、実務書、ビジネス書、一般書などを発行しています!

TAC出版の書籍
*一部書籍は、早稲田経営出版のブランドにて刊行しております。

資格・検定試験の受験対策書籍

- ◎日商簿記検定
- ◎建設業経理士
- ◎全経簿記上級
- ◎税　理　士
- ◎公認会計士
- ◎社会保険労務士
- ◎中小企業診断士
- ◎証券アナリスト

- ◎ファイナンシャルプランナー(FP)
- ◎証券外務員
- ◎貸金業務取扱主任者
- ◎不動産鑑定士
- ◎宅地建物取引士
- ◎賃貸不動産経営管理士
- ◎マンション管理士
- ◎管理業務主任者

- ◎司法書士
- ◎行政書士
- ◎司法試験
- ◎弁理士
- ◎公務員試験(大卒程度・高卒者)
- ◎情報処理試験
- ◎介護福祉士
- ◎ケアマネジャー
- ◎電験三種　ほか

実務書・ビジネス書

- ✿会計実務、税法、税務、経理
- ✿総務、労務、人事
- ✿ビジネススキル、マナー、就職、自己啓発
- ✿資格取得者の開業法、仕事術、営業術

一般書・エンタメ書

- ✿ファッション
- ✿エッセイ、レシピ
- ✿スポーツ
- ✿旅行ガイド (おとな旅プレミアム/旅コン)

書籍の正誤に関するご確認とお問合せについて

書籍の記載内容に誤りではないかと思われる箇所がございましたら、以下の手順にてご確認とお問合せをしてくださいますよう、お願い申し上げます。

なお、正誤のお問合せ以外の書籍内容に関する解説および受験指導などは、一切行っておりません。
そのようなお問合せにつきましては、お答えいたしかねますので、あらかじめご了承ください。

1 「Cyber Book Store」にて正誤表を確認する

TAC出版書籍販売サイト「Cyber Book Store」の
トップページ内「正誤表」コーナーにて、正誤表をご確認ください。

CYBER TAC出版書籍販売サイト
BOOK STORE

URL：https://bookstore.tac-school.co.jp/

2 1の正誤表がない、あるいは正誤表に該当箇所の記載がない ⇒ 下記①、②のどちらかの方法で文書にて問合せをする

★ご注意ください★

お電話でのお問合せは、お受けいたしません。

①、②のどちらの方法でも、お問合せの際には、「お名前」とともに、
「対象の書籍名（○級・第○回対策も含む）およびその版数（第○版・○○年度版など）」
「お問合せ該当箇所の頁数と行数」
「誤りと思われる記載」
「正しいとお考えになる記載とその根拠」
を明記してください。

なお、回答までに1週間前後を要する場合もございます。あらかじめご了承ください。

① ウェブページ「Cyber Book Store」内の「お問合せフォーム」より問合せをする

【お問合せフォームアドレス】

https://bookstore.tac-school.co.jp/inquiry/

② メールにより問合せをする

【メール宛先　TAC出版】

syuppan-h@tac-school.co.jp

※土日祝日はお問合せ対応をおこなっておりません。
※正誤のお問合せ対応は、該当書籍の改訂版刊行月末日までといたします。

乱丁・落丁による交換は、該当書籍の改訂版刊行月末日までといたします。なお、書籍の在庫状況等により、お受けできない場合もございます。
また、各種本試験の実施の延期、中止を理由とした本書の返品はお受けいたしません。返金もいたしかねますので、あらかじめご了承くださいますようお願い申し上げます。

（2022年7月現在）